Jennifer Ashley

Traduite dans une dizaine de langues et récompensée par le prestigieux RITA Award, elle s'adonne à plusieurs genres de romance. Sous le nom Jennifer Ashley, elle écrit de l'historique, du paranormal et du contemporain. Sous le pseudonyme Ashley Gardner, du suspense, et du paranormal et de l'urban fantasy sous Allyson James. L'un de ses grands succès est la série historique consacrée aux frères Mackenzie.

Insolente créature

Du même auteur
aux Éditions J'ai lu

Dans la collection
Aventures & Passions

La folie de lord Mackenzie
N° 9416

L'épouse de lord Mackenzie
N° 9613

Les péchés de lord Cameron
N° 9897

La duchesse Mackenzie
N° 10160

Les noces d'Eliott McBride
N° 10425

JENNIFER

ASHLEY

LES EXILÉS D'AUSTIN – 1

Insolente créature

Traduit de l'anglais (États-Unis)
par Zeynep Diker

Titre original
PRIDE MATES

Éditeur original
The Berkley Publishing Group,
published by the Penguin Group (USA) Inc., New York

Remerciements

Un grand merci à mon éditrice Kate Seaver et à l'équipe éditoriale de Berkley, grâce à qui *Insolente créature* est à nouveau disponible pour les lecteurs.

Je remercie tout particulièrement Me Theresa A. et Me Kerrie D., deux avocates hors du commun, qui ont répondu à mes nombreuses questions avec une incroyable précision. Elles m'ont aidée à comprendre le déroulement de la journée d'une avocate de la défense, et les défis à relever lorsque l'on est une femme dans cette profession. Je leur suis extrêmement reconnaissante de m'avoir sacrifié du temps et d'avoir partagé avec moi leur expérience. Toute erreur dans le livre n'est imputable qu'à moi. Encore un grand merci à mon éditrice Leah, qui ne s'est pas défilée quand je lui ai soumis ma conception d'un monde nouveau. Travailler avec elle est toujours un immense plaisir !

Pour obtenir de plus amples informations sur la série, n'hésitez pas à consulter les pages des *Exilés d'Austin* sur *www.jennifersromances.com.*

1

Une fille entre dans un bar…

Non. Une humaine entre dans un bar de garous.

Il était vide, encore fermé pour la clientèle. On aurait dit un bar ordinaire, des murs sans fenêtre peints en noir, des rangées de bouteilles en verre, l'odeur de bière et de renfermé… À une différence près : il était situé à la périphérie du quartier garou.

— C'est vous, l'avocate ? demanda l'homme qui lavait les verres.

Humain, pas garou. Pas d'étranges pupilles en amande, pas de Collier pour maîtriser son agressivité, pas d'air menaçant. Enfin, à peine. Le quartier était plutôt malfamé et le danger y était omniprésent.

Kim se rassura ; elle n'avait rien à craindre. *Ils sont domestiqués. Ils portent le Collier. Ils ne peuvent pas te faire de mal.*

Elle acquiesça, et le barman lui désigna la porte du fond avec son torchon.

— Mets-lui-en plein la vue, ma jolie.

— Je préfère la jouer subtile, merci.

Kim se retourna et s'éloigna sur ses escarpins à talons, consciente qu'il la reluquait tout du long. Elle frappa à la porte munie de l'écriteau PRIVÉ, et une voix de l'autre côté grommela un : « Entrez ! »

Je dois discuter avec lui. Rien de plus. Ensuite, je pourrai rentrer à la maison.

Quelques gouttes de sueur ruisselèrent le long de son dos lorsqu'elle se força à pousser le battant pour rejoindre son interlocuteur.

Derrière un bureau en désordre, un homme, une liasse de papiers à la main, était adossé à son siège, les pieds sur la table. Il portait des bottes et un jean qui moulait ses longues jambes musclées. C'était un garou, à n'en pas douter. Un fin collier noir et argenté autour du cou, un corps ferme et fuselé, des cheveux de jais, et un air franchement farouche. Quand Kim entra, il se leva et posa les documents de côté.

Mince ! Il se redressa de toute sa hauteur, à savoir plus d'un mètre quatre-vingts, et plongea son regard bleu outremer dans celui de la jeune femme. Il était taillé comme une statue grecque avec son large torse, ses épaules robustes, ses abdominaux et ses biceps saillants mis en valeur par un tee-shirt noir ajusté.

— Kim Fraser ?

— C'est moi.

Avec une courtoisie désuète, il plaça une chaise devant le bureau et l'invita à s'y asseoir. Alors qu'elle s'installait, Kim sentit la chaleur de sa main dans son dos et huma les effluves de savon et de musc.

— Vous êtes monsieur Morrissey ?

Le garou se rassit, reposa ses bottes de motard sur la table et croisa les doigts derrière la tête.

— Appelez-moi Liam.

Son intonation, reconnaissable entre toutes, allait de pair avec ses cheveux noirs, ses iris d'un bleu incroyable et son nom atypique.

— Vous êtes irlandais, affirma Kim.

Il lui décocha un sourire ravageur.

— Qui d'autre dirigerait un pub ?

— Mais vous n'en êtes pas propriétaire.

À peine avait-elle prononcé ces mots qu'elle le regretta. Comment aurait-il pu le posséder ? C'était un garou.

Sa voix devint glaciale, les ridules au coin de ses yeux s'estompèrent.

— Je ne pense pas pouvoir vous être d'une grande utilité dans l'affaire Brian Smith, désolé. Je ne le connais pas bien, et j'ignore ce qui s'est passé la nuit où sa petite amie a été tuée. Ça commence à dater.

Kim ne cacha pas sa déception, mais elle n'était pas du genre à se laisser décourager lorsqu'il s'agissait de mener à bien une mission.

— D'après Brian, vous seriez la « personne de référence ». C'est vous que les garous viennent voir quand ils ont des problèmes.

Liam haussa les épaules, et ses muscles firent bouger le logo du bar imprimé sur son tee-shirt.

— Exact. Mais Brian n'est jamais venu me voir. Il s'est fourré dans le pétrin tout seul.

— Je sais. J'essaie justement de l'en sortir.

Liam plissa les paupières, et ses pupilles formèrent deux fentes comme s'il s'en remettait au fauve tapi en lui. Attitude typique du garou qui évalue une situation, comme le lui avait expliqué Brian. Et qui était la proie, d'après vous ?

Brian aussi avait joué les prédateurs avec Kim, au début. Il avait cessé à mesure qu'elle avait gagné sa confiance, ce qui n'avait pas empêché la jeune femme de se demander si elle s'y habituerait un jour. Brian était son premier client garou. En fait, c'était le premier qu'elle voyait en chair et en os, et non dans un reportage télévisé. Cela faisait vingt ans que le monde avait appris leur existence, mais elle n'en avait encore jamais rencontré un.

Elle savait qu'ils vivaient dans leur enclave à l'est d'Austin, près de l'ancien aéroport, mais ne s'y était jamais rendue. Certaines ne s'en privaient pas. Elles flânaient dans les rues bordant le quartier garou, espérant apercevoir ces mâles réputés pour leur force, leur charme et leurs attributs virils. Un jour, Kim avait surpris dans un restaurant deux femmes qui discutaient de leur entrevue nocturne avec un garou. Elles avaient beau tâcher de rester discrètes, elles n'avaient cessé de s'extasier sur le physique de l'intéressé, à grand renfort d'expressions élogieuses. Kim était aussi curieuse que les autres, mais le courage pour s'approcher d'un tel endroit lui avait toujours manqué.

Jusqu'au jour où on lui avait confié le dossier de ce jeune garou accusé d'avoir assassiné sa petite amie humaine dix mois plus tôt. C'était la première fois en vingt ans que l'une de ces créatures causait des ennuis, la première fois que l'une d'elles allait être jugée. Le public, scandalisé par ce meurtre, voulait punir l'espèce entière et pointait du doigt ceux qui affirmaient qu'ils étaient domptés.

Néanmoins, après avoir fait la connaissance de Brian, Kim avait décidé de se consacrer avec ferveur à sa défense. Convaincue de son innocence, elle voulait gagner. La jurisprudence concernant les garous était inexistante, car ils n'avaient jamais été traînés devant les tribunaux. Du moins, rien n'était mentionné dans les registres. Ce procès risquait d'être médiatisé ; l'occasion pour la jeune avocate de laisser une trace, de créer un précédent.

Liam l'observait avec attention, pupilles toujours fendues.

— Vous ne manquez pas de courage pour défendre l'un des nôtres.

— J'en ai à revendre.

Elle croisa les jambes, faisant mine de se détendre. « Ils flairent votre nervosité, paraît-il. Ils sentent votre peur et l'utilisent contre vous. »

— Je vous le dis sans détour, cette affaire me casse les pieds depuis le début.

— Tout ce qui nous concerne a tendance à vous casser les pieds.

Kim secoua la tête.

— Je faisais allusion à la manière dont elle a été traitée. La police a tenté de faire signer des aveux à Brian avant même que je puisse l'interroger. J'ai réussi à les arrêter à temps, mais je n'ai pas pu le faire libérer sous caution. Et les procureurs me mettent des bâtons dans les roues chaque fois que j'essaie de réexaminer les preuves. J'ignore si vous parler servira à quelque chose, mais je désespère. Alors, si vous ne voulez pas que l'un des vôtres paie pour ce crime, monsieur Morrissey, je compte sur votre coopération.

La façon qu'il avait de la dévisager, sans ciller, lui donnait envie de se rouler en boule. Ou de fuir. N'était-ce pas ce que faisaient les proies ? Et les prédateurs les pourchassaient, les acculaient.

Que pouvait bien faire ce type quand il coinçait sa victime ? Il portait le Collier. Il ne pouvait rien faire, si ?

Kim s'imagina prise au piège, dos au mur, face à Liam levant les mains pour la saisir… Une vague de chaleur lui chatouilla le creux des reins.

Son interlocuteur posa les pieds au sol et se pencha en avant, les bras sur le bureau.

— Je n'ai pas dit que je ne vous aiderais pas, ma jolie.

Il parcourut du regard son chemisier ouvert plus que de coutume à cause des embouteillages d'Austin dans la moiteur de juillet.

— Brian est-il content que vous plaidiez pour lui ? Vous aimez les garous à ce point ?

Elle résista à la tentation de reboutonner son corsage. Elle pouvait sentir les doigts de Liam sur elle, qui défaisait un bouton après l'autre, et son cœur se mit à battre la chamade.

— Là n'est pas la question. On m'a attribué son dossier, mais il se trouve que j'estime Brian innocent. Il ne devrait pas tomber pour un crime qu'il n'a pas commis.

Kim savourait sa colère qui lui permettait de masquer sa nervosité.

— Et puis, je n'ai jamais rencontré d'autre garou que lui. Comment pourrais-je savoir si je les aime ou pas ?

Liam sourit de nouveau. Ses pupilles retrouvèrent leur apparence normale. Il ressemblait à présent à n'importe quel splendide et robuste Irlandais aux yeux bleus.

— Vous, ma belle, vous êtes…

— Pétulante. Oui, je suis au courant. J'ai aussi droit à « soupe au lait », « acharnée », et une flopée de qualificatifs condescendants du même acabit. Ce qui est sûr, monsieur Morrissey, c'est que je suis une excellente avocate. Brian n'est pas coupable, et je vais le tirer de là.

— J'allais dire « inhabituelle ». Pour une humaine.

— Parce que je le crois innocent ?

— Parce que vous êtes venue jusqu'ici, dans ces faubourgs, pour me voir. Seule.

Le prédateur était de retour.

Pourquoi, quand Brian la dévisageait ainsi, ne s'en inquiétait-elle pas ? Ce dernier croupissait dans une cellule, dévoré par la haine, accusé d'un crime odieux. C'était un meurtrier, d'après la police. Pourtant son regard la laissait de marbre, contrairement à celui de Liam Morrissey.

— Et pour quelle raison aurais-je dû venir accompagnée ? s'enquit-elle à voix basse. Je cherche à prouver que les garous en général, et mon client en particulier, sont inoffensifs. Quel signal enverrais-je si je craignais de m'entretenir seule à seul avec ses amis ?

Liam voulut rire de la véhémence de la jeune femme, mais il tâcha de garder son sang-froid. Elle ignorait dans quoi elle mettait les pieds, et Fergus, le chef de clan, comptait sur lui pour que ça ne change pas.

Merde ! Il n'était pas censé l'apprécier. Il s'était attendu à rencontrer une humaine collet monté comme les autres, mais Kim Fraser était différente. Certes, elle était petite et ronde alors que leurs femelles étaient sveltes et élancées, mais il y avait autre chose. Il aimait la façon dont ses yeux bleu foncé dénués de peur le regardaient, tout comme ses boucles ébène qu'il brûlait de caresser. Elle avait eu le bon sens de laisser ses cheveux détachés au lieu de leur infliger une coiffure sophistiquée.

En revanche, elle essayait de camoufler ses formes généreuses sous un tailleur gris strict, même si son corps cherchait à se libérer de ce carcan. Ses seins pointaient avec ardeur sous son chemisier boutonné avec soin, et ses talons aiguilles ne faisaient que mettre en valeur ses jambes de rêve.

Aucune garou ne s'habillerait jamais de la sorte ! Elles préféraient les vêtements confortables dont elles pouvaient se débarrasser sans problème si elles devaient changer d'aspect. La plupart du temps, elles portaient des shorts et des tee-shirts ou, l'été, de longues jupes volantes ou des sarongs.

Liam imagina Kim dans un sarong. Le haut moulerait sa poitrine ferme et le bas dévoilerait ses cuisses parfaites…

Elle serait encore plus jolie en Bikini, à se prélasser autour de la piscine d'un millionnaire en sirotant un cocktail raffiné. Elle était avocate, son patron au cabinet avait déjà dû se l'approprier. À moins qu'elle n'utilise ledit patron pour se propulser au sommet de l'échelle. C'était typique des humains. Soit l'enfoiré finirait par lui briser le cœur, soit elle le quitterait sans remords, heureuse de ce qu'elle lui aurait pris.

Voilà pourquoi on les fuit comme la peste. Brian Smith s'était amouraché d'une humaine, et voyez où ça l'avait mené.

Mais pourquoi cette femme éveillait-elle l'instinct protecteur de Liam ? Pourquoi lui donnait-elle envie de s'approcher jusqu'à sentir sa chaleur corporelle ? Elle n'apprécierait sans doute pas. Les humains restaient toujours à plusieurs centimètres les uns des autres, sauf s'ils n'avaient pas le choix. Même les couples se contentaient de se tenir la main en public.

Liam n'avait pas à rêver d'ébats passionnés avec Kim. Fergus lui avait intimé l'ordre de l'écouter, de l'influencer, puis de la renvoyer chez elle. Pour autant, il n'avait pas pour habitude de respecter ses consignes sans broncher.

— Pourquoi voulez-vous l'aider, ma jolie ? finit-il par demander. Vous le défendez uniquement parce que vous avez tiré le mauvais numéro, je me trompe ?

— L'affaire m'a été confiée car je suis la benjamine du cabinet, c'est vrai. Toutefois, le bureau du procureur et la police ont fait n'importe quoi. Je ne compte même plus les violations de droits dans ce dossier mais, malgré mes protestations, la cour refuse de prononcer un non-lieu. Tout le monde veut faire payer le garou, qu'il soit coupable ou non.

— Qu'est-ce qui vous fait dire que Brian est innocent ?

— À votre avis ? répliqua Kim en désignant son Collier. Ça !

Liam résista à l'envie de toucher la laisse en métal noir et argent ornée d'un petit nœud celtique fusionnée à sa peau. Elle renfermait une minuscule puce préprogrammée et perfectionnée par la magie des faes pour garder les garous sous contrôle. Cela dit, les humains rejetaient la partie magique. L'objet envoyait une décharge électrique quand les tendances agressives du garou resurgissaient. Si ce dernier persistait, il recevait une autre dose qui, cette fois, le mettait à l'agonie. Comment pouvait-il attaquer qui que ce soit s'il se tordait de douleur sur le sol ?

Liam n'aurait su expliquer avec certitude le fonctionnement de ces engins. Il savait seulement qu'ils se mélangeaient à la peau du porteur et s'adaptaient à sa forme animale lors de la transformation. Tous les garous qui vivaient parmi les humains étaient obligés d'en porter un, et il était impossible de l'ôter une fois enfilé. Ceux qui refusaient étaient exécutés. Ceux qui essayaient de fuir étaient pourchassés et tués.

— Vous savez très bien que Brian n'aurait pas pu commettre un crime violent, poursuivit Kim. Son Collier l'en aurait empêché.

— Laissez-moi deviner, vos policiers sont persuadés de la défaillance du Collier.

— Oui. Quand je suggère de le tester, on tente de me démontrer par tous les moyens que ce n'est pas possible. Il ne peut être enlevé et, de toute façon il serait trop dangereux d'en libérer Brian. Trop risqué également de le provoquer pour voir si le Collier agit sur ses accès de fureur. Il est calme depuis qu'il est en prison. Il semble résigné, conclut Kim, l'air abattu. Je déteste voir quelqu'un baisser les bras de la sorte.

— Vous aimez les opprimés ?

Elle retroussa ses lèvres vermeilles et arbora un sourire radieux.

— En quelque sorte, monsieur Morrissey. Je les côtoie depuis longtemps.

Liam admira sa bouche. Elle lui plaisait. Il aimait à l'imaginer sur son corps, et sur certaines parties de son anatomie en particulier. Il n'était pas censé se perdre en pareilles rêveries, mais cette pensée déclencha une réaction manifeste au niveau de son entrejambe.

Étrange. Jusqu'à aujourd'hui, coucher avec une humaine ne lui avait jamais effleuré l'esprit. Il ne trouvait pas leurs femmes attirantes et préférait garder sa forme animale pour faire l'amour. Selon lui, le sexe était bien plus satisfaisant de cette façon. Avec Kim, il devrait rester humain.

Il laissa son regard dériver jusqu'à son décolleté. Bien entendu, avec elle, il pouvait l'envisager sans trop de difficultés…

Qu'est-ce qui me prend, bon sang ?

Les instructions de Fergus étaient claires et, si Liam ne lui avait pas promis de les suivre à la lettre, l'autre n'aurait jamais autorisé Kim à pénétrer dans le quartier garou. Fergus n'appréciait guère qu'une humaine soit chargée de la défense de Brian, mais il n'avait pas vraiment eu son mot à dire. L'arrestation du jeune garou l'avait mis hors de lui ; il estimait que les leurs devaient se tenir en retrait et ne pas s'en mêler. À croire qu'il considérait Brian comme coupable.

Cependant, Fergus habitait à l'autre bout de San Antonio, et ce qu'il ignorait ne pouvait pas le blesser. Liam gérerait la situation à sa façon.

— Qu'attendez-vous de moi, ma jolie ? Vous souhaitez tester mon Collier ?

— Non, j'aimerais en apprendre davantage sur mon client, sur les garous et leur communauté. Connaître les parents, les amis de Brian, savoir comment il a grandi, comprendre ce qu'est la vie dans un ghetto garou.

Elle lui sourit à nouveau.

— Trouver six témoins prêts à jurer qu'il n'était pas en compagnie de la victime la nuit de son assassinat ne serait pas du luxe non plus.

— Oh, rien que ça ? Ce sont de véritables miracles que vous demandez, mon ange.

Elle enroula une boucle noire autour de son doigt.

— D'après Brian, vous êtes celui à qui garous comme humains se confient le plus volontiers.

En effet, les garous venaient souvent s'épancher auprès de Liam. Son père, Dylan Morrissey, la deuxième personne la plus importante du clan, était à la tête de cette communauté.

Les humains ne connaissaient pas grand-chose à la minutieuse hiérarchie des clans et groupes, ou meutes pour les lycans, et ignoraient que les problèmes étaient réglés de manière officieuse, mais avec une incroyable efficacité. Dylan était le meneur du groupe Morrissey, et le chef du quartier garou.

Fergus dirigeait le clan des félins dans tout le sud du Texas, mais ceux qui avaient un souci allaient trouver Liam ou son frère Sean. Ils se donnaient rendez-vous au bar ou au café du coin. « Alors, Liam, tu voudras bien demander à ton père d'y jeter un coup d'œil pour moi ? »

Nul ne s'adressait directement à Dylan ou à Fergus. On ne procédait pas ainsi. Mais discuter avec Liam autour d'une boisson chaude ne coûtait rien, et n'attirait pas l'attention sur vous et vos éventuelles difficultés.

Néanmoins, tout le village finissait par être au courant. De bien des manières, le quartier garou rappelait à Liam son hameau irlandais natal, qu'il avait quitté pour le Texas vingt ans plus tôt. Tout le monde savait tout sur tout le monde, et les nouvelles faisaient le tour de la bourgade à la vitesse de l'éclair.

— Brian n'est jamais venu me parler, déclara-t-il. J'ignorais l'existence de cette fille jusqu'à ce que la police fasse irruption ici pour l'arrêter. Sa mère a été tirée du lit pour voir son fils se faire traîner hors de la maison. Elle n'a pas su pourquoi pendant des jours.

Kim remarqua que le regard azur de Liam s'était durci. De toute évidence, lui et les siens étaient furieux de l'arrestation de Brian. Les citoyens d'Austin, sur les nerfs depuis l'incident, pensaient que les garous allaient se lâcher et riposter avec violence, mais ces derniers n'avaient pas fait de vagues. Kim se demandait pourquoi, mais elle n'était pas près de poser la question à la seule personne susceptible de l'aider. Mieux valait éviter de l'énerver.

— C'est bien ce que je dis ! répliqua-t-elle. Cette affaire a été bâclée depuis le début. Avec votre aide, je pourrais disculper Brian et faire une petite mise au point : nos droits sont sacrés, même ceux des garous.

L'expression de Liam s'intensifia encore. C'était comme admirer un saphir.

— Je n'ai rien à faire de votre mise au point. Tout ce qui m'importe c'est la famille de Brian.

Soit, elle avait mal évalué ses critères de motivation.

— Dans ce cas, la famille de Brian sera plus heureuse de le voir hors de sa cellule que derrière les barreaux.

— Il n'ira pas en prison, ma belle. Il sera exécuté, et vous le savez très bien. Il ne risque pas non plus de poireauter vingt ans dans le couloir de la mort. Sa sentence sera immédiate.

Il avait raison. Le procureur, le shérif du comté, le secrétaire à la Justice et même le gouverneur voulaient punir Brian pour l'exemple. Il s'agissait de la première attaque de garou en vingt ans, et l'État du Texas tenait à assurer au monde entier qu'il n'en tolérerait pas une de plus.

— Alors, vous allez m'aider à le sauver ? demanda Kim. (S'il voulait jouer la franchise et aller droit au but, parfait. Ça l'arrangeait aussi.) Ou le laisser mourir ?

La colère de Liam se refléta à nouveau dans ses yeux, avant de céder la place au chagrin et à la frustration. Ces créatures étaient émotives, comme elle avait pu le constater avec son client, et ne craignaient pas d'afficher leurs sentiments. Brian s'en était pris à Kim à maintes reprises avant de reconnaître, non sans réticence, qu'elle était de son côté.

Si Liam décidait de faire de la rétention d'informations, lui avait expliqué Brian, elle ne parviendrait jamais à obtenir la coopération des autres garous. Même la propre mère de l'accusé se rangerait derrière l'Irlandais.

Celui-ci n'était pas homme à se laisser malmener. La jeune femme le lisait dans son regard. Il était habitué à donner les ordres, mais jusqu'ici, il ne lui avait pas semblé brutal. Il pouvait s'exprimer d'une voix douce, mélodieuse, rassurante, amicale. Elle avait deviné que c'était le défenseur, le protecteur de son peuple.

Songeait-il à secourir Brian ou à lui tourner le dos ?

Liam reporta son attention sur la porte et se raidit d'un coup, aux aguets. Kim sursauta avec nervosité.

— Que se passe-t-il ?

Il se leva et contourna le bureau au moment où la porte s'entrouvrait et où un garou entrait dans la pièce.

Son expression changea aussitôt.

— Sean !

Il attrapa le nouveau venu par le bras et l'attira vers lui. C'était bien plus qu'une étreinte. Bouche bée, Kim regarda Liam enlacer l'autre, le serrer contre lui et frotter le nez contre sa joue.

2

Kim se força à refermer la bouche et se détourna. Liam Morrissey préférait les hommes ? Quelle déception ! Cela dit, ce n'était pas ses oignons.

L'inconnu étreignit l'Irlandais de toutes ses forces, puis ils se relâchèrent en se donnant de grands coups de poing dans le dos. Liam sourit – Seigneur, il était vraiment à tomber ! –, le bras autour des épaules de l'autre.

— Sean, je te présente Kim. Elle défend Brian et sollicite mon aide.

Sean avait les cheveux noirs, les yeux bleus et le corps affûté comme Liam, mais son visage était plus dur, son expression plus sévère. Il émanait de lui une certaine rigidité, absente chez le gérant du pub, comme s'il était hanté par les fantômes de son passé.

— Ah oui ? Et que lui as-tu répondu ?

— J'allais lui expliquer la situation quand tu as fait irruption dans mon bureau. Et si je t'avais pris pour un lycan ? Je t'aurais brisé la nuque.

— Ton odorat est donc si mauvais que tu confondrais ton frangin avec un loup ?

— Vous êtes frères ? demanda Kim d'une voix tremblante.

— Oui, Sean est mon petit frère.

Les joues de la jeune femme s'empourprèrent.

— Oh !

Liam enlaçait toujours son cadet.

— Pourquoi ? Vous pensiez que c'était qui ?

Elle s'efforça de maîtriser son embarras.

— Votre compagnon.

Liam éclata d'un rire franc et chaleureux, Sean esquissa un sourire.

— Les humains sont-ils tous aussi dingues ? s'enquit ce dernier.

— Ils sont tous aussi ignorants en tout cas, rétorqua Liam. J'ai décidé de la laisser s'entretenir avec la mère de Brian.

Le sourire de Sean s'évanouit, et les deux frères échangèrent un regard empreint de réserve et de suspicion. Simple méfiance à l'égard des humains ? Ou lui cachaient-ils autre chose ?

Puis, ils reportèrent à nouveau leur attention sur Kim. Les garous possédaient une façon très particulière de vous regarder. Ils voyaient tout, ne manquaient rien. L'avocate se dit qu'il y avait pire que d'être dévisagée par deux individus aussi sublimes, même s'il s'agissait de garous, potentiellement dangereux, voire mortels.

— Ça me va, fit-elle. Voici ma carte. Appelez-moi quand vous aurez convenu d'une date.

— Je pensais vous y emmener maintenant, répliqua Liam. Pourquoi attendre ?

— Tout de suite ? Sans prévenir ? Est-ce vraiment une bonne idée ?

— Rassurez-vous, elle aura vent de notre visite.

Kim haussa les épaules, faisant mine de partager leur nonchalance. Son travail de juriste – prendre des rendez-vous, conserver des rapports détaillés, assurer ses arrières en toute situation – l'avait rendue maniaque. Leur désinvolture attisait sa nervosité.

Et pourtant, il lui semblait qu'ils n'étaient pas aussi détendus qu'ils le prétendaient. Ils échangèrent encore un regard, un avertissement silencieux, comme s'ils communiquaient à son insu.

Peu importe. Kim avait une mission à accomplir et Brian lui avait bien fait comprendre qu'obtenir l'aide de Liam était crucial.

Elle franchit la porte que ce dernier lui tenait, la tête haute, tâchant de ne pas fondre lorsqu'elle passa entre les deux mâles, qui dégageaient une chaleur intense.

Ils marchèrent jusqu'à chez Brian. Kim s'était préparée à partager l'espace confiné de sa voiture avec deux garous. Au lieu de quoi, elle emboîta le pas à Liam, suivie de près par Sean.

La maison n'était pas loin. À quelques rues de là, lui avait assuré Liam. Ce n'est pas lui qui portait des talons de dix centimètres, avait-elle voulu grogner en retour. Ses escarpins en cuir noir verni étaient parfaits pour assister à des réunions, mais pas pour crapahuter à travers la ville.

Cela dit, suivre Liam n'avait rien d'une épreuve. Avec ses fesses de rêve rehaussées par un jean moulant, il se déplaçait sans difficulté sous la chaleur. Pas étonnant que les gens viennent lui soumettre leurs problèmes. Il avait tout l'air de quelqu'un qui vous inviterait à poser la tête sur son épaule tandis qu'il s'emploierait à balayer vos soucis. De taille, corpulence et force identiques, les deux frères avaient également les mêmes yeux, mais Kim se sentait davantage attirée par Liam. Il émanait de Sean une méfiance, une retenue, qu'elle ne percevait pas chez son aîné.

Ils arrivèrent devant un supermarché coincé entre un parking jonché de détritus et un bar fermé. Un magasin barricadé et deux bungalows, vestiges de temps meilleurs, agrémentaient les lieux déserts. Les voitures fonçaient toutes vers les parties rénovées et plus prospères de la ville.

En tête de file, Liam tourna à un angle et passa derrière les bâtiments décrépits. Ils franchirent un portail grand ouvert au milieu d'une clôture grillagée et traversèrent un champ. Kim grimaça et fit attention où elle posait les pieds, consciente que ses jambes dénudées constituaient un mets de choix pour les aoûtats.

Lorsqu'ils atteignirent l'extrémité du champ, Kim s'arrêta si brusquement que Sean faillit lui rentrer dedans.

— C'est ça, le quartier garou ?

Liam sourit de toutes ses dents.

— Surprise, hein, ma belle ?

Elle s'était attendue à pénétrer dans un bidonville, un ghetto de parias chassés des autres quartiers. Certes, les baraques étaient petites et vieilles, les rues craquelées et couvertes de nids-de-poule, car les réparations ne figuraient pas parmi les priorités de la municipalité, mais elle aperçut au loin un spectacle digne d'une banlieue résidentielle douillette et agréable. Les pelouses étaient vertes, des jardins ou des bacs à fleurs ornaient l'extérieur des demeures et exhalaient un parfum d'été. Les bâtisses, repeintes et rénovées, possédaient pour la plupart une véranda aménagée et agrémentée de plantes en pots.

Les barrières étaient inexistantes. Les enfants jouaient sur l'herbe et gambadaient avec insouciance entre les maisons. Devant l'une d'elles trônait une piscine gonflable dans laquelle s'ébattaient gamins et chiens, que les mères observaient depuis le perron. De jeunes femmes en shorts et tee-shirts amples bronzaient au soleil pendant que les petits s'amusaient. Tous, chiens compris, portaient un Collier.

L'une des femmes leva la tête et les salua de la main.

— Bonjour, Liam ! Salut, Sean !

Une autre leur fit signe en silence. Kim sentit les regards des deux femelles garous posés sur son tailleur anthracite et ses stupides talons hauts.

Liam et Sean leur répondirent d'un geste amical. Les gosses sautaient dans l'eau, éclaboussant les alentours.

— T'as vu, Liam ? J'ai une piscine !

— Super, Michael. Veille bien sur ton frère.

Celui à qui s'adressait ce conseil se tourna vers le plus jeune des enfants, occupé à asperger les autres.

— Promis ! lança-t-il avec sérieux.

Les garous ne se terraient pas chez eux, contrairement aux voisins de Kim. Ils profitaient du soleil, travaillaient au jardin, surveillaient leurs bambins, discutaient entre eux. Chaque personne qu'ils croisèrent sur le trajet sourit ou fit signe à Liam et Sean, certains les saluèrent.

« Alors, Liam, comment va ton père ? »

Avant de parvenir au bout de la rue, Kim avait compris pourquoi la mère de Brian serait avertie de leur venue sans que son fils lui ait téléphoné au préalable. La présence des deux frères, accompagnés de l'intruse humaine, n'était pas passée inaperçue. Quelqu'un avait dû la prévenir d'une façon ou d'une autre.

Brian vivait avec elle, au 445 B Marble Lane. Kim l'avait lu dans ses dossiers. Elle avait supposé qu'il s'agissait d'un appartement ou d'une habitation bifamille, mais en réalité c'était deux maisons individuelles mitoyennes. Une allée longeait le 445 A et s'arrêtait devant le garage du 445 B.

Ces pavillons à toiture basse de style 1920 ou 1930 étaient dotés d'une véranda en brique, de lucarnes et d'un garage séparé. Comme ils s'approchaient, la porte d'entrée s'ouvrit et une femme élancée s'appuya contre le chambranle.

— Vous l'avez amenée, à ce que je vois, dit-elle.

Kim n'avait jamais rencontré Sandra Smith. Quand elle avait commencé à constituer le dossier, elle l'avait priée de se rendre à son bureau afin qu'elles puissent discuter. Sandra avait refusé et, au bout d'un moment, avait cessé de répondre aux appels de l'avocate. Voilà pourquoi, en partie, celle-ci voulait s'entretenir avec Liam et trouver quelqu'un susceptible de l'aider à assurer une défense solide pour Brian.

— J'espère que je ne vous dérange pas, madame Smith, s'excusa-t-elle tandis qu'ils se dirigeaient vers la véranda.

La femme tourna soudain les talons et claqua la porte-moustiquaire derrière elle. Kim grimaça. L'entrevue se présentait mal.

Liam et Sean entrèrent derrière Sandra, peu soucieux de la galanterie humaine. Brian lui avait expliqué les raisons de cette apparente rustrerie. Pour un garou, laisser une femelle entrer la première dans une pièce ou un lieu quelconque était ridicule. Impossible de savoir quel danger pouvait rôder de l'autre côté. Le mâle passait donc l'endroit au crible avant de donner le feu vert à sa compagne. Sinon, comment voulez-vous protéger votre partenaire ?

Kim les suivit à son tour et se figea, surprise. Sean avait enlacé Sandra, qui se laissait aller contre lui alors qu'il passait la joue sur ses cheveux. Liam s'approcha d'eux et se colla à Sandra. Il pressa le torse contre son dos et les deux frères se mirent à la cajoler à voix basse.

C'était dingue ! À la façon dont Liam avait salué Sean auparavant, Kim les avait crus en couple. À présent, elle aurait juré que les deux Morrissey et Sandra entretenaient une liaison.

Les deux garous reculèrent et la mère de Brian s'essuya les yeux. Kim fut frappée par son apparence : elle paraissait bien trop jeune pour avoir un fils de vingt-cinq ans. Elle n'en faisait pas plus de trente, mais son expression trahissait son expérience. Cette femme en connaissait un rayon sur la vie, bien plus qu'elle-même, en tout cas.

— Puis-je vous offrir une tasse de café, mademoiselle Fraser ? s'enquit Sandra d'une voix tremblante.

— Oh, non. Ne vous dérangez pas.

Sean sourit à leur hôtesse.

— Une pleine cafetière, ce serait génial, Sandra. Je vais t'aider.

La femme se détendit, et tous deux se dirigèrent vers la cuisine. Sean passa le premier, puis il lui caressa le bas du dos pour l'encourager à avancer.

— C'était quoi, ça ? demanda Kim à Liam.

— Asseyez-vous, Kim. Vous avez l'air perdu.

Il éludait la question, comme elle s'y était attendue. Elle s'effondra sur le canapé et posa sa mallette sur la table basse. Ses pieds l'élançaient. Elle glissa le doigt dans sa chaussure, mais cela ne la soulagea guère.

— Vous avez mal ?

Liam s'installa à son côté, empiétant sur son espace vital.

— Laissez-moi jeter un coup d'œil, ajouta-t-il.

Kim cligna les yeux.

— Je vous demande pardon ?

— J'ai remarqué que vous boitiez. Ôtez-moi ces escarpins ridicules, et donnez-moi votre pied.

Ses iris étaient d'un bleu si profond… Pourquoi brûlait-elle soudain de sentir ses mains chaudes sur ses pieds, ses chevilles, le long de ses jambes, sous sa jupe, jusqu'à la dentelle de ses bas enserrant ses cuisses nues…

Liam était un garou. C'était contre nature.

— Je ne peux pas faire ça.

— Dites plutôt que vous ne voulez pas.

— Imaginez un peu la scène ! La mère de mon client revient, et me trouve dans son salon en train de me faire masser les pieds.

— Elle penserait que vous faites enfin une chose sensée. Vous vous cachez sous vos vêtements comme sous une armure. Elle ne se confiera jamais si vous poursuivez dans cette voie.

— Alors que si je flirte avec vous…

Il lui décocha un sourire ravageur.

— Virez-moi donc ces pompes !

Oh, après tout… À Rome comme à Rome et dans le quartier garou…

Elle laissa échapper un grognement de soulagement en ôtant ses chaussures. Liam se tapota les genoux et Kim se cala dans le canapé avant de poser les chevilles sur ses cuisses.

— Est-ce que tout est inversé, ici ? s'enquit-elle.

— Inversé ?

— Les hommes entrent les premiers, on se vautre sur le fauteuil d'un étranger au lieu de rester professionnel, et on se salue en se frottant les uns aux autres.

Elle s'affala de plus belle tandis qu'il la massait avec vigueur.

— Oh ! C'est tellement agréable !

De ses doigts brûlants, Liam exerça des pressions de la voûte plantaire au talon. Bon sang, il savait vraiment dénouer les tensions !

Elle ne put réprimer un second soupir de plaisir.

— Vous surpassez tous les salons de massage où je suis allée ! Vous pourriez gagner votre vie comme ça.

— Les professions au contact des humains nous sont interdites, expliqua-t-il avec douceur. Des fois qu'on morde.

Kim songea qu'elle se laisserait volontiers mordiller par lui. Elle se sentait encore un peu anxieuse en présence de garous, mais Liam réussissait progressivement à dissiper ses peurs, du moins celles qui le concernaient.

— Je devrais pouvoir faire une exception pour vous.

— C'est les phéromones.

Elle écarquilla les yeux.

— Pardon ?

— Sean et moi avons flairé le désarroi de Sandra, et l'avons apaisée. Elle avait besoin de notre contact. Comme vous aviez besoin que je vous masse les pieds.

Kim repensa à leur affectueux câlin collectif.

— Elle devait vraiment être bouleversée…

— Ça vous surprend ?

— Sean était-il en détresse quand il est entré dans votre bureau ? Lui aussi, vous l'avez embrassé.

— C'est normal, non ? C'est mon frère. Vous n'en faites pas de même avec vos frères et sœurs ?

— Je n'ai pas de famille, répondit Kim, incapable de dissimuler son chagrin. Plus maintenant.

Liam l'examina avec pitié.

— Pas étonnant que vous soyez aussi tendue. Que leur est-il arrivé ?

— Je n'aime pas en parler.

— Parlez-en quand même.

Kim avait toujours jugé préférable de ne pas trop se livrer, mais les yeux outremer et la voix douce de son interlocuteur l'amenaient à s'épancher.

— Ça n'a rien de secret. Mon frère Mark est mort quand j'avais dix ans. Il en avait douze. Il s'est fait renverser par une voiture alors qu'il se rendait à la boutique du coin avec ses amis. Délit de fuite. Mes parents sont décédés il y a plusieurs années, à quelques mois d'écart. De vieillesse. Ils avaient eu des enfants assez tard. À présent, je suis toute seule.

Une histoire simple, facile à raconter. La tristesse avait cédé la place au vide depuis longtemps. Elle avait hérité de la maison familiale, vaste et terriblement silencieuse. Elle organisait des fêtes le week-end et invitait ses collègues en semaine pour tâcher d'égayer les lieux, mais l'effet était éphémère. Son quartier affichait une élégance froide. Là-bas, les gamins ne pataugeaient pas dans des piscines gonflables posées à même la pelouse.

Liam lui pressa le pied avec douceur.

— Je suis désolé, Kim Fraser. Il n'y a rien de pire que perdre un frère. C'est comme si on vous amputait d'une partie de vous-même.

C'était tout à fait ça. La jeune femme poursuivit à contrecœur.

— Quand Mark a été tué, je me le suis reproché. Je sais bien que c'est stupide. J'étais chez une copine à des kilomètres de la maison et je n'avais que dix ans. Qu'aurais-je pu y faire ? Mais je n'arrête pas de me dire que si j'avais été là, j'aurais pu l'avertir, le tirer loin de la route, le forcer à rester avec moi. N'importe quoi !

Elle sentit les doigts chauds et bienfaisants de Liam s'enfoncer sous ses orteils.

— Sean et moi avions un frère. Kenny. Il nous a été arraché il y a une dizaine d'années. Encore aujourd'hui on se demande s'il serait en vie si on l'avait persuadé d'agir différemment ce jour-là.

— Exactement.

Après dix-sept ans, Kim n'avait jamais trouvé personne qui la comprenne vraiment, ni ses amis ni ses collègues, ni même le pédopsychiatre chez qui on l'avait traînée de force. Et voilà qu'un garou rencontré une heure plus tôt lisait en elle comme dans un livre.

— Je suis navrée, Liam. Pour votre frère.

Il la remercia de sa compassion d'un hochement de tête.

— Ont-ils attrapé l'enfoiré qui a renversé Mark ?

Elle secoua la tête.

— La police a arrêté un type, mais ce n'était pas le coupable. On espérait tous qu'il le soit, on cherchait un bouc émissaire, mais quand je l'ai vu, j'ai su qu'il n'y était pour rien. Il mourait de peur, et sa femme était en larmes… J'ai affirmé qu'il n'avait rien fait, mais comment aurais-je pu en être sûre ? Je n'étais qu'une gamine et je n'étais même pas présente lors de l'accident. Les preuves ont fini par le disculper, mais tout le monde était furieux. À défaut du vrai meurtrier, ils se seraient contentés d'un substitut.

Liam ralentit la cadence de ses frictions.

— C'est à ce moment-là que vous avez décidé de devenir avocate ?

— Non. Je voulais être docteur, répondit-elle, le sourire aux lèvres. Ou danseuse. Je n'arrivais pas à choisir. J'avais dix ans. Mais je refusais qu'un innocent paie le prix fort. Si on envoyait la mauvaise personne en prison, l'homme qui avait tué mon frère continuerait à semer le trouble. Vous comprenez ?

— Sacré raisonnement pour une gamine.

— J'y ai beaucoup réfléchi. Ça m'a obnubilée pendant des mois.

D'où le psychologue.

— Je sais ce que c'est.

Il affichait à nouveau un air sinistre.

Elle aurait voulu le questionner sur la mort de son frère, mais Sandra et Sean venaient de les rejoindre avec le café. Kim essaya de retirer ses pieds, cependant Liam lui saisit les chevilles avec fermeté pour les maintenir en place. Elle le fusilla du regard, et il lui sourit en retour, dévoilant une rangée de dents éclatantes.

Sean posa sur la table le plateau qui contenait les tasses, la cafetière, le lait et le sucre. Pas d'édulcorant. La jeune femme se demanda si la maîtresse de maison n'aimait pas ça ou si les garous ne se souciaient guère de leur ligne.

Sandra ne parut ni surprise ni offusquée par la scène qu'offraient Kim et Liam. Elle se contenta de la servir et lui tendit son café en silence. Sean s'assit et prit une tasse.

— Alors, Kim, Brian a-t-il la moindre chance ?

Elle ne pouvait pas leur cacher la vérité.

— Son ADN a été retrouvé sur la victime, Michelle, ainsi que dans sa chambre à coucher. Depuis

Les Experts, tout le monde est persuadé que l'ADN est infaillible. Or Brian affirme qu'il fréquentait Michelle et s'était rendu chez elle à plusieurs reprises. Ces traces d'ADN sont donc on ne peut plus normales.

— Que peut-on faire alors si son ADN l'a déjà condamné ? demanda Sandra avec colère.

— On peut prouver qu'il n'était pas sur la scène du crime, cette nuit-là. C'est la raison de ma visite. Ni le détective privé que j'ai engagé ni mon ami journaliste qui suit l'affaire n'ont réussi à dégotter la moindre information sur ses allées et venues. Aucun indice. Rien. Comme s'il avait disparu pendant vingt-quatre heures. Je ne peux croire que personne n'ait aperçu Brian ni ne sache ce qu'il trafiquait.

En effet, la visite de l'avocate humaine chez l'accusé avait fait le tour du quartier en l'espace de quelques minutes. Tous les garous présents dans la rue devaient désormais connaître le nom complet de Kim ainsi que sa couleur préférée.

— J'ai demandé au détective de fouiller du côté de Michelle, voir si elle n'avait pas un ex jaloux ou un père abusif, ou même un ami proche qui aurait été furieux qu'elle sorte avec un garou. J'essaie de déterrer n'importe quel indice négligé par une police trop ravie d'appréhender l'un des vôtres.

— Votre enquêteur est venu me poser des questions, lâcha Sandra, à l'évidence excédée par cette intrusion. Brian ne m'a jamais avoué fréquenter cette fille, comment voulez-vous que je sois au courant ?

— Vous savez peut-être quelque chose qui soit susceptible de nous aider, reprit Kim. Je suis désolée, je comprends que c'est douloureux pour vous, mais Brian reste muet au sujet de Michelle, alors je suis obligée d'user de moyens détournés. Obtenir sa libération compte plus que la protection de ses secrets intimes, non ?

— Vraiment ?

Contrairement à son fils, Sandra avait le même accent que Sean et Liam, quoique moins prononcé. Brian avait appris à Kim que son père venait d'un clan différent, sans doute pas irlandais. À moins qu'ils n'aient perdu cette empreinte vocale après plusieurs années passées au Texas.

La jeune femme ne saisissait pas tout à fait le mode de fonctionnement des clans, même si Brian avait tenté de le lui expliquer. Elle savait que chaque cellule familiale appartenait à une bande plus large, appelée groupe, qui faisait partie d'un ensemble encore plus étendu, nommé clan. Les garous ne se mariaient jamais à l'intérieur du groupe et essayaient de s'unir à un partenaire extérieur au clan. Quand une femelle prenait un époux, elle rejoignait ce dernier et quittait les siens. Kim pensait que les clans étaient basés sur les animaux en lesquels les garous se changeaient, mais Brian lui avait précisé que c'était plus complexe. Le quartier où ils se trouvaient abritait plusieurs espèces et clans. Un autre, au nord-est d'Austin, en fédérait davantage.

Le père de Liam, Dylan Morrissey, était plus ou moins le chef officiel de la branche clanique d'Austin, mais également le dirigeant officieux de ce quartier-ci, en dépit de la présence des autres clans. Cependant, Kim ne pouvait pas s'adresser directement à lui, avait spécifié Brian. Seuls les garous pouvaient l'approcher. Elle devait passer par l'intermédiaire de Liam, et lui seul.

Pourquoi pas Sean ? se demanda-t-elle, en observant celui-ci du coin de l'œil. Quelle position hiérarchique occupait-il au sein du clan, officielle comme officieuse ?

Sean se servit du café et échangea un regard avec son frère.

— Vous devez donc trouver quelqu'un qui était avec Brian au moment des faits.

Kim aurait juré que Liam avait opiné du chef, comme pour signifier à l'autre qu'il pouvait poser sa question. Dans l'air, les signaux non verbaux fusaient.

— Un témoin indépendant, ce serait l'idéal, répondit l'avocate. Quelqu'un qui n'en aurait pas après les garous et qui n'en serait pas un non plus.

— Ça fait beaucoup, souligna Sean.

— La victime était humaine, s'écria Sandra, agacée. Qui oserait se présenter à la barre pour affirmer que mon fils n'a rien fait ?

Elle marquait un point. Dénicher un témoin allait être difficile, Kim n'en doutait pas, mais elle apprécierait de s'appuyer sur du concret, pour une fois. La présomption d'innocence ne fonctionnait pas dans le cas de Brian. Le fait qu'il soit un garou l'avait déjà en partie condamné aux yeux de l'opinion publique. Si la jeune femme ne le disculpait pas, il n'avait aucune chance.

Liam se mit à lui masser les avant-pieds, faisant disparaître ses tensions.

— Je devrais pouvoir découvrir où Brian se terrait cette nuit-là, déclara-t-il. Vous auriez dû me le demander plus tôt, ma jolie.

— Comment aurais-je pu le savoir ? Comme je l'ai dit, Brian est le premier garou que je rencontre, et l'amener à mentionner votre existence, Liam, n'a pas été facile !

Brian n'avait pas daigné lui parler de Sean.

— Nous n'aimons pas nous dévoiler, répliqua ce dernier.

— Je ne comprends pas pourquoi. Vous avez révélé votre existence au monde il y a des années. Vous n'avez plus de secrets pour personne. Il n'y a plus rien à cacher.

Elle sentit que les trois garous communiquaient en silence, et cela l'irrita. Elle se rappela ses huit ans et les messes basses de ses deux meilleures amies, qui lui jetaient des coups d'œil taquins sans la laisser entrer dans la confidence.

Un portable vibra à la ceinture de Liam. Il consulta l'écran et, sans prononcer un mot, reposa avec délicatesse les pieds de Kim sur le sol. Il se leva, se dirigea vers la cuisine et ferma la porte derrière lui pour s'isoler.

Privée de sa chaleur corporelle, Kim frissonna malgré la canicule estivale.

— Tout ce que vous me direz me sera utile, déclara-t-elle à l'intention de Sean et Sandra. Pour l'instant, ma seule chance de gagner, c'est de démonter les allégations de l'accusation, et ce n'est pas évident. J'ai besoin d'un élément irréfutable qui fera voler cette affaire en éclats.

Sandra but son café, considérant Kim, puis la fenêtre. La jeune femme perçut la tristesse dans son regard fixé sur l'horizon et devina son abattement.

Elle se résigne à la mort de son fils, comprit Kim. Sandra pensait qu'il n'y avait plus d'espoir. Elle avait déjà commencé son deuil.

Sean scrutait l'avocate avec attention, jaugeant ses réactions. Celle-ci se méfiait toujours de lui et s'interrogeait sur le souvenir douloureux qui semblait l'obséder.

— J'ai horreur de l'échec, Sandra, lança-t-elle soudain. Je veux libérer Brian et voir le vrai coupable payer pour ce crime. Je ne vous laisserai pas tomber.

La femme ne dit rien. Sean hocha la tête.

— Je n'en doute pas, Kim.

Liam revint dans le salon d'un pas assuré. Kim se rendit compte que les deux autres n'avaient presque pas parlé en son absence. Leur avait-il fait signe de se taire ? Pourquoi ?

Il prit sa tasse sans se rasseoir et avala une rasade de café. Il jeta un coup d'œil à son frère, éveillant sa suspicion.

— Un problème ? s'enquit Kim. Vous avez eu de mauvaises nouvelles ?

Liam reposa brusquement sa tasse sur le plateau.

— Non. Sean et moi avons une course à faire. J'apprécie que vous vous soyez déplacée jusqu'au quartier garou, Kim Fraser, mais maintenant, il est temps que vous partiez.

3

— Que se passe-t-il ? demanda Kim tandis qu'elle longeait l'allée avec Liam. Vous commenciez à peine à vous confier, et voilà que vous me jetez dehors.

Liam jaugea la femme qui fulminait à son côté. Les rayons du soleil ondoyaient sur sa chevelure, et la chaleur de l'après-midi rehaussait son parfum délicat.

Il la trouvait attirante, même si elle était hors d'elle. Quand il avait annoncé que l'entretien était terminé, elle avait aussitôt enfilé ses chaussures, pris congé de Sandra poliment et quitté les lieux, l'air furieux. À présent, elle marchait avec lui sans cesser de le fusiller du regard.

— Sandra était embarrassée, prétexta-t-il. Elle est mal à l'aise en compagnie des humains.

— Et vous ? Êtes-vous à l'aise en notre présence ?

— Pas vraiment. Mais plus que Sean, en tout cas.

— C'est pour ça que vous travaillez dans un bar ?

Il haussa les épaules.

— Les humains aiment voir un garou derrière un comptoir. C'est bon pour les affaires.

Inutile de lui avouer la véritable raison de son travail là-bas.

Ils avaient atteint le trottoir longeant le 445 A. Kim pivota sur ses talons et se planta devant lui, les poings sur les hanches.

— J'essaie de l'aider. Pourquoi Sandra pense-t-elle que Brian n'a aucune chance ? Je m'occupe du dossier !

Liam dissimula un sourire. L'avocate lui évoquait un fox-terrier déterminé à terrasser un lion. Il admirait son courage, d'abord pour croire à l'innocence de Brian, ensuite pour être venue à la rencontre de redoutables garous comme Sean et lui-même. Elle n'avait pas conscience de la dangerosité de son pèlerinage, et il n'avait nulle intention de la lui apprendre.

— Et cela devrait la rassurer ?

— Je suis douée, monsieur Morrissey. Michelle et sa famille ne pourront tourner la page que si le vrai coupable va en prison.

D'un geste, il l'empêcha de poursuivre.

— Je suis d'accord, mon ange. Ce n'est pas moi qu'il faut convaincre.

— Dans ce cas, pourquoi toutes ces cachotteries ? (Elle le dévisagea avec méfiance.) Il se trame quelque chose. Sean et vous êtes au courant. Sandra aussi. Bon sang, même Brian est au courant ! Je suis la seule à qui on ne dit rien. Faites quelque chose !

Liam posa les mains sur ses épaules et perçut une lueur d'embarras dans ses yeux bleus. Pourquoi les humains faisaient-ils tout un plat du contact physique ?

— Nous apprécions votre dévouement. C'est la première fois qu'on rencontre une humaine qui se soucie vraiment de nous. Mais vous allez devoir me laisser gérer les choses à partir de maintenant.

Sinon, elle risquait de mourir. Liam avait déjà désobéi. Il ne l'avait pas apaisée et renvoyée chez elle sur-le-champ, comme l'avait exigé Fergus, mais ce dernier pouvait bien aller se faire voir.

Il ne pouvait pas dire à Kim qu'il ignorait tout de la situation. Sandra cachait quelque chose, même à lui, et il aurait donné cher pour en connaître l'objet.

— Vous ne comprenez pas, hein ? s'enquit la jeune femme. Je n'aurais même pas dû venir vous parler, mais je suis au pied du mur. Je dois me montrer très prudente quant à chacun des éléments en ma possession. Tout ce que vous m'apprendrez devra être vérifié par deux fois. Ce n'est pas que je me méfie de vous, mais je dois rester vigilante.

Liam pressa les pouces sur ses épaules.

— Pourtant, il va bien falloir, trésor.

Un frisson la parcourut. Elle voulait qu'il la touche, il le sentait. Elle en avait besoin mais elle refrénait ses instincts. *Ah, ces humains !*

Elle jeta un coup d'œil à ses mains.

— Vous a-t-on déjà dit que vous n'étiez pas politiquement correct ?

— Pourquoi ? Parce que j'aime caresser votre peau délicate et vous appeler « trésor » ? Ou parce que je refuse de vous confier les rênes ?

— C'était quoi, ce coup de fil chez Sandra ?

— Voilà que vous fouinez dans mes affaires, maintenant ! C'était personnel. Vous avez un petit ami ?

Elle cligna les paupières.

— Et ça, ce n'est pas personnel ?

— Alors ? Quelqu'un de spécial dans votre vie ?

Elle esquissa une moue songeuse, comme si elle devait réfléchir à la question.

— Oui. Plus ou moins.

— Vous n'en êtes pas sûre ?

— On ne sort pas beaucoup. On est occupés.

— Quelle tragédie !

Elle s'offusqua.

— Pourquoi ?

Liam se pencha vers elle. Dieux qu'elle sentait bon ! Il aimait ses cheveux, soyeux et bouclés, et brûlait d'enfouir son nez dedans.

— Si j'avais une petite amie comme vous, ma jolie, je ne la lâcherais pas d'une semelle. Je ne voudrais pas la quitter des yeux et je ne la laisserais jamais se balader dans le quartier garou toute seule. Il a quoi dans la tête, cet homme ?

Kim parut contrariée.

— Il ignore que je suis là.

— Il devrait mieux prendre soin de vous.

À présent, elle semblait indignée.

— Il n'a pas à prendre soin de moi. Je suis capable de me débrouiller seule !

— Peut-être. (Il s'approcha davantage et sentit ses pupilles changer lorsqu'il huma son odeur.) Mais quand vous serez dans le quartier garou, c'est moi qui veillerai sur vous. Personne ne vous importunera, je vous le promets. Ou ils devront me rendre des comptes.

— Ça m'étonnerait que je remette les pieds ici.

— Quand bien même.

Liam l'enlaça et l'attira à lui. Elle résista. Il lui caressa le bas du dos et colla la joue contre sa chevelure jusqu'à ce qu'elle se détende un peu. Il ne s'était pas trompé, sa chevelure était soyeuse et chaude.

À son contact, Kim se laissa enfin aller. Il avait besoin de la protéger. Il en avait pris la décision dès l'instant où elle avait franchi la porte de son bureau. Il la protégerait des autres garous, et surtout du chef de son propre clan.

— Tout ira bien à présent.

— Si seulement vous pouviez dire vrai, répondit-elle, non sans scepticisme.

Elle avait une belle voix de contralto. Il l'imagina lui susurrant des mots doux à l'oreille, allongée à son côté dans un lit. Ses cheveux s'emmêleraient sur son coussin... Ne serait-elle pas magnifique ? Il concevait sans peine de garder sa forme humaine pour faire l'amour, si c'était avec elle.

Il se redressa et ôta une mèche bouclée de son visage.

— Donnez-moi votre téléphone.

— Pourquoi ?

— Pour que je puisse admirer les appareils de pointe qu'une humaine peut s'offrir. (Il lui tendit la main.) Je veux vous donner mon numéro. Qu'est-ce que vous croyez ?

Elle sortit son portable de sa mallette et le lui présenta. Il était sophistiqué, comme il s'en était douté, avec un tas de touches et d'options. Les garous n'étaient autorisés à posséder que les anciens modèles, recyclés, dont la plupart des fonctionnalités avaient été désactivées. Ce qui n'empêchait pas certains de les trafiquer en douce.

Liam se mit à pianoter sur le clavier.

— J'enregistre mon numéro privé. Seulement pour vous. Appelez-moi si vous avez besoin de quelque chose. À n'importe quelle heure du jour ou de la nuit.

Kim le regarda glisser le mobile dans son attaché-case.

— Sérieusement ?

— Sérieusement.

— Et si je vous téléphone toutes les heures pour surveiller vos progrès ?

— Aucun problème.

Elle haussa les sourcils.

— Vous me faites vraiment confiance.

— Parce que je vous en demande autant.

Elle se mordilla la lèvre jusqu'au sang. Il trouva ce tic craquant.

— Je comprends. (Elle lui tendit la main.) Merci pour votre aide, monsieur Morrissey. Je vous contacterai.

Liam passa le bras autour de sa taille, la forçant à faire demi-tour.

— Je ne pars pas, chérie. Je vous raccompagne à votre voiture.

— Pourquoi ? Elle n'est qu'à quelques pâtés de maisons.

— Vous ne pensiez tout de même pas que j'allais vous abandonner sur le trottoir ? Je vous l'ai dit : dans le quartier garou, vous êtes sous ma protection.

— J'ignore ce que vous entendez par là.

— Tout simplement que je vous raccompagne à votre voiture.

Elle bougonna d'exaspération.

— Si vous y tenez.

Il se retint de rire. Quel adorable fox-terrier ! Et déterminée, avec ça !

Et pénible. Le coup de fil qu'il avait reçu auparavant était de son père. Il lui rapportait les nouvelles qu'il attendait. Madame l'avocate devait débarrasser le plancher. Liam et Sean avaient d'autres chats à fouetter.

Tandis qu'ils marchaient, il savoura le frottement des courbes voluptueuses de Kim contre son corps, sa taille de guêpe sous sa main. Elle n'essaya pas de s'éloigner, résignée, semblait-il, à le laisser l'escorter. Comme s'ils formaient un couple, d'un point de vue humain.

Il sentit une chaleur l'envahir, un vide se combler. Il s'empressa de réprimer ce sentiment. Il ne pouvait pas s'impliquer dans une relation avec elle. La protéger, oui. S'amuser avec elle, non. Même s'il en brûlait d'envie.

Kim s'escrimait à respecter la cadence de Liam, mais ses ridicules talons hauts la ralentissaient. Il aurait souhaité qu'elle les enlève ainsi que ses bas, et qu'elle foule l'herbe pieds nus. Il l'imagina gambadant à son côté, ses escarpins à la main, le sourire aux lèvres.

Ils arrivèrent bien trop vite à sa voiture, une Mustang noire trois portes. Un signal sonore retentit lorsqu'elle appuya sur un bouton pour déverrouiller les portières.

Il la serra à nouveau dans ses bras. Elle résista, cette fois encore, mais il l'attira à lui et effleura du bout des lèvres le creux de son cou. Elle était chaude, sa peau salée, et il sentit les battements de son pouls contre sa bouche.

— Au revoir, Kim. Prenez soin de vous.

Il le pensait. Elle n'était pas à l'abri du danger, et les problèmes de Brian ne formaient que la partie immergée de l'iceberg.

La jeune femme tira de sa poche la carte de visite qu'elle avait essayé de lui donner auparavant.

— Vous appellerez mon bureau dès que vous aurez du nouveau, n'est-ce pas ? La moindre information.

Il tritura le morceau de carton entre ses doigts, caressant avec tendresse le nom imprimé dessus en relief.

— Sans faute, ma belle.

— Même si vous jugez que ce n'est pas pertinent.

Il ne daigna pas répondre. Il lui ouvrit la portière, et elle lui décocha un regard inquiet avant de jeter sa mallette sur le siège passager.

Liam recoiffa les mèches rebelles qui mangeaient les joues de Kim. Il aurait pu passer la journée à la contempler, à humer son parfum, à cajoler sa chevelure soyeuse.

Il la laissa partir. Elle ne lui était pas destinée, même s'il brûlait de la posséder corps et âme. Elle était sublime, mais elle n'était pas pour lui.

Elle lui adressa un sourire qui lui réchauffa le cœur et se glissa derrière le volant. Elle fit vrombir le moteur, augmenta la climatisation, puis baissa la vitre, lui envoyant une bouffée d'air frais au visage.

— Merci, Liam. Je ne veux pas paraître ingrate. Je suis inquiète, voilà tout.

— Comme nous tous, mon ange. (Il se redressa, et tapota le toit du véhicule.) Bon retour.

La vitre remonta en silence. Kim esquissa un rictus empreint de nervosité, puis s'engagea dans la rue. Elle alluma les feux arrière avant de bifurquer, puis disparut.

Il ne la reverrait peut-être jamais. Cette prise de conscience le frappa de plein fouet.

Non, cela ne se produirait pas. Elle était sous sa protection, désormais. Il avait son téléphone et son adresse. Il s'assurerait qu'elle ait besoin de lui parler à nouveau, et donc de le voir en personne.

Quand Liam rentra chez lui après avoir été chercher Sean chez Sandra, Dylan les attendait. Trois générations de mâles habitaient le bungalow à un étage des Morrissey, le père, les deux fils et le neveu de Liam, Connor, âgé de vingt ans.

Grand et dégingandé, ce dernier était encore un enfant selon les critères garous. Pour les humains, il était en âge d'aller à la fac et, l'automne précédent, il s'était inscrit à l'université du comté. Les garous n'étaient pas autorisés à soumettre leur candidature pour intégrer la prestigieuse université du Texas, à Austin, mais une loi avait été votée pour leur permettre de poursuivre malgré tout des études supérieures. Sans obtenir de diplôme, toutefois. Il ne fallait tout de même pas qu'ils se lancent dans une carrière professionnelle ou s'instruisent assez pour représenter une menace.

Il n'y avait pas cours en été et, pour tuer le temps, Connor visionnait des DVD toute la journée. Il leur était interdit de posséder un décodeur-enregistreur ou un bouquet satellite premium, ce qui arrangeait bien les affaires des vidéoclubs du coin. Il regardait *Hurlements* et pour le coup, hurlait carrément de rire.

— Tu devras l'accompagner, Liam, déclara Dylan dès que son fils passa la porte, reprenant la conversation qu'ils avaient eue au téléphone.

Liam le gratifia d'un hochement de tête sinistre tandis qu'il se servait une Guinness dans le réfrigérateur. Son père lui avait appris que les traqueurs de Fergus avaient localisé à l'est de la ville un garou indompté. Le même qui avait massacré une femelle et ses petits quelques nuits plus tôt.

Que tous les indomptés rôtissent en enfer ! songea-t-il. Sean et lui avaient retrouvé les corps, une vision bouleversante qui lui avait fendu le cœur. En tant que Gardien, il en allait de la responsabilité du cadet d'éliminer le vil individu. Liam, quant à lui, n'avait qu'une envie : faire justice lui-même. Jamais il ne laisserait son frère affronter seul l'agresseur. Pas après ce qui était arrivé à Kenny.

— Je viens aussi, déclara Connor. (Il les avait rejoints sans faire de bruit et s'était adossé au comptoir de la cuisine.) S'il s'agit juste de l'appréhender.

Dylan le regarda avec compassion. Ses cheveux noirs avaient commencé à grisonner au cours des dernières années, et ses tempes poivre et sel lui conféraient enfin une apparence plus âgée. C'était à son expression et non à son enveloppe humaine que l'on reconnaissait la maturité d'un garou, et celle du patriarche en disait long.

— Non, Connor.

— Je ne suis plus un bébé ! Je dois apprendre à terrasser ces enfoirés.

Son père, Kenny, avait été réduit en lambeaux par un indompté. Sa famille avait vengé sa mort depuis longtemps, mais sans la participation de Connor, alors trop petit. Le désir de vengeance personnelle le consumait. Cependant, non content de paraître si jeune, il avait réellement vingt ans en âge humain. Son aptitude au combat ne serait pas au point avant une dizaine d'années.

Liam étreignit son neveu avec tendresse.

— Comme tu l'as dit, mon grand, c'est une opération de routine. Après l'avoir arrêté, on ira manger une pizza.

Il s'efforça de garder son calme, même si, en son for intérieur, il trépignait d'excitation. Il lui tardait d'en finir.

Connor leva les yeux au ciel lorsque son oncle le relâcha.

— Sean et toi êtes tellement condescendants, ça me dégoûte ! Tu sens l'humain à plein nez, Liam. Où étais-tu ?

Hilare, Sean sortit une bière du réfrigérateur.

— Tu aurais dû le voir. Il a rencontré cette femme et, dix minutes après, il lui massait les pieds ! Il ne voulait plus la laisser tranquille.

Liam lui lança une capsule de bouteille. Sean l'attrapa au vol et la lui renvoya.

— Elle a besoin de protection, rétorqua Liam, saisissant la capsule à son tour avant de la reposer sur le comptoir. Elle se démène pour les garous, l'idiote.

— Elle ne manque pas de vaillance pour une humaine, répliqua Dylan, le seul dans la pièce qui ne semblait pas amusé.

— Elle est courageuse, mais innocente. Je l'ai marquée de mon odeur pour que les autres lui fichent la paix. Ils sauront que, s'ils lui cherchent des noises, ils auront affaire à moi. Cela vaut aussi pour les sbires de Fergus.

Dylan observa son fils avec attention, et ce dernier fit mine de ne pas retenir son souffle tandis qu'il buvait sa bière. Qui le chef des Morrissey soutiendrait-il ? Le chef de clan ? Ou Liam ? Impossible d'en être sûr.

Dylan finit par hocher lentement la tête.

— Si Fergus pose la question, je lui dirai que j'ai donné mon accord.

Liam se détendit. Il s'approcha de son père et lui serra l'épaule en guise de remerciement, avant de retourner devant le frigo.

— On ferait mieux de manger en attendant. Qui est partant pour un bon vieux hamburger ?

— Brillante idée !

Sean regagna le salon d'un pas nonchalant et se jeta sur le canapé. Il étira les jambes et croisa les doigts derrière la nuque.

— Pour moi, ce sera saignant avec une tranche de fromage fondu.

Connor s'affala par terre et appuya sur le bouton « marche » du lecteur DVD.

— Bleu pour moi, Liam.

— Andouilles, grommela ce dernier, mais il sortit quand même la viande du congélateur et la passa au micro-ondes.

Comme il allumait le feu dans le jardin et préparait les steaks, sans rajouter le sel, les oignons et tous ces aromates inutiles qu'affectionnaient tant les humains, il repensa à Kim. À son parfum, à son corps. À ses grands yeux outremer bordés de longs cils, qui effleuraient ses sourcils quand elle les écarquillait. À ses cheveux noirs qui chatoyaient au soleil, révélant des reflets auburn.

Il se demanda ce qu'elle faisait à cet instant. Était-elle de retour à son cabinet, penchée sur son bureau ? En train de s'entretenir avec Brian en prison ? Plongée dans des livres de droit indigestes pour y découvrir de quoi disculper un garou ?

Elle ne tarderait pas à rentrer chez elle. Liam avait trouvé son adresse sans difficulté quand la secrétaire de Kim l'avait contacté en début de semaine. Une recherche sur Internet avait suffi, même avec un simple modem. Les garous n'avaient pas accès au haut débit. Le gouvernement semblait persuadé que les priver du câble, de la technologie sans fil ou d'un mobile digne de ce nom ralentissait leur communication. Il peinait à comprendre pourquoi. Les humains avaient des idées bizarres.

Que ferait l'avocate une fois chez elle ? Sans doute ôterait-elle cet austère tailleur gris. Portait-elle de la lingerie sexy ? La très sérieuse Kim Fraser s'offrait-elle des dessous coquins ?

Liam l'imagina vêtue d'un caraco en soie qui couvrirait à peine sa poitrine généreuse et d'une culotte échancrée révélant en partie ses fesses. Ou, pourquoi pas, d'un soutien-gorge pigeonnant en dentelle qui laisserait dépasser ses tétons. Sans oublier des bas maintenus par un porte-jarretelles. Elle flânerait chez elle ainsi, prête à se détendre après le travail, et se servirait un verre de vin. À moins qu'elle ne préfère la bière fraîche, comme toute Texane qui se respecte.

Il se représenta les gouttelettes d'humidité sur la bouteille, causées par la moiteur de cette soirée estivale. Le goulot pressé contre les lèvres, elle la renverserait pour avaler une gorgée du liquide glacé.

Il se laissa happer par ses pensées, à tel point que les burgers de Sean et Connor manquèrent d'être carbonisés.

Kim sortit de son bain relaxant et regagna sa chambre à coucher, une serviette enroulée autour du buste et l'autre sur les cheveux.

Elle s'était habituée à vivre seule, sauf quand Abel restait dormir, sans parents, frère, sœur ou compagnon. Sans chat ni chien parce qu'elle était au bureau toute la journée et refusait de leur imposer sa négligence. Ou peut-être voulait-elle s'épargner un deuil supplémentaire lorsqu'ils mourraient à leur tour, laissant encore un trou à combler dans sa vie.

Ce soir-là, le vide lui pesait. Pour essayer de l'oublier, elle avait envoyé un e-mail à son ami Silas, journaliste lauréat du prix Pulitzer, qui enquêtait pour les besoins d'un documentaire sur les garous, avant de se plonger dans la baignoire remplie de mousse et de se vider la tête grâce à un roman passionnant. Incapable de se concentrer, elle avait fini par abandonner.

Elle s'était emparée d'une lime et avait commencé à se faire les ongles. Peut-être le sentiment de manque l'ennuyait-il à ce point à cause de son incursion dans le quartier garou, des enfants qui jouaient dans le jardin, des voisins qui saluaient Sean et Liam, et du lien si fort entre les deux frères.

Elle se rappela s'être livrée au second et l'avoir autorisé à lui masser les pieds. Les pressions sur sa voûte plantaire douloureuse lui avaient fait un bien fou. Elle sentait encore son toucher, la chaleur, la sensuelle fermeté de ses doigts puissants.

Et cette délicieuse sensation quand il avait posé les lèvres sur son cou... Ce type la bouleversait. Elle ignorait si les garous faisaient l'amour comme les humains mais, si elle avait été l'une des leurs, elle n'aurait pas abandonné la partie avant de l'avoir mis dans son lit.

Le plus étrange, c'est qu'il l'avait écoutée. En l'espace de dix minutes, elle lui en avait raconté plus qu'elle n'en avait confié à Abel depuis le début de leur relation, un an plus tôt.

Ce détail en disait long sur Liam. Et sur Abel.

Elle rangea la lime et attrapa son téléphone. Elle composa le numéro d'Abel et laissa sonner.

— Oui ? répondit-il, l'air pressé.

— Salut, c'est moi.

— Kim ? (Il semblait décontenancé.) Que se passe-t-il ? On était censés se voir ?

— Non. J'avais juste envie de te parler.

— Oh. (Il marqua une pause, et elle entendit un froissement de papier à l'autre bout de la ligne.) Je peux te rappeler ? Je suis archidébordé, là.

Elle attendit que la colère monte, en vain. Elle ne ressentit rien.

— Bien sûr.

— Demain. Bonne nuit, chérie.

Clic.

— C'est ça. Fais de beaux rêves.

Kim raccrocha et reposa l'appareil sur la table. Abel était un bourreau de travail impatient de se faire un nom dans l'entreprise. Forcément, il était archidébordé. Comme d'habitude. Le contraire l'aurait étonnée.

Le moment est peut-être venu de couper les liens, lui souffla une petite voix. *Il est même grand temps.*

Cela ne t'avait pas effleuré l'esprit avant que tu ne rencontres Liam, tu t'en rends compte, n'est-ce pas ?

Elle reprit son portable et fit défiler son répertoire jusqu'à Liam. Les quatre lettres de son prénom, suivies du préfixe local et des sept chiffres de son numéro, comme pour chacun de ses contacts. Rien de plus normal.

« Vous pouvez m'appeler à n'importe quelle heure du jour ou de la nuit. »

Le pensait-il vraiment ? Ou était-ce de la simple politesse ?

« Appelle-moi, mon cœur. Sauf quand je suis occupé, quand je regarde la télé, quand je suis dehors avec mes potes ou quand j'ai mieux à faire. »

Rien que pour lui casser les pieds, elle enfonça la touche. Une sonnerie plus tard, le timbre chaud et caverneux du garou lui emplissait l'oreille.

— Kim ! s'écria-t-il comme si c'était le meilleur coup de fil qu'il avait reçu de la journée. Tout va bien, trésor ?

— Oui, merci. (Elle sentit son corps entier se réchauffer.) Je voulais…

— Vérifier si j'allais répondre ? l'interrompit-il, un brin d'amusement dans la voix.

— En quelque sorte. Comment se porte Sandra ?

— Mieux. Sean s'est entretenu avec elle. Vous n'êtes pas en train de travailler, j'espère ?

— Je n'arrête jamais, Liam. Les horaires de bureau, je ne connais pas.

Il gloussa, et un frisson la parcourut.

— Il faut faire une pause de temps à autre, chérie. Croyez-moi. Je sais de quoi je parle.

Kim comprit soudain.

— Oh, vous êtes au bar, n'est-ce pas ? Je vous dérange ? Je suis désolée, je n'aurais pas dû vous importuner.

— Je vous l'ai dit, ma belle. N'importe quand. Reposez-vous maintenant.

Dans les dents, Abel !

— Merci, Liam. Vous aussi.

— Vous êtes toujours là ? s'enquit-elle après un blanc interminable.

— Oui. (Il lui parut pensif.) Bonne nuit, Kim. Rappelez-moi demain, d'accord ?

Elle le lui promit, raccrocha et porta le combiné à ses lèvres. Son petit ami oublierait peut-être de lui téléphoner, mais ce garou avait semblé ravi d'avoir de ses nouvelles, même s'il croulait sous les commandes derrière son comptoir. Elle se demanda si cela la rassurait ou lui renvoyait sa solitude en pleine figure.

4

Liam passa son téléphone sous sa ceinture avant d'enfourcher sa Harley et attendit que Sean le rejoigne. La voix de Kim avait réveillé la bête de sexe tapie en lui ; celle qui, un peu plus tôt dans la journée, avait voulu lui arracher son chemisier. De plus, la jeune femme avait décidé de lui téléphoner, ce qui lui mettait du baume au cœur.

Il s'était retenu de lui demander ce qu'elle faisait, ce qu'elle portait ou pas…

Il repensa à l'itinéraire qu'il avait dégotté sans problème sur Internet. Après avoir accompli leur mission, il pourrait rouler jusque chez l'avocate pour s'assurer que tout allait bien. Peut-être l'inviterait-elle à entrer ? Et alors, il pourrait la convaincre de le laisser monter dans sa chambre à coucher pour un autre massage…

— Tout va bien ? s'enquit Sean en grimpant sur le siège derrière Liam.

Ce dernier remua avec nervosité, tâchant de contenir son érection.

— Oui, pourquoi ?

— Parce que la bosse dans ton pantalon doit te faire souffrir.

Liam n'avait jamais réussi à mentir à son frère.

— Je discutais avec Kim.

Sean explosa de rire. Il repositionna l'épée attachée dans son dos afin qu'elle ne le gêne pas, puis s'accrocha à la taille de son aîné.

— T'es mal barré, mon vieux. Arrête de fantasmer et envoie-toi une jolie femelle. Annie, par exemple.

Liam démarra le moteur.

— Elle travaille au bar maintenant. Pas de relations avec le personnel, c'est ma règle d'or.

— Qui te parle de relations ? Je te dis de la sauter. Ça ne l'a jamais dérangée par le passé.

— C'est toi qu'elle veut, Sean. Je l'ai vue te reluquer.

— On peut y aller ? J'aimerais buter ce salopard et en finir.

Liam ne répondit pas. Il savait que Sean avait besoin de se calmer les nerfs, et taquiner son grand frère était sa méthode préférée.

Sur sa moto, un engin qu'il avait payé trois fois rien et retapé, Liam s'engagea dans l'allée, avant de bifurquer à l'angle pour quitter le quartier garou. Il zigzagua entre les avenues bondées pour rejoindre l'autoroute qui les conduirait à l'est d'Austin. Dans le rétroviseur, il vit les lumières du centre-ville briller dans la nuit ; le dôme du Capitole étincelait comme un phare.

Ils tournèrent au coin d'une rue sombre après Bastrop et roulèrent en rase campagne. Le dîner à peine terminé, ils avaient été contactés par les traqueurs de Fergus. Ceux-ci leur avaient appris qu'ils avaient suivi l'indompté jusqu'à des hangars abandonnés, à l'extrême est de la ville. Le rebelle y avait établi son campement et ne comptait pas bouger. Si les frangins pouvaient s'activer et venir faire leur boulot, ce serait appréciable.

D'ordinaire, les traqueurs ne prenaient pas part au combat. Leur travail se limitait à indiquer la bonne direction. Ils se carapateraient dès que les frères Morrissey arriveraient sur les lieux.

Liam se gara le plus loin possible de l'entrepôt ; Sean et lui parcoururent le dernier tronçon à pied. Une clôture grillagée encerclait la propriété, qui avait dû abriter une entreprise prospère mais qui avait été trouée en plusieurs endroits et dont une grande partie se confondait avec le sol. Des nuées de criquets stridulaient devant la barrière défoncée ; cependant, dès qu'ils marchèrent dessus, tout bruit cessa.

L'instant d'après, Liam flaira une odeur nauséabonde. Un humain l'aurait perçue mais, pour un garou, c'était comme recevoir un coup violent. Il sentit ses lèvres se retrousser et ses canines s'allonger.

Il tenta, non sans peine, de refréner son instinct de tueur. Dylan semblait penser que ses fils se rendraient sur place et régleraient le problème avec distance et froideur. Ce n'était pas lui qui avait vu le cadavre de cette femelle et retrouvé ses petits. Liam voulait écharper ce salaud. Hors de question de lui témoigner la moindre clémence ! Sean partageait son opinion, sans doute avec plus de véhémence que son frère.

Sans prononcer un mot, ils se séparèrent. Sean détacha son épée. Liam se faufila en silence entre les ombres de l'entrepôt et poussa une porte qui s'ouvrit grand sur la nuit.

La puanteur lui souleva le cœur. Ses yeux de félin s'accommodèrent à l'obscurité, et il avança, sondant les alentours avec attention.

Avant qu'il n'arrive au milieu de la pièce, l'indompté se dressa face à lui. Vêtu d'un jean et d'un tee-shirt trempé de sueur à cause de la moiteur nocturne, il ne paraissait pas aussi sauvage que Liam l'avait escompté. Il ressemblait à n'importe quel habitant du quartier garou, si ce n'est qu'il était couvert de boue, sentait le fennec et ne portait pas de Collier. De toute façon, son cou était si crasseux qu'on n'aurait pas pu le discerner s'il en avait eu un.

— Hé, mon pote ! Les bains, tu connais ? railla Liam.

Le garou grogna, et son visage s'allongea jusqu'à former la gueule d'un loup. Un lycan. Bluffant !

— On trouve de super savons de nos jours, poursuivit Liam. Ils fleurent bon la rose. Tu devrais essayer. Si tu n'es pas trop occupé à t'attaquer aux plus faibles, espèce de salaud !

Le lycan se hérissa.

— Traître ! Animal domestiqué.

— Non, vieux. Survivant. Tu n'as pas suivi ? On ne massacre plus à tour de bras. Et surtout pas les petits. Rien que pour ça, j'ai envie de t'arracher la tête !

— Je voulais la femelle. Pas ses rejetons.

— C'est fini ce temps-là, crétin !

Liam sortit le Collier de sa poche et sentit la puissance de l'acier, la magie qui circulait à l'intérieur.

— Je t'offre cette chance parce que mon père m'oblige à respecter les règles coûte que coûte. Si ça ne tenait qu'à moi, je te tuerais. (Il s'avança d'un pas.) Taille unique. Allez, enfile-moi ça comme un homme.

— Je ne suis pas un homme. Et toi non plus. Es-tu trop faible pour te battre, félin ?

— Non. Mais soit tu m'affrontes, soit tu affrontes le Gardien. À toi de choisir.

Le lycan se raidit.

— Le Gardien n'est pas là.

— Détrompe-toi.

Sean surgit de l'ombre, derrière le Lycan. Il dégaina son épée, dont la lame fendit l'air dans un bruit sec.

L'indompté se tourna aussitôt vers Sean. Il inspira à pleins poumons, puis fit volte-face et huma Liam.

— J'ai seulement flairé…

Le lycan s'interrompit, ses yeux bleu pâle rivés sur Liam. Ce dernier lui tendit à nouveau le Collier.

— Si tu l'acceptes, je pourrai envisager de t'épargner. Peut-être n'avais-tu pas compris les implications de tes actes. Je n'y crois pas une seconde, mais pourquoi pas… Si tu refuses… Eh bien, sache simplement que Sean est encore plus en rogne contre toi que je le suis.

Liam sentit l'oxygène se raréfier quand l'indompté se métamorphosa en animal. Celui-ci ne daigna pas ôter ses vêtements, qui se déchirèrent lors de la transformation. Sean attendit. Le lycan se rendait-il compte de la retenue dont faisait preuve ce dernier ? Les consignes étaient claires : ne tuer l'indompté qu'en dernier ressort.

Le loup s'ébroua, se débarrassant des lambeaux de tissus, les yeux pleins de rage. Liam ne bougea pas.

— Allez, vieux. Tout le quartier garou veut ta tête. Dylan m'a convaincu de te laisser une chance. Ne la bousille pas.

L'animal grogna. Il s'éleva sur ses pattes arrière et muta à nouveau. À présent, il était nu. Une vision peu ragoûtante.

— Je l'ai flairée sur toi, gronda la bête en gonflant les narines avec mépris. Une humaine. Tu l'as marquée de ton odeur.

Liam se demanda comment il parvenait à sentir autre chose que sa propre puanteur, mais son sang ne fit qu'un tour.

— Abomination, siffla le lycan.

— Tu en connais, des mots compliqués ! rétorqua Liam. Je vais t'en apprendre de plus faciles : mets ce foutu Collier !

Dans un craquement d'os, le lycan se transforma encore. Liam se prépara à contrer son attaque ; cependant, leur adversaire pivota sur lui-même et s'élança dans la direction opposée.

Face à lui, Sean l'érafla de sa lame, mais le loup ne ralentit pas. Il hurla, bondit hors de l'entrepôt et disparut dans la nuit.

— Merde ! (Sean leva à nouveau son épée.) Imbécile !

S'adressait-il à Liam, à la bête ou à lui-même ? Liam serra les poings, pris d'une soudaine panique.

— Bon sang, il va la pister !

— Qu'est-ce que tu racontes ?

— Kim ! Il a flairé son odeur sur moi.

— Il a été touché par le glaive du Gardien. Il n'ira pas loin. On le rattrapera et on l'achèvera.

— Sa blessure est légère.

L'indompté lui avait semblé d'une force hors du commun. Il devait l'être pour tuer une femelle défendant ses petits. Ces dernières ne cédaient pas facilement et, lorsqu'elles protégeaient leur précieuse progéniture, elles s'avéraient redoutables. Liam pouvait discerner l'effluve laissé dans l'air par le lycan. Une traînée caractéristique, provoquée par sa montée d'adrénaline, qui exhalait une férocité inhabituelle. Quelque chose clochait chez lui, et cela ne fit qu'accroître la peur de Liam.

Il quitta l'entrepôt en toute hâte et rejoignit le parking infesté de mauvaises herbes au pas de course.

— Liam ! s'écria Sean qui galopait derrière lui. S'il tient le coup, il ira d'abord au quartier garou et père lui réglera son compte.

— Pas s'il est aussi malin que je le crois. L'odeur de Kim s'est mêlée à la mienne et elle l'a emportée chez elle. Il n'aura qu'à la suivre.

Liam fit vrombir le moteur et démarra en trombe, Sean à peine installé sur la selle. Son frère pouvait avoir raison, et l'indompté n'approcherait peut-être pas l'avocate, mais il refusait de courir le moindre risque.

Il fonça sur l'autoroute direction Austin, avant d'emprunter la bretelle nord. Il poursuivit à toute allure et bifurqua à l'ouest, contournant les belles demeures à flanc de coteau de l'autre côté du fleuve. La nuit était chaude et moite, mais le vent qui lui fouettait le visage lui parut frais.

Il pensa au point rouge qui indiquait la maison de Kim sur sa tablette virtuelle. À présent, il représentait une cible, le signe de la vulnérabilité de la jeune femme. Il devait l'avertir, la protéger, la serrer dans ses bras, la goûter…

S'il n'était pas déjà trop tard.

5

Un tintement de verre brisé résonna dans l'escalier. D'abord, Kim se retourna dans son lit sans y prêter attention. Elle habitait un quartier sûr, il n'y avait jamais aucun cambriolage.

Lorsque la porte de la cuisine grinça sur ses gonds, elle se redressa d'un coup.

Elle ne dormait pas. Elle observait le plafond depuis une heure, obnubilée par Liam. Elle se remémora sa voix chaude et douce qui lui caressait l'oreille, les ridules au coin de ses yeux quand il souriait, son jean serré qui moulait ses fesses de rêve à la perfection… Soudain, des bruits de pas au rez-de-chaussée l'affolèrent. Un intrus s'était glissé chez elle. Son cœur se mit à battre la chamade.

Pouvait-elle compter sur ses rudiments d'arts martiaux ? En nuisette ?

Non, pas cette fois. Mieux valait appeler les secours.

Elle s'empara de son téléphone posé sur la table de chevet et composa le numéro. Une odeur aigre lui chatouilla les narines, puis l'appareil vola à travers la pièce et se fracassa contre le mur.

Avant même qu'elle ait pu crier, des mains puissantes l'agrippèrent par le cou. Elle se retrouva face à une paire d'yeux bleu-blanc. Elle discerna un visage masculin sévère, mi-homme, mi-loup. Il retroussa les lèvres, exposant des crocs pointus. Elle respira son haleine qui empestait la viande pourrie. Elle se débattit de toutes ses forces lorsque son agresseur resserra son étreinte, enfonçant les griffes dans sa chair. Il allait la tuer. Malgré la pénombre, elle remarqua que ce garou-ci ne portait pas de Collier.

Et soudain, elle fut libre. Elle retomba sur le matelas, haletante, tandis qu'on traînait le monstre loin d'elle. Elle se recoiffa à temps pour voir un chat sauvage plaquer le loup contre le parquet. Des grognements emplirent l'espace, des feulements féroces sans commune mesure avec l'aboiement d'un chien en colère.

Sean Morrissey se tenait dans l'embrasure de la porte, armé d'une épée rutilante. Son regard brillait d'une rage noire. Il contemplait le combat qui se déroulait en plein milieu de la chambre à coucher, mais il ne se pressa pas pour intervenir. Il considérait la scène, immobile.

Les deux créatures renversèrent l'armoire et la table de nuit, puis poussèrent le lit à travers la pièce comme si c'était une boîte en carton. Sean ne réagit pas. Il resta là, prêt à passer à l'action. Kim s'entendit hurler, mais ses cris se perdirent dans les rugissements bestiaux.

Le félin, oreilles en arrière et crocs saillants, referma les mâchoires sur la gorge du loup qui glapit et s'agrippa au corps de son adversaire, le lacérant au passage. Puis, sa tête retomba sur le côté et il s'effondra sur le tapis, inerte. Le vainqueur s'assit sur ses pattes arrière, hors d'haleine, les yeux rivés sur le cadavre comme s'il s'attendait que celui-ci se relève.

Kim réprima un fou rire hystérique.

Pardon, mais il y a un loup mort et un grand fauve dans ma chambre à coucher ! Elle n'avait pas réussi à déterminer de quelle espèce de félidé il s'agissait. Il possédait le même pelage qu'un puma, tigré par endroits, la mâchoire puissante et les pattes énormes des lions, et il était musclé comme un léopard. Cependant, l'animal n'avait pas l'apparence hétéroclite d'une chimère. Il était agile, majestueux, imposant.

Sean se décida enfin à bouger. Le fauve recula et le Gardien leva l'épée, avant d'en planter la pointe dans la poitrine du loup. Le cadavre chatoya, redevint la créature à moitié transformée qui avait attaqué Kim, puis se désintégra lentement. Il n'en resta plus qu'un tas de cendres. À ce moment, le félin se dressa sur ses pattes arrière et reprit la forme d'un Liam Morrissey en tenue d'Adam.

Waouh, pas mal ! songea Kim en son for intérieur. Des muscles saillants, une peau veloutée, un torse sublime, un ventre ferme, des cuisses robustes, une énorme... *Oh, Seigneur !*

Dès que la jeune femme retrouva son souffle, elle se mit à hurler à pleins poumons. Elle voulut s'en empêcher, mais la crise d'hystérie fut plus forte.

Liam la rejoignit sur le lit et, de sa main, lui couvrit la bouche.

— Chut, trésor. C'est fini.

État de choc différé. C'est compréhensible. Ça va aller.

La paume du garou était chaude, son toucher réconfortant, même s'il cherchait à la faire taire. Au bout de quelques minutes, il la questionna du regard, et elle hocha la tête pour lui signaler qu'elle avait fini de s'époumoner. Il ôta sa main et elle inspira profondément, s'emplissant les narines de son enivrante odeur virile.

— Liam, vieux, rhabille-toi, dit Sean. Tu vas effrayer la dame.

— Non, c'est bon.

Kim ferma les yeux et sentit les bras et les jambes de Liam l'enserrer. Cela ne la dérangea pas du tout, bien au contraire. Elle rouvrit les paupières et s'adressa à lui.

— Que s'est-il passé, bon sang ?

— On l'a supprimé, répondit Liam. On n'avait plus le choix. L'enfoiré vous aurait tuée.

— C'est ce qui arrive aux garous ? Ils se réduisent en poussière, comme les vampires à la télé ?

Sean resta muet, immobile et stoïque, l'épée toujours pointée vers le sol.

— Non.

Liam s'écarta d'elle. Elle aurait voulu s'approcher à nouveau de lui, se blottir contre son corps nu et savourer cette agréable étreinte.

— Seulement ceux que Sean frappe de sa lame. Il est notre Gardien.

L'intéressé se renfrogna.

— Liam !

— Qu'est-ce qu'un Gardien ? questionna Kim.

Les deux frères se mirent de nouveau à communiquer en silence. Ce n'était pas de la télépathie, mais un langage corporel subtil qu'il lui était impossible de suivre, encore moins de comprendre.

— Un protecteur, répondit Liam. Du quartier garou, en l'occurrence.

— Je n'ai pas vu de Collier sur le loup. (Kim fut soudain secouée de tremblements violents.) Je serais morte, n'est-ce pas ?

— Il vous aurait tuée. C'était un indompté. Cela signifie qu'il était dangereux, pour vous, moi et nos familles. Il avait déjà massacré une femelle et ses petits.

Elle l'observa, bouche bée.

— Un instant. J'ai entendu parler de cette histoire. Je croyais qu'ils avaient péri dans un accident sur l'autoroute du côté de Hill Country. Ce n'est pas le cas ?

— Non.

Liam se rembrunit. Sean demeura à son poste, son jean et son tee-shirt juraient avec l'épée d'apparence médiévale.

— Elle a été assassinée. Sean et moi avons placé son corps dans sa voiture et l'avons poussée dans un fossé avant d'y mettre le feu.

— Pourquoi ?

Kim se leva. Elle se rendit compte qu'elle ne portait qu'une courte nuisette satinée et s'empara de la robe de chambre qu'elle avait jetée sur un fauteuil.

— Pourquoi ne pas avoir signalé le meurtre et dénoncé le garou ?

— Parce que c'est notre responsabilité.

Liam la dévora des yeux tandis qu'elle se couvrait en toute hâte, mais une profonde colère transparaissait dans sa voix. Sean acquiesça.

— Non, pas du tout, répliqua Kim. Vous vivez dans notre monde désormais, par conséquent, notre justice prévaut. Vous avez signé un accord. Le garou aurait dû être arrêté et jugé comme n'importe quel criminel, et non pas soumis à la loi du talion par Sean et vous.

Elle était à bout de souffle. Les deux autres ne l'écoutaient pas, mais échangeaient des regards silencieux. La mort du lycan alourdissait l'atmosphère.

Sean finit par secouer la tête et glissa sa lame dans un fourreau en cuir.

— Tu es cinglé, Liam, tu le sais ? Fais ce que tu dois faire, je vais prévenir notre père.

— Vas-y. Prends ma bécane.

— Tu croyais que j'allais rentrer en auto-stop avec une épée fixée au dos ? On se retrouve à la maison.

Sean décocha un coup d'œil assassin à son frère avant de tourner les talons pour quitter la pièce, l'arme serrée dans la main. Kim l'entendit dans l'escalier, puis il claqua la porte derrière lui, faisant trembler toute la bâtisse.

— Venez. (Liam se leva, toujours nu et pas gêné pour un sou.) Habillez-vous et rejoignez-moi en bas. Je vais vous préparer à dîner, vous avez l'air patraque.

— Le garou est... (Kim déglutit.) Éparpillé sur mon parquet. (Une poussière grisâtre recouvrait le tapis qu'elle avait acheté chez un antiquaire à Fredericksburg.) Beurk !

Liam l'étreignit avec tendresse et lui embrassa le cou. Elle se blottit contre lui et le laissa réchauffer ses membres gelés.

— Je m'en charge, trésor. Attendez-moi dans la cuisine.

Elle n'en avait pas envie. Elle voulait rester à ses côtés et caresser ses épaules larges et robustes. Son corps puissant la rassurait, comme son sourire. Elle se lovérait volontiers dans ses bras pour y passer la nuit.

Il déposa un second baiser sur sa nuque.

— Ça va aller. Je vous le promets.

Kim se demandait encore comment elle avait réussi à s'arracher à ses bras, à ramasser ses vêtements et à gagner la pièce voisine pour se changer.

Alors qu'elle descendait les marches, elle resta aux aguets pour essayer de comprendre ce que son sauveur trafiquait dans la chambre à coucher, mais tout était silencieux.

Liam retrouva ses habits à l'endroit où il les avait ôtés et les enfila. Sa montée d'adrénaline n'était pas retombée, son cœur palpitait avec violence. Il voulait courir, chasser, attraper Kim et assouvir son besoin de sexe débridé. Il éprouvait des difficultés à se contenir, mais la température de son corps, qui ne cessait de grimper, l'aidait à repousser la douleur. Pas indéfiniment, toutefois. Et là, il paierait. Le prix fort.

Kim s'affala sur le canapé en face du comptoir. Il n'y avait ni tables ni chaises dans sa cuisine, mais deux tabourets devant le plan de travail sur lequel elle prenait le petit déjeuner. Elle avait meublé le reste de l'espace avec deux fauteuils d'aspect douillet.

Ses cheveux défaits flottaient sur son chemisier, et elle regardait Liam se rhabiller, les yeux ronds. Il s'était débarbouillé dans la salle de bains après avoir nettoyé les cendres du garou. Le salaud avait laissé des traces tenaces.

— Il faudra porter le tapis chez le teinturier, déclara Liam.

Kim blêmit.

— Oh, Seigneur…

— Je m'en chargerai. C'est ma faute si cette petite saloperie s'est pointée chez vous.

— Pourquoi répétez-vous ça sans arrêt ? Tout ne relève pas de votre responsabilité. Vous faites partie de la société humaine, désormais.

Elle essayait de se raccrocher à ce qu'elle connaissait, à ce qu'on lui avait raconté. Les humains aimaient se réconforter ainsi.

— Je suis responsable. C'est moi qui vous ai autorisée à venir dans le quartier garou. Cette créature a flairé votre odeur sur moi et a voulu m'atteindre en s'attaquant à vous. Ainsi, il m'aurait plongé dans le deuil avant de mourir. C'est la voie des indomptés. Se venger de son ennemi alors qu'il est en train de vous tuer. (Il secoua la tête et se dirigea vers le réfrigérateur.) Je n'avais jamais vu un garou aussi rapide pour se déplacer ou traquer sa proie. Quelque chose ne tournait pas rond chez lui.

Il était bien plus ennuyé qu'il ne voulait l'avouer. Les indomptés, aussi ironique que ça puisse paraître, étaient plus faibles que leurs congénères au Collier, car ces derniers pouvaient se nourrir, se reposer et s'entraîner à leur guise. Mais celui-ci était vif ; le premier coup de lame de Sean lui avait fait l'effet d'une piqûre de moustique.

Kim frissonna.

— Il y en a beaucoup comme lui ?

Liam n'en savait rien, et cela le tracassait au plus haut point, mais il s'efforça de prendre une intonation rassurante.

— Pas à ma connaissance. Nous les répertorions avec minutie.

Du moins, c'est ce qu'affirmait Fergus. Le frigo était vide, quelques pots de yaourt et des légumes verts se battaient en duel sur les étagères.

— Il n'y a rien là-dedans !

— Dans le congélateur.

Le compartiment ne contenait que des plats surgelés estampillés « allégé » ou « hypocalorique ».

— Vous appelez ça de la nourriture ? C'est une blague !

— Je dois surveiller ma ligne.

Liam la revit dans sa courte nuisette, son opulente poitrine, sa taille délicate et ses cuisses qu'il adorerait lécher.

— Je veux bien la surveiller pour vous, trésor. Votre corps est parfait.

Kim piqua un fard, et Liam claqua la porte du congélateur.

— Je ne peux pas préparer mes fameux pancakes ultra-moelleux avec ces trucs. Suivez-moi ! Je vous offre un repas digne de ce nom.

— Je ne peux pas sortir. La porte de derrière est cassée.

Deux carreaux avaient été brisés, et la serrure défoncée.

— Je m'en occupe.

Liam décrocha son téléphone et passa quelques coups de fil. À l'autre bout du combiné, une voix promit de venir changer les vitres et réparer la serrure dans la demi-heure.

— L'humaine a-t-elle de la bière ? fit une voix au téléphone.

— Apporte la tienne, grommela Liam avant de raccrocher.

Kim l'observait, ébahie.

— Que faites-vous ?

— Je me tue à vous le répéter, trésor : c'est ma faute si ce salaud vous a attaquée. Mes amis vont s'occuper de tout, ils me doivent une faveur.

— Des amis garous ?

— À votre avis ? Venez, on peut partir l'esprit tranquille.

Il parvint à la convaincre de marcher jusqu'au garage. Comme elle ne cessait de trembler, il préféra lui confisquer ses clés de voiture et la conduisit jusqu'au quartier garou.

Sean avait raison, son frère était fou à lier ; toutefois, il n'avait pas d'autre choix. Kim avait besoin de protection, les garous aussi. Il ne pouvait pas négliger ces derniers. Dylan serait furieux, mais il comprendrait. Quant à Fergus... Liam s'en chargerait le moment venu.

— C'est le bar où vous travaillez, remarqua la jeune femme tandis qu'il se garait sur le minuscule emplacement qui lui était réservé.

— Bien vu, trésor. Leur escalope panée est succulente.

Une avidité soudaine brilla dans les yeux de Kim. Se privait-elle, la petite chérie ? Elle avait un homme, pourtant. Pourquoi l'abruti ne prenait-il pas soin d'elle ?

Les lieux étaient bondés quand ils entrèrent. Les humains étaient minoritaires. Parmi eux, on dénombrait les amis et les groupies des garous. La poignée restante était venue reluquer les bêtes de foire. La plupart des clients s'étaient attroupés le long du comptoir, cependant Liam préféra guider Kim jusqu'à un box vide, où il l'installa.

Son cœur battait à se rompre, son taux d'adrénaline était au maximum. Tôt ou tard, il devrait endurer son calvaire, mais il espérait le repousser encore un peu, le temps de savourer un bon repas.

— Deux escalopes panées, Annie, et un max de frites.

La grande et svelte serveuse qui notait leur commande leva les yeux au ciel.

— Ce ne sont pas des frites, mais des pommes allumettes à la française. Tiens-le-toi pour dit, Liam.

— Je ne vois aucun Français ici, répliqua celui-ci, continuant de plaisanter avec Annie comme à son habitude.

— Le nouveau cuisinier est cajun. C'est kif-kif.

— Il nous faudra à boire aussi. Qu'aimeriez-vous, Kim ?

— Du vin blanc ?

Du vin blanc. Raffinée.

— Je vous déconseille de prendre du vin ici. Une chope de Guinness pour moi, Annie.

— Guinness, répéta la serveuse, l'inscrivant sur son calepin. Et pour vous, mademoiselle ?

— Une Corona, répondit Kim en fusillant Liam du regard. Avec une rondelle de citron.

— C'est parti !

Annie s'éloigna d'un pas rapide, son short serré remontant sur ses fesses fermes. Tous les hommes présents dans le bar se retournèrent sur son passage, mais à peine avait-elle quitté leur champ de vision qu'ils braquèrent de nouveau les yeux sur Kim.

— Pourquoi me dévisagent-ils tous comme ça ? chuchota-t-elle. Je ne suis pas l'unique humaine, ici.

Néanmoins, elle était la seule qui avait été marquée. Chaque garou, mâle ou femelle, l'avait senti. Ils gonflèrent les narines et clignèrent les paupières pour signaler à Liam que le message avait été reçu cinq sur cinq. Kim lui appartenait, et celui qui importunerait la jeune femme devrait lui rendre des comptes.

— Je veille sur vous, et ils le savent.

— Pourquoi teniez-vous à dîner ici ? On a dépassé deux restaurants sur le trajet.

— C'est plus sûr.

Elle balaya la salle du regard.
— Pour vous, ou pour moi ?
— Les deux.
Il se tut lorsque Annie posa sur la table la bouteille encore fraîche de Guinness et la Corona avec sa rondelle de citron.
— Allez-vous m'expliquer pourquoi vous n'avez pas prévenu la police au sujet de ce garou ?
Kim poussa la rondelle dans le liquide. Elle effleura le goulot du bout de la langue, puis l'entoura de ses lèvres avant d'en boire une gorgée.
Que la Déesse me vienne en aide, on étouffe, ici !
Liam saisit sa Guinness, sans parvenir à se calmer malgré le froid mordant contre sa paume.
— À votre avis, que se serait-il passé si vos policiers avaient découvert qu'il était en liberté ? répliqua-t-il. On nous aurait tous pourchassés, qu'on soit indompté ou domestiqué. Peu importe, tant qu'on capture un garou.
— D'accord, je comprends votre point de vue. Avec le procès de Brian, si un autre garou partait en vrille, les gens commenceraient à flipper.
Elle se pencha en avant, et Liam put remarquer que son chemisier, comme le précédent, avait bien du mal à rester boutonné.
— Vous croyez qu'il a tué la copine de Brian ?
— Si seulement c'était aussi facile ! Nous ignorions son existence jusqu'à ce qu'il massacre cette femelle il y a quelques nuits. Aucune trace de lui avant ça. Or la mort de Michelle remonte à plusieurs mois.
— Comment savez-vous qu'il n'était pas dans les parages ? (Elle grimaça.) Bien sûr, vous l'auriez reconnu à l'odeur.
Il acquiesça d'un éclat de rire.

— Qu'entendez-vous par « domestiqué », au fait ? poursuivit-elle. Vous n'êtes pas des animaux de compagnie. Avant ce soir, je croyais que tous les garous portaient le Collier. C'est la loi.

La conversation prenait une tournure compliquée. Liam réfléchit à ce qu'il pouvait lui révéler sans danger. Bon sang, elle se fourrait dans un sacré guêpier !

— Tous les garous n'ont pas accepté le Collier. Votre gouvernement le sait, mais il préfère garder le secret.

Kim effleura sa bouteille de ses doigts graciles, mais n'en but pas. Elle détailla Liam de ses yeux pétillants d'intelligence. Magnifiques. *Bon sang, cela fait trop longtemps que...*

— Comme si vous aviez eu le choix.

— Ç'a été le cas, ma jolie. On nous l'a offert voilà vingt ans, et nous avons dit oui. Pour la plupart. Certains ont opté pour la sauvagerie.

— Vous voulez dire la liberté.

— La traque. La mort. L'ostracisme. Sans Collier, nous aurions survécu cinq ans tout au plus.

— Vous avez décidé de vous soumettre pour sauver vos vies ?

Liam haussa les épaules, faisant mine d'acquiescer.

— Nous étions en voie d'extinction. Infertiles. Les enfants qui parvenaient à naître ne passaient pas la première année. Regardez-nous maintenant !

Kim se tourna pour observer la salle bondée. Jordie Ross était accoudé au bar avec ses quatre fils, tous grands et robustes. Ils parlaient et riaient à voix haute. Leur mère n'avait pas péri en couches, elle se trouvait à l'autre bout du pub avec ses amies.

Une femelle caressait son ventre rond, pelotonnée dans des bras protecteurs. Adossée à son mari, elle sirotait une bouteille d'eau.

— Liam. (Une silhouette imposante barra la vue de l'avocate.) Une bien jolie humaine que tu as là !

Liam leva les yeux et se renfrogna aussitôt.

— Ellison. Tire-toi, vieux, j'essaie de la convaincre que les garous sont civilisés.

Le nouveau venu éclata de rire. Comme à son habitude, Ellison portait une chemise noire, un jean, des santiags et un chapeau de cow-boy. Il adorait le Texas et avait adopté l'État quand son clan avait quitté le Colorado. L'air pur des Rocheuses manquait à certains, mais Ellison Rowe avait épousé Hill Country, le « pays des collines », malgré son humidité, ses moustiques, ses embouteillages et ses membres du Congrès local.

— Ne l'écoutez pas. (L'armoire à glace s'assit à côté de Liam et adressa un sourire à Kim.) Liam n'a rien de civilisé.

Tout chez Ellison, même son sourire, rappelait le loup.

— Je suis sûr que cela doit la rassurer de la part d'un lycan.

— Un lycan ? répéta Kim, perplexe. Je vous ai déjà entendu employer ce terme.

— Ça veut dire que je suis un loup, poupée, expliqua l'intéressé, pas un petit minou.

Liam perçut la peur dans les yeux de sa protégée et lui caressa la main.

— Tout va bien. Il est gentil.

— Arrête, voyons ! Je suis le Grand Méchant Loup !

— Comme l'indompté, murmura Kim.

Ellison se rembrunit aussitôt.

— Quoi ?

Liam décocha un regard d'avertissement à la jeune femme.

— Un rebelle. Je m'en suis chargé.

— C'était un loup ? Mince. Je suis désolé, Liam.

— J'ai dit que je m'en étais chargé.

Le colosse fronça les sourcils, se replia sur lui-même et adopta un air sinistre qui ne lui ressemblait pas.

— Deux escalopes panées, avec un supplément de sauce, claironna Annie en déposant les assiettes. Et une plâtrée de pommes allumettes. Autre chose ?

— Apporte-moi une bière, chérie. (Ellison jeta un coup d'œil aux bouteilles des deux autres.) Une bonne vieille blonde américaine, rien d'irlandais, de mexicain ou d'allemand.

— On a de la pur malt dans la réserve. Fabrication locale.

Annie disparut sans laisser à son interlocuteur l'occasion de protester.

— Oh, je déteste ces machins de microbrasserie. Une boisson de yuppies !

— Dans ce cas, je ne vous convierai pas à la fête annuelle des microbrasseurs, rétorqua Kim tandis que Liam mastiquait bruyamment une frite chaude et croustillante.

Ce sont des frites, bon sang ! C'est quoi ces conneries de « pommes allumettes » ?

— Les brasseurs de toute la région installent leurs stands et organisent des dégustations gratuites toute la journée. C'est sur invitation, mais j'ai le droit d'y amener des amis.

Ellison changea d'expression.

— Ce n'est peut-être pas si mauvais, après tout. Certaines de ces mousses sont même très bonnes.

Liam rit ; l'échange entre Ellison et Kim venait de lui mettre du baume au cœur. L'avocate ne se laissait pas abattre. Malgré la peur, la colère, l'incertitude et la tristesse, elle n'était pas du genre à s'apitoyer sur son sort.

Tant mieux. Elle devait être forte pour supporter les garous. Ce qui n'était pas peu dire, car elle ne rentrerait pas chez elle cette nuit.

6

Kim dévora son assiette. Réaction normale chez une fille qui venait de se faire attaquer et d'assister à la mort de son agresseur.

Toute cette histoire était étrange. Le cow-boy assis à côté de Liam sirotait sa bière tout en le regardant engloutir son poulet pané et racontait des blagues. Pourtant, il était aux aguets. La méfiance transparaissait dans ses yeux, qui oscillaient entre l'indigo et le bleu azur tandis que Liam et lui discutaient.

Le fait que l'indompté avait été un loup semblait vraiment le contrarier. Pourquoi ? Parce que ceux qui l'avaient tué étaient des félins ? Kim ne comprenait pas la différence. Un garou était un garou. Non ?

Elle devinait qu'elle n'avait fait qu'effleurer le glaçage d'un millefeuille composé de couches toutes plus complexes les unes que les autres. Elle avait été persuadée de pouvoir aider Brian et œuvrer pour les droits des garous par la même occasion. À l'évidence, elle s'était surestimée. Plus elle en apprenait sur eux, plus elle se rendait compte de son ignorance.

Ellison finit par rejoindre d'autres clients, emportant sa bière locale. Kim s'essuya la bouche avec les serviettes supplémentaires qu'Annie leur avait apportées.

— Merci. J'avais besoin de manger, je crois.

— Un bon repas avec un ami fait partie des plaisirs de la vie, dit Liam avec une apparente sincérité. Même si c'est dans un repaire de garous.

Kim sentit soudain sa poitrine se creuser. Elle aspirait à une telle simplicité mais elle menait une existence chaotique et stressante, sans une minute à elle. Depuis quand n'était-elle pas sortie avec ses copines pour prendre de leurs nouvelles autour d'un dîner ? Bavarder, rire et se remémorer le bon vieux temps ? Ça faisait un bail. L'une avait quitté l'État depuis leur dernière réunion, et les autres étaient absorbées par leur propre routine. Depuis des mois, les discussions que l'avocate entretenait avec ses amis ne duraient guère plus d'une minute. Sauf avec Silas, et cela seulement parce qu'il s'intéressait à Brian pour les besoins de son documentaire. Cependant, même ses e-mails restaient brefs.

Elle reposa sa fourchette.

— Il est vraiment temps que je rentre. Ma porte doit être réparée maintenant, et je dois travailler demain.

— Un dimanche ?

— Je travaillerai de chez moi. J'ai du pain sur la planche. Des affaires à préparer, des requêtes en appel à remplir... Brian n'est pas mon unique client.

Liam empila ses couverts sur son assiette, qu'il repoussa avec celle de Kim sur le côté, afin de prendre la main de la jeune femme. Ses mouvements étaient saccadés, sa peau brûlante.

— D'abord, vous devez m'accompagner chez moi.

— Pourquoi ?

Avec ses paumes chaudes qui l'étreignaient et ses sublimes yeux bleus qui la dévoraient, elle n'avait pas vraiment envie de polémiquer, mais tout de même...

— Sean aura raconté à père ce qui est arrivé, mais il voudra entendre votre version.

— Ma version ? Je n'en ai pas. J'ai vu la même chose que vous.

— Il s'agit d'un problème interne. Aucun détail ne doit être écarté.

Elle s'autorisa à lui serrer la main en retour.

— Très bien, mais pas longtemps. Je croule sous le boulot.

— Une petite danse ?

— Pardon ?

Le juke-box hurlait un morceau de country sélectionné par Ellison.

— J'ai besoin de me dépenser. Un trop-plein d'énergie. Vous n'êtes pas de ces citadines incapables de remuer sur de la polka texane ?

— Vous êtes irlandais, riposta-t-elle tandis qu'il la tirait sur ses pieds. Vous ne devriez pas plutôt vous trémousser sur un jig ?

Il partit d'un rire si communicatif que tous ceux qui l'avaient entendu ne purent s'empêcher de sourire. Des ridules d'amusement lui plissèrent le coin des yeux. Cela aida Kim à oublier l'effroyable attaque dont elle avait été victime.

Quelque chose dans cette histoire aurait dû la perturber davantage. Certes, il y avait eu le loup mort, Sean et son épée, et Liam-le-félin-enragé, mais elle sentait qu'un élément supplémentaire lui échappait. Elle devait s'asseoir un moment pour réfléchir et chasser le surplus d'adrénaline pendant que son cerveau reprenait les commandes.

Liam la déconcentrait. Il l'arracha à la banquette et la traîna au milieu de la piste. D'autres couples s'y balançaient déjà, collés-serrés, mais comme il s'agissait de garous, la jeune femme n'était pas en mesure de différencier les amoureux des simples amis. Ces créatures semblaient vraiment déborder d'affection.

Liam l'enlaça et se laissa porter par le rythme. Kim connaissait les pas, mais elle n'avait pas dansé depuis longtemps et manquait un peu d'aisance.

Il lui caressa le creux de la taille.

— Détendez-vous, chérie. Je vous guide.

Ses yeux sont d'un bleu si profond, songea Liam. *Un poète dirait « céruléens, comme la mer d'Irlande »*. Cela faisait des années qu'il n'avait pas revu son pays natal. Les eaux qui le cernaient avaient peut-être perdu cette couleur cristalline qui faisait saigner son cœur.

Il observa Kim, ses lèvres rubis, pleines et sensuelles, et sentit son pouls s'emballer. Liam n'embrassait pas. Quand il prenait une femelle, il était trop occupé pour ça et, de toute façon, sa partenaire et lui étaient sous leur forme animale. Pourtant, plaquer sa bouche contre celle de l'avocate lui parut soudain une excellente idée.

Son appétit charnel dominait sa raison. Cette femme ne lui était pas destinée. Elle ne le serait jamais. Sa présence était temporaire. Elle avait été entraînée dans le monde tumultueux des garous, un monde qu'elle ne comprenait pas. Or, elle était empêtrée dedans jusqu'au cou. Elle l'ignorait encore, mais quand elle découvrirait l'ampleur de son implication, elle ne serait sans doute pas d'humeur câline.

Sa libido lui ordonna de se taire. L'odeur sucrée de Kim l'enivrait. Elle leva la tête vers lui, sourit et posa la main sur sa taille.

Il la sentit, chaude et moelleuse, contre lui, et le sang afflua vers son entrejambe. Il l'imagina sous lui, cambrant le dos tandis qu'il se glissait en elle. Elle fermerait ses paupières, plaquerait ses seins ronds contre son torse et l'emprisonnerait entre ses cuisses.

Par les Dieux, il lui fallait du sexe ! Après un combat, il courait toujours sous sa forme féline pour purger son organisme avant de payer le prix fort. Il n'en avait pas eu l'occasion ce soir, c'est pourquoi son corps le sommait de se dépenser d'une façon plus agréable… En emmenant cette femme chez lui pour l'aimer.

S'il s'était envoyé en l'air avec une garou toutes les nuits, comme le lui avait suggéré Sean, il n'aurait pas eu à s'inquiéter de refréner ses instincts pour résister au Collier. Jamais le besoin impérieux de s'accoupler avec une humaine ne l'avait assailli de la sorte.

Mais c'était avant qu'il rencontre Kim Fraser.

Il l'attira à lui et posa les mains sur ses hanches.

Je suis le garou qui n'a besoin de personne, qui fait passer le bien du quartier avant tout le reste.

Ouais, c'est ça.

Kim rit.

— J'avais oublié à quel point j'aimais ça ! s'écria-t-elle par-dessus la musique.

— Votre ami ne vous sort jamais ?

— Abel ? On dîne dans des endroits chics, en général en compagnie d'autres avocats qu'il cherche à impressionner. Il ne m'emmène pas danser.

— Alors, il s'appelle Abel.

— Oui. Abel Kane. Je n'en reviens pas que ses parents aient choisi ce prénom !

— Il peut toujours en changer. Il paraît que c'est fréquent chez les humains.

Comme si c'était quelque chose d'interchangeable. Ces créatures étaient dingues !

— Il dit que ça marque les esprits, expliqua Kim. Il doit avoir raison.

— Mais il ne danse pas.

Kim rit. Apparemment, imaginer son copain en train de se dandiner était hilarant.

— Eh non. D'ailleurs, j'ignorais que les garous dansaient.

— Nous avons de nombreux talents cachés.

Il la fit tournoyer et l'attira à nouveau contre lui alors que la chanson touchait à sa fin.

Les couples se dispersèrent. Jordie Ross déposa un baiser sur les lèvres retroussées de sa femme et lui effleura le cou du bout des doigts. L'œillade amoureuse qu'elle lui lança tandis qu'elle rejoignait ses amies fendit le cœur de Liam. Ses parents aussi se regardaient comme ça. Ainsi que Kenny et Sinead. Persuadés de s'être unis pour la vie...

Liam serra la main de sa partenaire avec fermeté.

— C'est l'heure d'y aller.

L'anxiété de Kim resurgit comme il la conduisait vers la sortie.

— Où ça ?

— À la maison.

— Vous voulez dire chez vous.

Chez son père. Allait-elle rencontrer un vieillard affectueux, doté des mêmes yeux bleus que son fils et d'un sourire chaleureux, ou un chef de famille rigide, terrifiant tous ceux qui franchissaient le seuil de sa porte ?

Liam acquiesça sans rien dire ni laisser paraître. Son soudain mutisme inquiéta la jeune femme, puis elle repensa au foyer, immense et vide, qui l'attendait.

Une ambiance morose y régnait depuis la mort de Mark, malgré les efforts déployés pour la réchauffer. Son absence se faisait sentir le soir de Noël, pendant le dîner de Pâques, et même lors de la tournée d'Halloween à travers le quartier. Ses parents et elle avaient continué à célébrer tous les rituels traditionnels. Ils avaient conscience que ce n'était guère satisfaisant quand un être cher manquait, mais c'était plus fort qu'eux. Kim avait fait appel à un décorateur quelques années auparavant dans le but d'égayer son intérieur. Elle avait même organisé une fête pour pendre la crémaillère mais la maison, qui avait gagné en modernité, restait désespérément vide.

Elle repensa au quartier garou, à la vitalité qui s'en dégageait. Ses habitants, bien que n'y résidant pas par choix, avaient su rendre cette contrainte supportable en tissant des liens amicaux et familiaux profonds.

— J'aimerais voir l'endroit où vous vivez, conclut-elle enfin. Même si je dois subir l'interrogatoire de votre père.

— Il ne va pas vous interroger, répondit Liam, tout sourire. Comme l'a dit Ellison, nous sommes de gentils chatons.

Cette phrase la laissa perplexe mais elle le suivit à travers la foule qui s'était rassemblée à l'extérieur. Des garous, pour la plupart, qui riaient et discutaient bruyamment sur le parking, en attendant de pouvoir se faufiler dans le bar bondé.

L'air s'était rafraîchi, le taux d'humidité avait baissé. Au-dessus d'eux, les étoiles, se mêlant aux lumières de la ville, scintillaient dans le ciel d'encre qui s'étendait à l'infini.

— Quelle nuit magnifique ! s'exclama Kim. Vous habitez loin ? On pourrait marcher !

Quelle étrange envie ! Dans cette ville dominée par les voitures, on flânait sur les berges du lac Austin, on se promenait dans Zilker Park ou on arpentait la 6e rue un samedi soir. On ne se déplaçait jamais à pied.

— Ce n'est pas loin, mais nous allons prendre la voiture. Il vaut mieux la garer dans le quartier garou qu'ici.

Il n'avait pas tort. Le pub était situé dans un coin plutôt malfamé. Liam passa derrière le volant, et Kim fut ravie de contempler le paysage. Vu l'heure tardive, les enfants avaient déserté les pelouses, mais les maisons irradiaient de lumière. Les gens s'asseyaient sur les vérandas éclairées pour discuter ou admirer la nuit.

Liam stationna dans une allée à l'ancienne – deux bandes de béton séparées par de l'herbe – à deux rues du bungalow de Sandra. Il sortit du véhicule et en fit le tour pour ouvrir à sa passagère.

Elle l'observa avec étonnement tandis qu'il l'aidait à se lever et refermait la portière. Elle n'était pas habituée à tant de courtoisie. Dans son monde, les femmes n'étaient pas censées apprécier la galanterie. Puisqu'elles convoitaient les mêmes postes que les hommes, qu'elles se comportent comme tels ! En réalité, elles devaient se montrer plus fortes et plus impitoyables encore. Kim s'y était attelée et avait joué le jeu, mais à sa grande surprise, la prévenance désuète dont faisait preuve Liam l'enthousiasmait.

Comme la mère de Brian, les Morrissey habitaient une bâtisse à un étage avec une véranda soutenue par des piliers carrés en brique. D'un côté trônait une table de pique-nique avec un banc, de l'autre, une balancelle.

— J'ai toujours voulu en avoir une ! s'écria Kim. C'est idiot, mais je n'en ai jamais eu le droit. Le syndic des copropriétaires était contre.

— Vous êtes libre de vous y prélasser à votre guise.

— Vous êtes adorable, Liam, vous le savez ? N'est-il pas un peu tard pour une visite ? Votre père sera-t-il encore debout ?

Il lui sourit en guise de réponse.

— Nous sommes des créatures nocturnes.

— Comme les vampires ? Oh, j'ai bu trop de bière, moi !

— Non. (Il ouvrit la porte et l'invita à entrer.) Les vampires sont différents.

Elle se demanda ce qu'il entendait par là. Se moquait-il d'elle ? Après tout, les garous existaient bien. Pourquoi pas les vampires ?

Elle avait trop bu, cela ne faisait plus aucun doute.

Ils débouchèrent dans le salon dominé par une télévision à tube cathodique. Le canapé et les fauteuils étaient regroupés autour, et des plateaux pliables fixés aux accoudoirs faisaient office de table basse. Ils étaient jonchés de cannettes de soda, de bouteilles de bière, de saladiers dans lesquels il ne restait plus que des miettes de tortillas, ainsi que de piles de VHS et de DVD. La soirée vidéo avait dû s'achever peu auparavant. Le parquet en bois poli était couvert de tapis et de carpettes dépareillés ; rien à voir avec le carrelage froid de Kim, orné de veloutеux tapis tissés à la main.

Tandis que Liam la conduisait à l'intérieur, Sean et un autre type descendirent l'escalier à sa gauche, et un adolescent dégingandé surgit de la cuisine ouverte.

— C'est elle ? s'enquit le plus jeune des Morrissey.

Le plus âgé se dirigea vers elle et lui tendit la main.

— Je suis Dylan.

Le père de Liam. Il semblait avoir quarante ans tout au plus mais, comme Sandra, ses yeux reflétaient le poids des années. Il la jaugea de pied en cap, comme l'avait fait son fils, mais sans manifester la moindre attirance. Sa poignée de main était ferme sans être écrasante, et Kim comprit qu'il valait mieux ne pas le chercher.

Si elle avait rencontré Dylan et non pas Liam, elle aurait quitté le quartier garou sans demander son reste. Pas étonnant que les gens préfèrent côtoyer Liam, comme l'avait affirmé Brian. Il fallait bien du courage pour soutenir le regard du patriarche sans trembler.

Sean s'avança dans la pièce.

— Connor, c'est quoi ce foutoir ? Je t'avais prévenu de la venue de Kim !

— Je suis en train de ranger, maugréa l'autre, en ramassant les détritus avec ses mains énormes.

— Mon neveu, Connor, expliqua Liam. Le fils de notre frère Kenny.

Le frère décédé. La jeune femme regarda le grand dadais regagner la cuisine en essayant de tout porter en même temps.

Liam lui fit signe de s'asseoir. Le canapé, qui avait vu des générations d'enfants et d'adultes sauter sur lui et s'y vautrer, s'affaissa dès qu'elle y posa les fesses. Connor les rejoignit et tendit à leur invitée une boisson fraîche. Kim n'en avait pas envie mais elle le remercia, ouvrit la cannette et but une gorgée. Aucune raison de ne pas se montrer polie.

Liam s'installa à son côté, tout près, comme il l'avait fait chez Sandra. Les garous avaient vraiment du mal avec le concept d'espace vital. Ou alors, ils s'en fichaient royalement.

Sean resta debout, l'air gêné, les mains dans les poches. Il fronçait les sourcils, comme si la présence de Kim le dérangeait, mais sans manifester d'inimitié à son égard. Dylan l'observait, lui aussi, avec une sérénité dont manquaient les plus jeunes membres de la famille. Parmi eux, il était le seul à ressembler à un prédateur.

Et moi, je suis la gazelle.

Pour se calmer, Kim s'attarda sur la décoration, ou plutôt la pagaille, caractéristique des hommes célibataires, qui régnait dans la pièce.

— Hé, j'ai la même valise ! s'écria-t-elle en pointant du doigt le sac noir clouté à côté du meuble télé. Une minute, c'est la mienne ! (Elle décocha un regard assassin à Liam, qui n'exprima pas la moindre once de culpabilité.) Je me demande comment elle est arrivée là.

— Vous vous rappelez mes amis qui ont réparé votre porte ? Ils l'ont apportée.

Elle reposa sa cannette avec délicatesse sur le plateau.

— Vous m'expliquez pourquoi ? À moins que vous ne preniez votre pied à voler les bagages des autres ?

Dylan se chargea de lui répondre.

— Parce que vous restez ici, Kim. Liam a songé que vous voudriez avoir vos affaires.

— Comment ça ? Cette nuit ? Je ne suis pas soûle à ce point !

Liam l'enlaça pour la maintenir en place avec fermeté.

— Vous devez rester.

— Le loup-garou est mort. Sean et vous lui avez réglé son compte. Je ne crains plus rien.

Enfin, ce qui la tracassait tant sans qu'elle sache ce que c'était transperça le brouillard qui embrumait son cerveau.

— Liam, reprit-elle, comment avez-vous pu le tuer ? Votre Collier aurait dû vous empêcher de vous battre, même contre un garou. N'est-ce pas ?

Liam ne dit rien. Elle sentit la présence de Sean au-dessus d'elle, le malaise de Connor et le silence pesant de Dylan.

— Liam ?

Il soutint son regard, ses iris bleus, sévères, rivés sur elle.

— Désolé, trésor. Voilà pourquoi on ne peut pas vous laisser partir.

7

Elle le prit bien. Il fallait le reconnaître.

Pas de cris, de jurons enflammés, de bafouillages de terreur. Kim se contenta de dévisager Liam d'un regard insondable.

— Pourquoi ? demanda-t-elle posément. Si je parviens à prouver que Brian n'est pas impliqué dans le meurtre, on se fiche de l'hypothétique dysfonctionnement de son Collier. Je n'ai aucune raison de hurler l'information sur les toits.

— Vous devriez confier sa défense à un confrère, déclara Dylan.

À présent, elle sentait monter sa colère.

— Oh, non, ça, jamais ! Cette affaire est cruciale pour ma carrière. Et puis, je suis votre meilleur atout.

L'expression de Dylan se durcit.

— Brian comprend la nécessité de protéger les siens.

Kim se libéra de l'étreinte de Liam et bondit sur ses pieds.

— Essayez-vous de me dire que vous l'abandonnez ? Vous le laisseriez affirmer que son Collier a mal fonctionné pour éviter d'avouer qu'ils ne fonctionnent pas du tout ?

— Il ne s'agit pas des Colliers, rétorqua Liam. Et de toute façon, ils fonctionnent.

— Vous êtes fous. Si Brian est reconnu coupable, il écopera de la peine capitale. Vous savez ce que ça signifie ?

— Il ne mourra pas aux mains du gouvernement humain, asséna Dylan. S'il est condamné, nous veillerons à ce qu'il n'affronte pas de bourreau.

— Et quoi ? Vous enverrez Sean le transformer en poussière ?

L'intéressé détourna la tête, incapable de soutenir le regard de l'avocate.

— Non, pas Sean. (Liam se leva à son tour.) Ce n'est pas son boulot.

Kim le considéra avec incompréhension avant d'écarquiller les yeux.

— C'est le vôtre ? Oh, bon sang, Liam, je rêve !

— C'est une affaire privée, fit Dylan à voix basse.

— Et à présent, je représente un problème, c'est ça ? Vous refusez de me croire même si je jure de n'en parler à personne. Liam, vous m'avez sauvé la vie ce soir, je vous suis redevable.

— Ce n'est pas de notre ressort, répliqua enfin Sean. Nous n'édictons pas les règles.

— Vous n'avez pas mieux comme excuse ? Dylan, n'êtes-vous pas le maître, ici ? Ne pourriez-vous pas opter pour une mesure arbitraire ?

Le vieux Morrissey secoua la tête.

— Il s'agit de questions claniques et de secrets internes. Seul Fergus peut outrepasser la loi.

— Qui est Fergus ?

— Notre chef de clan. Chargé du sud du Texas, répondit Liam. Père pense que vous devriez vous entretenir avec lui. Je ne suis pas d'accord.

— Pourquoi pas ? Peut-être parviendrai-je à lui faire entendre raison.

— Raison ? À Fergus ?

Liam se retint de rire. Il visualisa le géant à la longue tresse noire, flanqué de ses sbires. Fergus n'avait pas été ravi lorsque Kim avait réussi à octroyer à Brian un procès devant jury. Il avait souhaité que ce dernier plaide coupable et qu'on en finisse, que l'humaine cesse de fourrer son nez dans leurs affaires. Liam ne comprenait toujours pas pourquoi Fergus avait été si pressé d'abandonner l'un des leurs, mais celui-ci avait été prêt à obéir.

Jusqu'à ce que Kim le convainque de lutter. Rien d'étonnant à cela. La jeune femme était une battante. Fergus avait été furieux lorsqu'il avait appris qu'une avocate compétente assurait la défense de l'accusé.

— Il est dangereux, Kim, poursuivit Liam, un rien d'inquiétude dans la voix. Tous les garous le sont, mais Fergus plus que les autres. Pour commencer, vous n'auriez jamais dû venir me voir.

— Tous les moyens sont bons pour faire libérer mon client. Je lui dois bien ça.

— Et maintenant, vous en savez trop.

— Moins fort, Liam, gronda Dylan. Je peux maîtriser la situation, mais si les voisins t'entendent…

Effrayée, Kim regarda par la fenêtre la maison mitoyenne.

— Et alors ? Que vont-ils faire ?

— Ils pourraient aller trouver Fergus, expliqua Sean. Et nous ne serions pas forcément en mesure de les arrêter. Nous sommes votre meilleure protection.

— Vous ne pouvez pas me séquestrer ici !

Sacré coffre pour un si petit bout de femme.

— Si. Et nous le ferons, riposta Dylan, les yeux brillants. Nous protégeons le clan.

Connor semblait bouleversé.

— Doucement, grand-père. Tu lui fais peur. Elle va penser qu'on est tous dingues.

Elle n'aurait pas tout à fait tort, songea Liam. Kim tremblait de rage et de terreur, et il éprouva le besoin irrépressible de l'enlacer pour la rassurer. Il fallait l'étreindre, comme Sean et lui l'avaient fait avec Sandra, la calmer, apaiser ses craintes et son angoisse.

La tenir dans ses bras lui permettrait de se rasséréner, lui aussi. L'adrénaline commençait à retomber, le bourdonnement sourd dans son crâne le lui signalait. Très bientôt, il devrait payer pour avoir tué l'indompté. Sean avait meilleure mine, mais il ne s'était pas battu, il n'avait fait qu'expédier l'âme de la bête sauvage.

— C'est plus sûr de vous garder ici, déclara-t-il. Si Fergus pense que nous vous avons à l'œil, il n'enverra personne à vos trousses pour s'en assurer.

Kim était si furieuse que ses yeux lançaient des éclairs. Elle avait accordé sa confiance à Liam, et elle se sentait trahie.

— Que vous m'avez à l'œil ?

— Kim, chérie, quand j'ai dit que je veillerais sur vous, ce n'était pas des paroles en l'air. S'il le faut, je vous protégerai de mon propre père ou de mon chef de clan. Si vous rentrez chez vous ce soir, Fergus vous fera suivre. Je devrai rester avec vous nuit et jour, comme un garde du corps. (Liam lui effleura le menton du bout du doigt.) Ce qui ne serait pas pour me déplaire…

Elle l'observait toujours : son expression ne s'était pas radoucie. Si seulement il pouvait lui faire comprendre qu'elle s'était mise en danger dès l'instant où elle avait accepté de défendre Brian. La discussion entre Dylan et Fergus avait été longue et animée, après que Kim avait émis le souhait de s'entretenir avec Liam. Et à présent, elle courait un péril plus grand que jamais.

On frappa à la porte d'entrée, et Liam flaira la lycane noyée sous une eau de toilette capiteuse.

Sean leva les yeux au ciel.

— Parfait. Il ne manquait plus qu'elle !

— C'est verrouillé, cria une voix féminine depuis le palier.

— Va lui ouvrir, Sean, ordonna Dylan, résigné.

— C'est pas trop tôt !

Sean obéit, et une femme élancée, habillée en noir des pieds à la tête, s'avança dans la pièce. Elle portait un pantalon moulant et une blouse en soie sans manches, ses cheveux blonds étaient coiffés en une tresse indienne. Des sandales argentées à talons hauts ornées de strass complétaient sa tenue.

— Pourquoi c'était fermé à clé ? Vous ne le faites jamais. (Elle braqua ses yeux d'un bleu glacial sur Kim.) Qui est cette humaine ? Et pourquoi hurlez-vous tous comme ça ?

La nouvelle venue était athlétique mais gracieuse. Le genre de fille que Kim avait détesté lorsqu'elle affrontait les affres de la puberté. Elle pouvait servir de modèle à une poupée Barbie, à une exception près : elle ne manquait ni de personnalité ni de tempérament. Même son Collier étincelait.

Liam, Sean et Connor l'observèrent avec irritation. Dylan parut gêné et détourna la tête. *Intéressant*.

La lycane posa une main gracile sur sa hanche.

— Je m'apprêtais à me coucher quand j'ai entendu mes gros félins de voisins essayer de calmer une femme qui n'arrêtait pas de crier. Qu'étais-je censée en déduire ? (Elle cloua l'avocate d'un regard de prédateur.) Qu'est-ce que vous leur faites, ma jolie ?

Kim jaugea son interlocutrice de la tête aux pieds comme si de rien n'était.

— C'est ce que vous portez pour aller au lit ?

— Ça dépend de qui le partage avec moi. (Elle se tourna vers Dylan qui fit mine de ne rien remarquer.) Qui est-ce ?

— Ce ne sont pas tes oignons, Glory, lança Connor.

C'était le seul d'entre eux qui semblait hermétique à sa sensualité exacerbée. Si cette Glory entretenait une liaison avec Dylan, le petit-fils de celui-ci devait certainement penser qu'elle avait un siècle. Même si elle faisait à peine plus de trente ans. Bon sang, ces créatures avaient des gènes incroyables.

Glory huma l'air, gonflant les narines.

— Liam l'a marquée de son odeur. J'ignorais que tu affectionnais les humains, mon grand.

Liam enlaça Kim par la taille, qui regretta de se sentir aussi bien dans ses bras.

— Je la protège des garous indiscrets.

— Je n'en doute pas. (De ses yeux bleu pâle, la lycane détailla la jeune femme avec un peu trop de perspicacité au goût de l'intéressée.) Mais qui te protège d'elle ?

Liam resserra son étreinte.

— Bonne nuit, Glory.

La femelle au rouge à lèvres corail lui décocha un sourire entendu.

— Très bien, j'arrête de fouiner. (Elle toisa Kim une dernière fois.) Les félins sont sensationnels, chérie. J'ai un stock de préservatifs extralarge si jamais…

Elle pivota sur la pointe des pieds et quitta la pièce d'un pas chaloupé.

— Je comprends pourquoi vous vous souciez de vos voisins, dit Kim après que Sean eut refermé la porte. Sacré personnage !

— Glory est une lycane, expliqua Connor. Elle nous donne du fil à retordre. J'ignore pourquoi elle s'obstine à vivre entourée de félins.

— Elle n'a pas vraiment le choix, si ?

Liam regarda par la fenêtre, sans doute pour s'assurer que la visiteuse avait regagné sa maison pour de bon.

— J'emmène Kim dans ma chambre, reprit-il. Seul. Nous devons discuter.

— Dans votre chambre ? (Elle le dévisagea.) Pour quoi faire ?

Elle aurait préféré ne pas être à ce point intriguée par cette idée. Elle devait craindre ces créatures, les fuir, et non pas les laisser la séquestrer.

Puis, elle repensa au garou indompté dans sa chambre à coucher et à sa grande maison vide avec les cendres de son agresseur incrustées dans son tapis. Comparé à ce chaleureux foyer, le sien lui sembla soudain hanté par trop de fantômes.

— Je vous la prête, disait Liam. C'est la plus propre. Je borde même mon lit.

Il s'empara de la valise, avant d'enlacer à nouveau Kim par la taille. Il aimait la sentir contre lui, comme si sa place se trouvait entre ses bras.

— Une minute. Vous voulez que je passe la nuit entourée de quatre célibataires ?

Sean esquissa un large sourire.

— Nous sommes de parfaits gentlemen, Kim. Tout le monde le sait. Ne vous tracassez pas pour ça.

— Ce n'est pas ma réputation qui m'inquiète, mais l'état de la salle de bains.

Liam rit tout bas, et son souffle chaud lui chatouilla l'oreille.

— Ils ont fait le ménage quand je leur ai dit que vous veniez. Et si ce n'est pas le cas, ils vont s'en charger fissa, n'est-ce pas ? Par ici, trésor.

Liam la conduisit jusqu'à un couloir spacieux, à l'étage, avec trois pièces, une salle de bains et un escalier menant au grenier. Tout était joli, elle devait bien le reconnaître. Du bois poli, de la peinture fraîche, des tapis propres. Mais il manquait une touche féminine, ce qui rendait la décoration un peu triste et inachevée.

Il l'amena jusqu'à une grande chambre à coucher avec une seule image sur le mur : une affiche touristique représentant un paysage irlandais.

— Vous avez des voisins intéressants, déclara Kim. Il se passe quelque chose entre votre père et elle ? J'ai senti une sacrée tension entre eux.

Liam ferma la porte et laissa tomber le sac de la jeune femme par terre.

— Ils n'arrêtent pas de se séparer et de se rabibocher. Quand ils s'entendent bien, c'est merveilleux.

— Et quand ce n'est pas le cas ?

— On les fuit. En ce moment, c'est plutôt neutre.

— Vous appelez ça neutre ? Je comprends pourquoi vous fuyez ! Connor a dit que c'était une louve, mais votre père est un félin, comme vous ?

— Un couple improbable avant qu'on prenne le Collier. Mais ils se soucient l'un de l'autre. Même s'ils se gardent bien de le montrer.

Ils devaient même faire un effort surhumain pour le cacher.

— Si vous le dites.

Liam partit d'un rire chaud et caverneux.

— Je suis sceptique aussi, trésor, mais ça marche pour eux. Venez.

Il s'assit, s'adossa à la tête de lit et tapota le matelas pour l'inviter à y prendre place.

— Sur le lit. Forcément. (Kim planta les poings sur les hanches.) L'enlèvement et la dispute n'ont pas fonctionné, alors vous tentez la séduction.

— Il n'est pas question de séduction.

Comment pouvait-il affirmer cela alors qu'il la dévorait des yeux ? Et pourquoi cette affirmation la décevait-elle à ce point ? Peut-être parce qu'elle s'était sentie attirée par lui depuis le début. Tandis qu'elle lui parlait, elle s'était laissé bercer par sa voix de velours et son accent irlandais, s'était mirée dans son regard d'azur si rassurant. Il s'était changé en fauve sous son nez et avait tué un loup sur le plancher de sa chambre à coucher, mais cela ne l'avait pas ramenée à la raison.

Elle cessa de lutter et s'installa à son côté. Elle tendit les jambes, et la cuisse musclée de son hôte la réchauffa.

— Glory a dit que vous m'aviez marquée avec votre odeur. Qu'est-ce que ça signifie ? Ça me chiffonne.

Elle ne sentait rien de particulier mais, après tout, elle n'était pas une garou.

— C'est un gage de protection. Nous reconnaissons nos proches à l'odeur, la vue est secondaire. J'ai fait en sorte qu'ils me flairent sur vous et vous fichent la paix.

— Je ne me souviens pas d'avoir été aspergée avec quoi que ce soit.

Elle grimaça.

— Quand je vous ai enlacée chez Sandra, j'ai laissé mon odeur se mêler à la vôtre.

— Oh !

Elle s'était rappelé cette étreinte toute la journée, le corps de Liam ferme et puissant contre le sien, ses bras réconfortants. Elle avait mis ce geste sur l'incessant besoin de contact des garous.

— J'ai pris une douche quand je suis rentrée chez moi.

Liam lui décocha un sourire, et elle vit ses yeux pétiller.

— C'est plus que mon parfum. En fait, le marquage est aussi empreint de magie. Il s'estompe avec le temps si vous ne revoyez plus le garou mais, pour l'heure, tout le quartier sait que je prends soin de vous.

Tout cela troublait Kim. Elle n'aimait pas être « protégée » ; néanmoins, elle avait été reconnaissante à Liam de débarquer dans sa chambre pour l'arracher aux griffes de l'indompté. Les regards inquisiteurs des garous dans le bar ne lui avaient pas échappé non plus. Sans son tatouage olfactif, ils ne se seraient peut-être pas privés de la critiquer. Voilà qui était inquiétant.

Liam restait muet, comme perdu dans ses pensées. Son corps massif occupait une grande partie du lit, ne laissant à Kim qu'une place infime. Elle s'imagina partageant sa couche. Elle devrait se blottir contre lui, se coller à lui. Elle passerait le bras autour de sa taille et aurait envie de lui chatouiller le nombril.

— Est-ce que les garous ont un nombril ? s'enquit-elle soudain.

L'air préoccupé de Liam s'évanouit, et il lui sourit.

— Vous êtes une perle, vous savez. Un don des Dieux.

— Ça vient de m'effleurer l'esprit.

Il remonta son tee-shirt. Son jean taille basse dénudait son ventre et l'échancrure de son ombilic.

— Je suis humain dans les moindres détails quand je suis sous cette forme. Nous ne changeons pas simplement d'apparence. Tout se transforme, nos os, nos muscles, nos organes. La douleur est atroce la première fois.

— Quel âge aviez-vous ?

Kim ne pouvait détacher le regard de ses abdominaux. Elle voulait glisser la langue dans ce petit creux et descendre jusqu'à la taille de son pantalon.

— J'avais près de cinq ans en âge humain. Je n'étais pas encore adulte. J'ai cru mourir.

— Ça doit être bizarre de se retrouver dans la peau d'un chat sauvage, si c'est bien ce que vous êtes.

— Nous sommes des chats-faes. Mais la transformation s'est opérée dans l'autre sens. J'ai vécu comme un félin pendant cinq ans avant de me changer en humain. Tenir sur deux pieds et ne pas être capable de voir aussi bien la nuit, ça m'a foutu les jetons, vous n'avez pas idée !

— Vous êtes né chat ?

— Oui. Mes parents étaient tous deux des félins-garous pur sang. En cas d'hybridation, comme les loups-chats, loups-ours, etc., le bébé naît humain. Il se transforme vers l'âge de cinq ou six ans en fonction du gène dominant.

Intéressant. Elle n'avait rien appris de tel dans ses recherches. Elle se rendit compte de l'ignorance totale des humains en ce qui concernait les garous.

— Qu'est-ce qu'un chat-fae, au juste ? Je n'ai pas réussi à déterminer si vous étiez un puma, un léopard ou…

— C'est difficile à expliquer. Notre race est unique. Notre existence remonte à une époque où les humains ne peuplaient pas encore la Terre. Les faes nous ont créés en croisant les forces de tous les félidés, du moins des grands fauves des temps anciens, les ancêtres des félins d'aujourd'hui. Nous sommes rapides comme les guépards, nyctalopes comme les panthères, puissants comme les lions et rusés comme les tigres. Voilà pourquoi nous nous dénommons félins sans préciser la race. Les lycans sont des loups, mais ils ne ressemblent pas à ceux qui errent dans les bois.

— En d'autres termes, vous êtes les meilleurs spécimens de l'espèce.

— En quelque sorte.

— Donc, si le métissage est possible, comme vous venez de l'affirmer, votre père et votre voisine pourraient procréer. En théorie.

— En théorie, car le taux de fécondité chez les hybrides est moins élevé qu'au sein de la même espèce. Père a près de deux cents ans, il peut engendrer une descendance. Glory refuse d'avouer son âge, mais elle est encore fertile.

— Dylan a deux cents ans ? s'écria Kim avec étonnement. Je lui aurais donné la quarantaine. Quel âge avez-vous ?

— Je suis né en 1898. Sean, en 1900.

Merde alors !

— Vous avez fière allure pour un centenaire. Et Connor ? Ne me dites pas qu'il a quatre-vingt-deux ans !

— Il a vingt ans. Il est né juste après que nous avons accepté le Collier. Sa mère est morte en le mettant au monde, le pauvre.

Kim se remémora le jeune garçon jovial resté dans le salon. Il s'était soucié d'elle et n'avait pas voulu qu'ils l'effraient.

— Oh, Liam ! Je suis désolée.

Il haussa les épaules avec résignation.

— Cela arrivait souvent quand nous vivions en marge de la société humaine. Voilà pourquoi, en partie, les chefs de clan ont décidé de porter le Collier. Notre peuple agonisait.

— Elle était mariée à votre frère décédé, Kenny, n'est-ce pas ? Quelle poisse ! Pauvre Connor !

— Oui. Un indompté a tué Kenny il y a dix ans. Nous avons pris Connor sous notre aile, mais ce n'est pas pareil.

Kim s'appuya contre le bras puissant de Liam, cherchant soudain à le réconforter.

— Et moi qui me lamentais sur mon enfance alors que je n'ai jamais manqué d'amour et d'attention. À leur mort, mes parents s'étaient assurés de me mettre à l'abri du besoin. Je travaillais déjà, mais ils m'ont légué la maison et une grosse somme d'argent. Je n'ai jamais eu à m'inquiéter.

Il esquissa un sourire.

— Pauvre petite fille riche.

— Cela m'a permis de me consacrer à ma vocation. J'accepte uniquement les affaires qui m'intéressent, sans considérations pécuniaires.

— Oui, vous êtes libre d'aider les garous malchanceux.

Elle se redressa.

— J'ai l'impression qu'aucun de vous ne me prend au sérieux, comme si vous ne vouliez pas que je disculpe Brian. Sa mère est à deux doigts de craquer. Sean et vous avez dû la prendre en sandwich pour la consoler, vous vous rappelez ?

— Oui.

Liam se tut. Son tee-shirt était redescendu et couvrait à présent son corps d'athlète. Bon sang !

— Croyez-moi, quand je défends quelqu'un, je veille à ce qu'il bénéficie d'un procès équitable, reprit la jeune femme. C'est un droit fondamental qu'on risque de nous enlever si on ne se montre pas vigilants. En plus, je pense que Brian est innocent. Et on dirait bien que je suis la seule.

— Kim. (Il interrompit ce monologue enflammé.) Brian est innocent. C'est impossible qu'il ait tué cette fille. Mais pour le prouver, il vous faudrait révéler des secrets qui pourraient détruire tous les garous, partout dans le monde.

— Comme le fait, par exemple, que les Colliers ne fonctionnent pas ? Ou que certains d'entre vous ne le portent pas ?

Le regard de Liam était perdu dans le vague.

— C'est plus compliqué que ça.

— Dans ce cas, expliquez-moi ce qu'il se passe ! Écoutez, reprit-elle sur un ton plus calme, je ferai le nécessaire pour disculper Brian, mais je n'ai nullement l'intention d'anéantir votre famille.

— Je suis heureux de l'apprendre, répondit Liam avec douceur.

— Alors, comment avez-vous réussi à tuer ce garou ? Les Colliers fonctionnent-ils, ou pas ?

— Oh, ils fonctionnent, chérie ! (Son regard s'était voilé.) N'en doutez pas.

— Je peux y jeter un coup d'œil ?

Il hocha la tête. Kim s'agenouilla afin d'examiner la fine chaîne noire et argentée qu'il portait autour du cou. Elle souleva les cheveux de sa nuque, si chaude et soyeuse qu'elle éprouvait des difficultés à se concentrer. À son grand regret.

Dépourvu de fermoir, le Collier ne faisait qu'un avec sa peau, les maillons étaient serrés mais pas trop, et un nœud celtique ornait le bas de sa gorge.

Quand Liam s'était trouvé dans sa chambre sous sa forme de fauve, elle avait vu le métal étinceler par-dessus sa fourrure.

— Ça ne vous a pas étranglé pendant la transformation ?

— Le Collier fait partie intégrante du garou. Ne me demandez pas de vous expliquer la technologie ou la magie derrière son fonctionnement, j'en suis incapable. Cet objet nous permet de muter en animal car, si cela nous était impossible, nous mourrions. Nous ne faisons qu'un avec la bête, elle ne nous quitte jamais, c'est pourquoi la chaîne s'adapte.

Kim laissa courir ses doigts sur le métal et s'attarda sur le renflement formé par le nœud celtique. La froideur de l'argent contrastait avec la peau brûlante de Liam.

— Qu'entendez-vous par magie ? La réaction n'est-elle pas déclenchée par votre système endocrinien ? Pour vous exciter ou vous tranquilliser quand votre équilibre chimique subit des perturbations ?

Liam gloussa.

— Vous m'avez vu passer de fauve à humain et le loup se réduire en poussière sous la lame de Sean, et vous ne croyez toujours pas à la magie ?

— Pas vraiment. Il existe une explication rationnelle à tout, même aux choses les plus étranges.

— Rappelez-moi de vous emmener en Irlande, un jour. Vous changerez d'avis. Un Irlandais a conçu ces chaînes, un vieillard maître en enchantements.

— Un leprechaun ?

Liam renversa la tête en arrière et rit. Kim, qui avait toujours la main sur sa nuque, lui effleura le crâne et savoura cet agréable sentiment de chaleur et d'intimité.

— Non, trésor, pas un lutin dans un costume vert à trèfles. Celui qui a forgé les premiers Colliers était à demi fae. Votre gouvernement, comme ceux des sociétés au sein desquelles les garous sont autorisés à vivre, a convenu que le vieux mage fournirait les fers destinés à nous affaiblir.

— Qui sont ces faes dont vous n'arrêtez pas de parler ?

— On les nomme parfois elfes ou fées, mais ce ne sont pas de mignonnes petites créatures ailées. Les faes sont un peuple ancien et arrogant qui estimait que la Terre lui appartenait. Ce sont des êtres terrifiants. Ils nous ont créés en guise d'animaux domestiques, pour qu'on chasse à leur place, mais c'était sans compter sur notre insoumission.

Cette histoire laissait Kim perplexe, et elle n'aurait pu dire si Liam y croyait lui-même ou s'il la faisait marcher.

— Vous avez dit que le concepteur des Colliers était à demi fae. Il est mort à présent ?

— Oui, mais il a transmis ses connaissances à son fils, qui vit caché en Irlande. Il envoie le matériel au gré des commandes.

— Dans ce cas, comment avez-vous réussi à terrasser cet indompté ? Les Colliers ne fonctionnent-ils que lorsque vous essayez d'attaquer des humains ?

— Non. Comme vous l'avez dit, ils sont liés à notre système endocrinien. Peu importe la cible de notre agressivité. Mais certains ont trouvé le moyen de... repousser la réaction. C'est douloureux, mais possible.

Il croisa son regard, et elle remarqua la lueur de rage qui trahissait son expression sereine. Quelque chose avait changé depuis le moment où il était entré dans cette pièce, mais elle n'arrivait pas à savoir quoi.

— Vous avez appris à en maîtriser les répercussions, c'est ça ?

Liam haussa à nouveau les épaules, mais il resta voûté. Là se trouvait la clé. Le garou puissant et protecteur s'était replié sur lui-même. Il avait discuté et ri avec elle, mais ses pensées étaient ailleurs.

— Oui, répondit-il. Mais je n'y ai recours qu'en cas d'absolue nécessité.

— Comme ce soir.

Elle lui effleura le torse et sentit son cœur battre bien trop vite sous ses doigts.

— Et ça vous a fait mal ?

— Oui, mon amour. C'est pourquoi je reste assis sur ce lit en silence et vous laisse tranquille. Tous mes membres m'élancent, mon corps n'est que douleur.

8

Liam n'avait pas menti ; il souffrait le martyre.

Kim écarquilla les yeux avec stupéfaction.

— Mais vous vous déhanchiez sur la piste il y a moins d'une demi-heure !

— Je peux me retenir un long moment, surtout si l'excitation procurée par la mise à mort est forte. (Il promena le regard sur son corps voluptueux.) Et puis danser avec vous, c'était… Rien au monde n'aurait pu m'empêcher de savourer cet instant.

La jeune femme paraissait soucieuse.

— Vous avez mal ?

— Je suis à l'agonie.

Une douleur aiguë lui vrillait les globes oculaires, enflammait ses terminaisons nerveuses et chacun de ses muscles. Il avait l'impression qu'on lui avait tordu la colonne vertébrale à l'aide de cisailles. Le châtiment n'épargnait même pas ses petits orteils.

— Liam, je suis désolée. Je l'ignorais.

— Un homme n'aime pas reconnaître qu'il souffre. C'est humiliant.

— Ne peut-on rien faire pour vous soulager ? Vous voulez de l'ibuprofène ? J'en ai dans mon sac.

Il se retint de rire. Les antalgiques n'y feraient rien.

— Il faut attendre que ça passe, c'est tout. C'est agréable de vous avoir à mes côtés.

Elle l'observa avec inquiétude pendant quelques instants avant de se lover contre lui. Il sourit et la serra plus fort, tout en songeant à l'ironie de l'existence. D'un côté, la douleur le mettait au supplice. De l'autre, Kim ne se serait sans doute jamais collée à lui s'il n'avait pas admis ses faiblesses.

— Qu'en est-il de Sean ? s'enquit-elle. Souffre-t-il aussi ?

— Sûrement un peu. Mais il ne s'est pas chargé de la mise à mort, il n'a fait que nettoyer les restes.

Elle lissa le tee-shirt de Liam sur son ventre.

— Pourquoi vous infligez-vous ça ? Je veux dire, tous les garous. Pourquoi risquer une telle torture ?

— Nous n'avons pas le choix.

Il cessa de parler, car cela lui demandait trop d'efforts. Le mal finirait par s'estomper, probablement dès le lendemain matin, mais avant, il devrait endurer un véritable calvaire. Cette fois, c'était plus supportable, peut-être parce qu'il s'était battu pour défendre Kim. Il avait agi d'instinct quand il avait flairé le danger, sans se soucier une seconde du prix à payer.

— Vous me donnez envie de vous embrasser, murmura-t-elle.

Le cœur de Liam se mit à palpiter.

— Vous êtes un ange. Mais ce n'est pas mon genre.

Elle leva la tête.

— Comment ça ? Vous n'avez pas arrêté de la journée !

Il l'avait couverte de baisers, sur les cheveux, dans le cou… Liam remua, sentant soudain son sexe durcir à ce souvenir, malgré ses muscles qui lui élançaient.

— Je n'embrasse pas sur les lèvres comme les humains. Je n'en vois pas l'intérêt.

— Vous voulez dire que les garous ne s'embrassent jamais ? fit Kim, perplexe. Pourtant, j'en ai vu un avec sa femme au bar. C'était bien son épouse, n'est-ce pas ?

— Jordie ? Oui, c'était sa compagne. Ne me faites pas dire ce que je n'ai pas dit ! Je parlais pour moi. Quand je suis avec une femelle, nous sommes occupés à autre chose.

— Vous zappez les préliminaires ? Eh ben ! Quel dommage qu'un homme aussi séduisant que vous ne se préoccupe guère du plaisir féminin.

La douleur s'estompa d'un cran.

— Qu'est-ce que vous racontez ? Je sais comment satisfaire mes partenaires. Et elles me le rendent bien.

— Mouais. Vous ne daignez même pas les embrasser.

— Vous n'êtes pas une garou, vous ne pouvez pas comprendre. Nos rapports sont brutaux et enfiévrés. Nous ne perdons pas de temps.

Kim secoua la tête, et ses boucles le chatouillèrent à travers son tee-shirt.

— Vous ne savez pas ce que vous ratez, Liam.

— Je n'ai jamais couché avec une humaine. (Il aimait sentir son visage près du sien, son parfum qui l'enveloppait tout entier.) Vous avez raison, j'ignore ce dont il s'agit.

— Très bien. Ne bougez plus.

Elle s'agenouilla à son côté. Son jean lui moulait les cuisses et son chemisier bâillait, laissant entrapercevoir sous la dentelle la naissance de ses seins charnus.

L'odeur de cette femme le rendait fou. Ce n'était pas la première fois qu'il marquait une femelle de son empreinte olfactive, mais jamais il n'avait humé un mélange d'arômes aussi enivrant. Ceux-ci s'accordaient à la perfection, comme s'ils se complétaient.

Elle lui effleura la joue du bout du doigt, avec hésitation ; une caresse à mille lieues de ses manières directes et de son impertinence.

— Je vous fais mal ?

Elle s'inquiétait pour lui, la petite chérie.

— La crise est en train de passer.

— Tant mieux.

Elle s'approcha davantage. La chaleur et les effluves de sa peau stimulèrent l'érection de Liam. Le désir sexuel commençait à l'emporter sur la torture. Kim ferma les paupières et déposa un baiser sur sa lèvre supérieure.

Quelque chose se réveilla au plus profond de Liam, et la douleur se mit à perdre du terrain. Il remua les lèvres à son tour et, avec maladresse, captura celles de la jeune femme.

Leur douceur soyeuse le laissa sans voix. Il avait déjà embrassé des femelles sous sa forme humaine, mais cela n'avait été rien de plus que de rapides bises échangées avec des amies ou des proches. Il n'avait jamais éprouvé les sensations procurées par un baiser langoureux et profond. Il saisit le cou de Kim, l'encourageant à poursuivre, et sursauta lorsqu'elle glissa la langue dans sa bouche.

Elle recula brusquement.

— Que se passe-t-il ? Je vous ai fait mal ?

— Non. (Il entrelaça les doigts derrière la nuque de Kim, sous la chaleur de ses cheveux.) Vous m'avez surpris. C'est votre technique ? J'aime.

— Ma technique ? Tout le monde embrasse comme ça, c'est le baiser français. Ne me dites pas que les garous ne le pratiquent pas.

— Je suis irlandais.

Seigneur, quel sourire ravageur ! songea-t-il.

— Eh bien ! Enfin quelque chose que le mâle tout-puissant ignore et que je connais !

— Essayons encore. J'apprends vite.

Kim prit le visage de Liam en coupe.

— Je ne devrais pas faire ça.

— Si. Ça m'aide.

Restez avec moi.

— Je ne peux pas avoir une liaison avec vous. En plus, vous cherchez à me retenir prisonnière. Je vous préviens, je ne vous laisserai pas me séquestrer.

— C'est pour votre protection, trésor. Je suis responsable de ce qui vous arrive.

— Je me sens plus en sécurité ici, c'est vrai. (Il put voir que cet aveu lui coûtait.) Si j'étais seule chez moi, j'aurais peur. L'attaque de cet indompté… c'est arrivé si vite. J'avais toujours pensé que j'étais capable de me défendre, et soudain, je me suis rendu compte que c'était au-dessus de mes forces.

Liam lui massa la nuque.

— Ne vous inquiétez plus pour ça. (Il la serra contre lui.) Montrez-moi de nouveau comment on embrasse en France.

Elle essaya de résister et il perçut l'hésitation dans ses yeux. Elle voulait refuser, se libérer de son étreinte, partir. Cependant, il flairait aussi son désir. Elle brûlait d'être touchée et le trouvait inoffensif, assis sur ce lit, en proie à une telle souffrance qu'il en avait mal aux mâchoires. Peu importe qu'elle ait en partie raison.

Elle ferma les paupières avant que leurs lèvres ne s'effleurent à nouveau. Était-ce vraiment nécessaire, d'ailleurs ? Liam garda les siennes ouvertes pour profiter du spectacle. Il aimait regarder les cils de Kim se recourber, une boucle de cheveux lui tomber sur la joue…

Elle glissa de nouveau la langue dans sa bouche. Cette fois, il l'attrapa, et s'amusa à la lécher, la titiller, la suçoter. Il pencha la tête afin de mieux se positionner.

Bon sang, c'était divin ! Il tirait son chapeau aux humains pour cette découverte, même s'ils le nommaient « baiser français », comme ces pommes allumettes qu'il s'obstinait à appeler « frites ». Il ne pouvait plus dissimuler son érection. Si l'extrémité de son sexe dépassait de son pantalon, en serait-il gêné ? Ou serait-il ravi de lui montrer son ardeur ?

Sans cesser de s'amuser avec sa langue, Liam posa les mains sur les cuisses de Kim. Si seulement elle portait encore sa jupe ! Il aurait pu glisser les doigts sous l'ourlet, défaire son porte-jarretelles, lui ôter ses bas…

La jeune femme se replia un peu en arrière, les yeux mi-clos.

— Liam, vous me dévorez la bouche.

Il sourit.

— C'est mal ?

— Je croyais que vous étiez blessé.

— Je vais beaucoup mieux.

Il planta les doigts dans l'étoffe qui recouvrait les jambes de Kim et sentit ses forces lui revenir. Il la renverserait volontiers sur le lit et la plaquerait contre le matelas pour qu'elle lui en apprenne un peu plus sur les façons d'embrasser des humains.

Il lui toucha de nouveau les lèvres.

— Vous êtes douce et belle comme une fleur, vous le savez ?

— Pour une humaine ?

— Pas seulement, chérie.

Il l'embrassa à nouveau, puis se força à reculer avant de se redresser. La situation devenait dangereuse. Il retrouvait sa vigueur, et avec elle, un désir bestial.

Kim le dévisagea avec incompréhension, les lèvres rouges et enflées, les pupilles dilatées masquant ses iris.

— Quel est le problème ? Je croyais que vous vouliez des leçons supplémentaires ?

— Désolé, trésor. Je dois sortir d'ici avant que vous ne le regrettiez.

Elle esquissa un sourire.

— Ces petits baisers n'ont rien de fâcheux.

S'il ne partait pas sur-le-champ, il ne répondrait plus de lui. Par la Déesse, elle était exquise !

— Vous serez en sécurité, cette nuit, je vous le promets. Personne, pas même Fergus, n'oserait nous braver, mon père, Sean et moi. Même Connor, malgré son jeune âge, est capable de se battre. Ma famille vous apprécie, et nous vous avons pris sous notre aile. Vous serez protégée comme un membre à part entière du groupe.

Elle parut surprise, puis songeuse, comme si elle envisageait la situation sous cet angle pour la première fois.

— J'avoue que retourner chez moi maintenant m'effraie. Mais je ne peux rester que jusqu'à demain matin, d'accord ?

Liam se leva sans répondre. Il savait qu'elle pouvait voir la bosse massive qui déformait son jean ; impossible de la rater ! Si elle le lui demandait, il déboutonnerait son pantalon pour la lui montrer, il la laisserait le caresser, ou l'embrasser.

Bon sang, il devait ficher le camp d'ici !

Elle s'humecta les lèvres. Il posa les mains sur les hanches. Son pouls battait si fort que la pulpe de ses doigts l'élançait. La bouche couleur rubis, sensuelle et charnue, de l'avocate lui donnait envie d'y mordre.

— Je ferais mieux de dormir, déclara-t-elle comme pour s'en convaincre elle-même. J'ai du pain sur la planche, demain.

Dormir. Le corps en ébullition. Dans son lit à lui, la tête sur son oreiller. Vêtue, peut-être, de la nuisette en soie vaporeuse qu'elle portait quand il l'avait secourue.

— Dans ce cas, je vous verrai au petit déjeuner, s'obligea-t-il à répliquer.

— Que mangent les garous le matin ?

— Des céréales. Ou je peux vous faire des pancakes, comme promis.

N'était-elle pas irrésistible, assise jambes croisées, son chemisier à moitié déboutonné, ses tétons durcis pointant à travers son soutien-gorge et le tissu immaculé ? Et s'il l'allongeait sur le matelas pour titiller ses mamelons dressés du bout des lèvres ?

Kim attrapa un oreiller et le pressa contre son cœur, barrant cette vue splendide.

— Bonne nuit, Liam.

— Je ne risque pas de fermer l'œil avec vous, un étage plus bas, dans mon lit.

— Comment ça ? Où serez-vous ?

Il lui désigna le plafond.

— Connor dispose de tout le grenier. Je me pieuterai à ses côtés, ce n'est pas la place qui manque là-haut. Je peux donner un coup sur le parquet pour vous prévenir que je suis monté, si vous voulez.

Elle se leva, le coussin toujours serré contre la poitrine.

— Tout ce que je veux, c'est dormir, oublier cette soirée atroce, et rentrer chez moi. Ça ne me dérange pas de rester ici cette nuit parce que j'ai peur, mais dès demain, quand j'aurai fini d'avoir la trouille, je retournerai à la maison.

C'est ce qu'elle croyait. Liam ne voulait plus polémiquer avec elle à ce sujet. Il n'en voyait pas l'intérêt.

Il lui sourit, se força à lui tourner le dos, même si son corps menu et ses yeux magnifiques l'appelaient, puis quitta la pièce.

Il dut attendre dans le couloir un long moment, le temps que son ardente érection s'amenuise. Il devait s'entretenir avec son père, mais il ne pouvait pas lui parler avec un Airbus à la place du pénis.

Voir la lumière s'éteindre sous le battant derrière lui et entendre le grincement des ressorts quand Kim grimpa dans son lit ne l'aida pas.

Une heure plus tard, Glory ouvrait la porte arrière de chez elle pour laisser entrer un Dylan Morrissey de fort méchante humeur.

La lycane n'avait jamais rencontré de garou capable de l'exciter aussi vite que celui-ci. Et tant pis si c'était un félin. Ses amis n'approuvaient pas, mais ils pouvaient aller au diable ! Dylan était grand, bien bâti, caractériel. Et il avait des fesses de rêve. Elle n'avait jamais rien vu de tel chez un mâle, garou ou humain.

Elle attendit pendant qu'il faisait les cent pas, ravie qu'il ait accepté l'invitation voilée qu'elle lui avait lancée tandis qu'elle discutait avec Kim. Dylan n'y répondait pas toujours, il faisait ce qui lui chantait. *Satané mâle alpha !*

— Tu me donnes le tournis, s'écria-t-elle au bout d'un moment. Qu'as-tu décidé au sujet de la petite ? Tu vas laisser Fergus la tuer ?

— Je n'en ai pas la moindre idée. (Il s'arrêta enfin et posa ses larges poings sur le comptoir de la cuisine.) Liam a passé une heure à me dissuader de l'emmener chez Fergus, ce qui signifie désobéir à ses ordres directs. Merde !

Glory savait très bien que Dylan n'était pas du genre à se laisser démonter, pas même par son fils. S'il estimait devoir livrer la fille à Fergus, rien ne pourrait l'en empêcher.

— Pourquoi crois-tu que Liam ait raison ? demanda-t-elle.

Une lueur d'agacement traversa le regard bleu acier de son interlocuteur, même s'il le détourna pour ne pas braquer sur elle ses yeux empreints de rage.

— Qu'est-ce qui te fait penser que je le soutiens ?

— Si ce n'était pas le cas, tu aurais déjà jeté l'humaine dans ton camion direction San Antonio, au lieu de squatter ma cuisine.

Dylan frappa des poings sur le plan de travail.

— Je le sais, ça ! Mais Liam…

Il se redressa et secoua la tête. Glory jeta un coup d'œil furtif au comptoir, que son amant n'avait cependant pas cabossé, cette fois.

— Mais quoi ? insista-t-elle.

— Il tient à elle. (Il se passa la main dans les cheveux, ce qui lui donna une allure décoiffée des plus séduisantes.) C'est la première fois que je le vois dans un tel état. J'ai cru qu'il voulait la protéger parce que c'est sa nature de défendre les plus faibles. Mais c'est bien plus que ça. Je suis même surpris qu'il ne lui tienne pas compagnie cette nuit.

— Tu penses qu'il veut la revendiquer ? (Glory commença à préparer du café pour dissimuler sa nervosité, sans mentionner sa concupiscence effrénée.) Elle est humaine.

Dylan s'adossa au plan de travail et croisa les bras.

— Le quartier garou compte plus de mâles que de femelles, je ne te l'apprends pas. Je doute que Liam s'unisse un jour à l'une des nôtres.

Elle versa les grains moulus à l'arôme délicat dans la cafetière et rabattit le couvercle.

— Tu le laisserais prendre une humaine pour compagne ?

— À l'époque, je ne l'aurais jamais envisagé, mais les temps ont changé.

Lui qui avait vécu si longtemps et vu tant de choses semblait exténué.

— Elle me paraît robuste, et elle n'a pas peur de nous.

Glory s'autorisa un grognement sarcastique.

— Si elle ne te craint pas, c'est qu'elle ne te connaît pas encore. Mais elle a du cran, je te le concède.

Elle ne le reconnaîtrait jamais, mais elle admirait le franc-parler de la jeune femme. La plupart des humains qu'elle rencontrait évitaient de croiser son regard, feignaient le mépris, ou se contentaient de fuir.

— Ce qui me fait dire, entre autres, que Liam ne revendiquera jamais l'une des nôtres, c'est sa propension à faire passer le bien-être du clan avant le sien, expliqua Dylan. Il pousse les compagnes potentielles dans les bras de ses congénères au lieu de les garder pour lui. Je lui ai demandé pourquoi, un jour. D'après lui, plus on est bas dans la hiérarchie, plus on a le temps de se reproduire et de fonder une famille. « Accroître notre population, voilà le plus important. Les concours de testostérone ne m'intéressent pas », m'a-t-il répondu.

— Belle preuve d'abnégation !

— Je pense surtout qu'il n'a rencontré aucune femelle qui le stimule. Le sexe, c'est facile. Une compagne, c'est une autre paire de manches. Mais cette fois...

— Celle-là, notre bon Samaritain ne risque pas de la refiler au prochain garou en mal de partenaire. C'est une humaine, elle a besoin d'être protégée. Et Liam est un protecteur dans l'âme. (Glory sourit.) Comme son père.

Dylan se tourna enfin vers elle. Il l'évitait depuis le début, s'évertuait à ne pas la clouer d'un regard empli de doute et de colère, s'efforçait de ne pas exiger sa soumission. Quel amour ! S'il voulait qu'elle s'agenouille, elle obéirait avec plaisir. Il devait le savoir, non ?

— C'est mon travail, répondit-il avec irritation.

— Non, c'est ton caractère. Tu es l'archétype même du preux chevalier. Fergus n'est qu'un enfoiré sanguinaire, voilà pourquoi c'est lui qui dirige ton clan. Tu ne le défies pas, parce que tu redoutes qu'il se venge sur les innocents, Connor en particulier.

L'expression de Dylan se durcit davantage, et Glory tâcha de ne pas vaciller sur ses talons hauts. Ses yeux étaient injectés de sang, signe qu'il était à deux doigts de craquer.

— Tu ne l'as rencontré qu'une fois, répliqua-t-il, dents serrées.

— Et ça m'a suffi. Je ne veux plus jamais le revoir. Les gens te respectent, Dylan. Ils craignent Fergus. C'est différent.

Alors qu'elle se retournait, une main puissante lui agrippa le bras.

— À quoi tu joues, Glory ? Tu cherches à provoquer une insurrection dans mon clan ?

Elle le dévisagea avec surprise.

— Une insurrection ? Tu plaisantes ? Dans quel but ?

Il desserra son étreinte, mais elle remarqua l'effort que cela lui demanda.

— Dans ce cas, pourquoi tiens-tu tellement à ce que je provoque Fergus ?

— Parce que tu es meilleur que lui ! Je l'ai toujours pensé, et je ne suis pas la seule.

Dylan ferma les yeux et crispa les mâchoires.

— La survie du clan prime sur notre confrontation.

— Je sais. (Elle osa s'approcher de lui à présent que ses paupières dissimulaient son expression insoutenable.) Si on commençait à se défier et à s'affronter comme à l'époque, notre espèce s'éteindrait en quelques années.

— Je suis content que tu comprennes.

— Tu vois que je t'écoute, parfois.

Dylan rouvrit les yeux. Le rouge en avait disparu, et l'intensité de ses iris bleus serra le cœur de la lycane.

— Glory, murmura-t-il tout bas.

— Oui ?

— La ferme.

Il glissa les doigts dans sa tresse et la dénoua de sorte que les cheveux lui retombent sur les mains. Puis il plaqua la bouche contre la sienne.

Glory s'abîma dans ce baiser, en proie à une vive excitation. Dylan était un amant hors pair, qui se surpassait quand il était en rogne et luttait contre ses instincts de mâle dominant.

Elle décida de ne pas résister lorsqu'il la souleva pour l'asseoir sur le comptoir. Elle enroula les jambes autour de ses hanches, déboutonna son pantalon et s'allongea pour en profiter.

9

Le lendemain matin, Liam fut tiré de son sommeil par Kim, qui tambourinait contre la porte du grenier en criant son nom. Guidé par son instinct, il bondit aussitôt sur ses pieds et ouvrit d'un coup sec, avant même que son cerveau n'assimile qu'il était réveillé.

Il la trouva dans le couloir, les yeux brillants de rage, vêtue d'un tee-shirt extralarge avec le logo Guinness imprimé dessus. À l'évidence, elle avait dormi dans ce vêtement chiffonné qu'elle avait dû dégotter dans le tiroir de sa commode. Liam songea qu'elle devait être nue et chaude en dessous, avant de se rendre compte de sa propre nudité, s'étant préparé à se transformer.

D'ailleurs, une partie de son corps avait déjà commencé.

— Par les Dieux, Kim, pourquoi hurlez-vous comme une banshee[1] ?

Hors d'elle, la jeune femme brandit sous son nez un minuscule bout de tissu.

— Qui a mis ça dans ma valise ? Un mâle, à tous les coups !

1. Créature féminine de la mythologie celtique irlandaise, dont les cris présagent la mort. (*N.d.T.*)

— Probablement. Pourquoi ?

Elle agita le morceau de satin rouge.

— C'est un string ! Vous en avez déjà porté ? Vous supporteriez d'avoir une ficelle dans le cul toute la journée ?

Liam savait que le reste de la famille les écoutait ; Connor, assis dans son lit, au fond de la pièce, Sean dans le couloir un étage plus bas et Dylan derrière lui, dans les mêmes habits que la veille, ce qui signifiait qu'il avait passé la nuit chez la voisine.

— Quel est le problème ? Ça doit être super sexy sur vous.

Il l'imagina ainsi vêtue et s'autocensura sur-le-champ. *Dieux !*

— Oh, mais oui ! s'écria Kim. Je me triture les méninges, debout dans la salle d'audience, tandis que l'accusation se fout allègrement de ma gueule, mais tout va bien ! Au moins, j'ai des dessous affriolants !

Liam prit appui contre le mur, s'efforçant de ne pas rire. Il entendit Dylan regagner sa chambre à pas de loup. Sean s'éclipsa aussi, en gloussant. Connor enroula ses bras autour de ses jambes et continua d'observer ce drame féminin avec perplexité.

— Pourquoi en acheter dans ce cas ? questionna Liam.

— Ce sont des cadeaux, d'accord ? répliqua-t-elle avec agacement.

— Et vous les gardez ?

— Je ne veux pas blesser mes amis. Ils pensent me faire plaisir.

Liam se départit de son sourire hilare.

— Ils croient vous faire plaisir en vous… quels étaient les termes déjà… en vous obligeant à « avoir une ficelle dans le cul toute la journée » ?

Kim leva les yeux au ciel.

— Peu importe. Je me douche et je rentre chez moi ! Vous vous êtes débarrassé du garou indompté, il ne risque pas de revenir. Je n'ai plus rien à craindre.

Liam sentit la crispation de Connor, son inquiétude et son agitation. Il tâcha de se détendre afin de faire comprendre à son neveu qu'il n'avait pas à s'en faire, la situation était sous contrôle.

— Kim, chérie, je vais vous préparer un petit déjeuner. Pendant ce temps, vous ferez la liste des affaires dont vous avez besoin, puis j'enverrai quelqu'un les récupérer. Une femme, cette fois. Qu'en dites-vous ?

Elle planta les poings sur les hanches. Elle n'aurait pas dû. Cette posture fit ressortir sa poitrine et dévoila la forme de ses tétons.

— Refusez-vous toujours de me laisser partir ?

— Oui. Le danger n'est pas écarté.

— Bien sûr que si ! L'indompté est mort, et vous avez fait réparer ma serrure. Faites vos satanés pancakes si vous y tenez, mais après je rentre. Je ne divulguerai à personne ce qui s'est passé la nuit dernière ni ne répéterai ce que vous m'avez appris au sujet des Colliers. Je sais garder un secret, d'accord ? Et vous pourrez oublier toute cette histoire.

Elle dévala les marches d'un pas lourd et claqua la porte de sa chambre si fort que les murs, pourtant solides, tremblèrent. Liam la sentit à travers le plancher, sa colère, sa frustration, son corps chaud et accueillant dans le tee-shirt qu'elle lui avait emprunté, mais il en fallait bien plus pour le démonter.

Connor considérait son oncle avec intérêt.

— Que comptes-tu faire ?

Le jeune garou voulait savoir si Liam allait forcer Kim à se soumettre et si cela risquait de la blesser. Il n'avait que vingt ans, était encore mal à l'aise avec ses instincts, hésitant quant à sa place au sein du clan et du groupe. Les choses étaient plus difficiles pour lui qu'elles ne l'avaient été pour Sean et Liam. En effet, Connor avait grandi en captivité, et les limites y étaient plus floues qu'à l'état sauvage. Les notions de domination et de tolérance demeuraient confuses pour lui, il ne comprenait pas à quel moment ni en quelle circonstance faire preuve de l'une ou de l'autre. De plus, il avait été élevé par des mâles célibataires et ne connaissait rien à l'intimité entre un homme et une femme.

Pour autant, la simplicité ne caractérisait pas les rapports que Liam pouvait entretenir avec Kim. Leur relation avait pris une tournure pédagogique, mais de là à parler de franchise…

Liam réprima ses instincts et bloqua l'émission de phéromones, qui énervaient Connor.

— Ce que je vais faire ? (Il haussa les épaules et se dirigea vers la salle de bains.) Ce qu'elle m'a demandé. Je vais lui préparer des pancakes.

Kim descendit, douchée, mais toujours agacée. Les amis de Liam avaient non seulement empaqueté les dessous qu'elle ne portait jamais, mais aussi ses jupes et ses hauts les plus courts, un porte-jarretelles et plusieurs paires de bas. Rien de confortable, pas même un short ou des sandales pour survivre en été à Austin.

Elle s'arrêta sur le seuil de la cuisine, son irritation cédant la place à la surprise. Liam, vêtu d'un tee-shirt moulant et d'un jean, une spatule à la main, examinait d'un air furieux une grille couverte de pancakes. Derrière lui, planté devant l'évier de la pièce étroite, Sean lavait la vaisselle.

Le rêve de toute femme : deux gravures de mode en train de faire la popote et le ménage.

Dylan s'assit à la table du salon et fit basculer sa chaise en arrière tout en regardant un reportage sportif à la télé, appareil qui devait dater d'une vingtaine d'années. Connor s'installa à son côté et se mit à feuilleter un magazine de voitures. L'atmosphère était tendue, comme s'ils avaient cessé de parler en entendant l'humaine arriver.

Ce tableau domestique était des plus inhabituels. Deux archétypes de virilité s'activaient dans la cuisine pour préparer le petit déjeuner, et le neveu n'avait pas les yeux rivés sur Internet, sur un jeu vidéo ou un téléphone portable. Il n'avait pas non plus d'écouteurs enfoncés dans les oreilles.

Ces technologies aussi étaient-elles interdites aux garous ? Ou les Morrissey étaient-ils dans l'incapacité de se les offrir ? Liam avait pourtant un emploi, même s'il semblait le prendre à la légère. Qu'en était-il de Sean et Dylan ? Travaillaient-ils ? En tout cas, ils n'étaient pas pressés de se rendre au bureau. Abel, lui, sautait du lit dès la première sonnerie du réveil. Il courait sous la douche et enfilait son costume-cravate en quinze minutes top chrono. « Plus vite, chérie, on va être en retard. » Pas le temps de manger, de boire un café et encore moins de faire un câlin.

Liam sortit une assiette de la pile à côté de lui et y disposa des pancakes.

— Ceux-ci sont prêts. Connor, tu étais censé mettre le couvert.

Il sourit à Kim, mais l'étincelle qui avait animé ses prunelles plus tôt dans la matinée avait disparu ; il semblait éteint, absent. Quelque chose se tramait.

Connor quitta sa chaise sans se presser et se traîna jusqu'à la cuisine. Quand il aurait achevé sa croissance, il serait aussi musclé que ses deux oncles et son grand-père. Pour l'instant, il avait une drôle de dégaine, tout en bras et en jambes, comme un poulain. Cela dit, il était plutôt beau garçon et devait déjà mettre les filles à ses pieds.

— Je vais t'aider, lui proposa-t-elle.

Elle prit les bouteilles de sirop qu'il avait sorties du placard et les apporta à table.

Dylan se leva à son tour.

— Asseyez-vous, Kim. Vous êtes notre invitée.

Elle s'apprêta à rétorquer : « Non, les invités sont autorisés à partir », mais elle se ravisa. Elle aurait toujours l'occasion de polémiquer plus tard ; en plus, ses préparations sentaient divinement bon.

De toute façon, elle ne comptait pas se disputer. Elle monterait dans sa voiture et rentrerait chez elle, point barre.

Les pancakes étaient délicieux, comme on pouvait s'y attendre, goûteux et sucrés, avec un soupçon de cannelle. Bon sang, en plus de ses attraits physiques, Liam était doué pour la cuisine. Il avait vraiment tout pour plaire !

— Vous avez bien dormi, Kim ? lui demanda Connor, la bouche pleine.

Elle avait plongé dans une profonde torpeur et rêvé qu'elle se faisait agresser par l'indompté, puis qu'elle embrassait Liam. Les deux expériences avaient été intenses.

— Plus ou moins.

— Ce n'est pas le cas de Liam. Il n'a pas arrêté de se retourner. Les ressorts de mon lit ont grincé toute la nuit, c'était horrible ! J'ai cru devenir dingue.

— Je n'étais pas habitué au matelas, répliqua Liam en s'asseyant à côté de Kim avec ses pancakes.

Pour un homme qui avait eu un sommeil agité, surtout après avoir affirmé souffrir le martyre, il semblait en forme. Il venait de se raser, et ses cheveux étaient encore humides. Il embaumait le savon et la mousse à raser, et Kim s'imagina aussitôt sous la douche avec lui, contre son corps savonneux et glissant.

Dylan, quant à lui, paraissait vraiment furieux. Ses yeux lançaient des éclairs tandis qu'il mangeait, courbé sur son assiette. Sean termina la sienne en vitesse, sans parler, et retourna à la cuisine pour continuer à récurer la vaisselle.

— C'est toujours Sean qui est de corvée de vaisselle ? fit Kim. C'est injuste, non ?

— On se relaie, répondit Liam. Aujourd'hui, c'est son tour.

— Moi, c'est demain, ajouta Connor, l'air abattu. Je jure de prendre une compagne dès que j'aurai atteint l'âge pour ne plus avoir à m'y coller.

Kim avala une bouchée et regretta que ce soit la dernière. Au diable la nourriture allégée ! Ce petit déjeuner était un pur régal !

— C'est ça, ta demande en mariage, Connor ? « Épouse-moi, comme ça tu pourras nettoyer derrière moi, mes oncles et mon grand-père. » Waouh ! Quelle femme y résisterait ?

Devant l'évier, Sean gloussa. Liam sourit, même s'il semblait préoccupé. Connor fronça les sourcils, comme si la remarque de Kim le forçait à reconsidérer la question. Son enthousiasme était retombé.

Les quatre Morrissey étaient sur les nerfs, ce matin. La tension entre Liam et son père était palpable. L'avocate avait sa petite idée sur la raison de leur querelle.

Elle reposa sa fourchette.

— Faisons simple. Je vais remonter dans ma chambre, ramasser mes affaires et partir. Je vous tiendrai informés du procès de Brian par téléphone, vous serez au courant de toutes les avancées. Promis. Et je ne révélerai rien de ce que j'ai appris, que ce soit au sujet des indomptés, des Colliers ou de votre voisine loup-garou amatrice d'escarpins pailletés.

Dylan leva le nez de son assiette, les pupilles dilatées et les yeux rouges. Il avait beau être séduisant, il n'en demeurait pas moins effrayant. À nouveau Kim comprit pourquoi les humains cherchaient à s'entretenir avec le fils plutôt qu'avec le paternel.

Liam foudroya Dylan du regard, mais s'adressa à Kim avec douceur.

— Vous devez rester encore un peu, mon cœur. Quelques jours de plus, au moins.

— Non. (Elle s'essuya la bouche et posa sa serviette.) J'ai un boulot et une vie. Demain, c'est lundi et je dois me rendre au cabinet, là où je travaille pour gagner ma croûte. Brian et son procès, ça vous rappelle quelque chose ? Vous voulez que je l'innocente, non ?

— Vous irez au bureau, rétorqua Liam. Je vous y accompagnerai.

— Oh, génial ! Un garou qui arpente les couloirs de Lowell, Grant & Steinhurst ! Mauvaise idée.

— C'est ça ou rien.

Kim repoussa sa chaise et se mit debout.

— Écoutez, Liam, je n'ai pas demandé à être embarquée dans vos histoires, ni à me faire attaquer par... cette créature. Je suis navrée d'avoir appris la vérité sur les Colliers, mais tout ce que je souhaite c'est obtenir la libération de Brian et le ramener à sa mère. Vous semblez oublier que je suis de votre côté.

L'Irlandais s'était levé en même temps qu'elle. Connor les observait avec inquiétude, et Sean se tourna vers eux, la brosse à récurer gouttant sur le carrelage.

— Ce n'est pas moi qui décide, Kim, déclara Liam.

— Vous avez tout à fait raison, mon cher. C'est moi !

Bon sang, c'était quoi leur problème ?

— Vous êtes des garous, poursuivit-elle. Vous pourriez être arrêtés pour m'avoir kidnappée ou me garder en otage. Ou même pour me molester verbalement ! Vous subiriez le sort qu'ils réservent à Brian : une parodie de procès et une exécution.

Dylan prit enfin la parole :

— Nous n'avions pas l'intention d'en parler à qui que ce soit. Ni de vous laisser le faire.

Kim sentit les battements de son cœur s'accélérer. Aucun doute, le chef des Morrissey était bien le plus effrayant des quatre. Face à ces yeux injectés de sang, ses talents d'oratrice ne faisaient pas le poids. L'indompté qui l'avait agressée ressemblait à un chiot à côté de celui-ci.

La voix de Liam se durcit.

— Père, tu avais promis de me laisser régler ce problème.

— Oui, mais la situation t'échappe. Tu sais ce qu'il te reste à faire.

— Laisse-moi le faire, dans ce cas. À ma manière.

— Non, tu dois agir maintenant. C'est la seule solution.

Kim recula d'un pas.

— Faire quoi ?

Liam refusa de croiser son regard, celui de Dylan lançait des éclairs, et Sean détourna la tête. Connor observait la scène, bouche bée. Lui aussi ignorait, à l'évidence, ce dont il était question.

— Faire quoi ? répéta la jeune femme.

Parviendrait-elle à courir jusqu'à la porte ? À quelle vitesse Dylan, Liam et Sean se déplaçaient-ils ? Liam ne semblait pas prêt à s'élancer à sa poursuite. Dylan non plus, d'ailleurs, avachi sur son siège, mais ces types n'étaient pas humains.

Elle n'y comprenait plus rien. La veille, la simple idée de pénétrer dans le quartier pour parler avec un garou qui n'était pas derrière les barreaux l'avait rendue nerveuse. Puis, Liam l'avait regardée avec ses iris bleus comme la mer d'Irlande, et elle avait craqué. Elle avait même dormi chez eux sans faire trop d'histoires. Elle avait accepté toutes leurs conditions, et elle n'était pas du genre à agir selon les volontés d'autrui.

À présent, ses hôtes lui rappelaient la dangerosité des garous. Elle était entrée dans leurs vies avec insouciance, et ils ne la laisseraient pas en sortir si facilement, elle le savait.

Elle serra les poings.

— Liam, je vous en prie, débarrassez-moi du marquage olfactif. Je n'aime pas les relations dominant-dominé.

— Kim.

Oh, Seigneur ! L'entendre prononcer son nom lui donnait envie de lui sauter au cou et de l'enlacer.

— Quoi ? grommela-t-elle.

— Le marquage olfactif sert à vous protéger et non à vous asservir. Sans compter que vous êtes plus insoumise encore que toutes les femelles alpha que j'ai pu rencontrer.

— Mais bien sûr ! Vous allez me dire que Glory est du genre docile ?

— Ce n'est pas une alpha, gronda Dylan. Elle occupe un rang très inférieur au sein de sa meute.

Cette information surprit tellement Kim qu'elle resta muette pendant quelques instants. Pas plus.

— Ce qui explique pourquoi elle supporte tout ça. Ce n'est pas mon cas. Je mets les voiles. Je suis désolée, Liam, mais vous allez devoir me faire confiance.

Celui-ci la contourna pour lui barrer la route. Non, elle n'aurait jamais atteint la porte. Il posa les mains sur ses épaules, la plaquant contre le mur le plus proche.

— Vous aussi, vous allez devoir me faire confiance.

Ce n'était pas juste. Il sentait trop bon. La nuance rouge qui teintait les yeux de Dylan colorait aussi ceux de Liam, mais Kim comprit qu'il se retenait depuis bien plus longtemps.

Dans un bref moment de vertige, elle se demanda ce qu'il se passerait s'il lâchait prise. La clouerait-il contre le mur avant de presser son corps massif contre le sien ? Le matin même, le voir, nu comme un ver, adossé à l'embrasure de la porte l'avait émoustillée au plus haut point.

Je perds la tête !

Cet instant s'éternisa ; Liam la dominait de sa hauteur, et elle sentait ses genoux fléchir. Elle pourrait se laisser glisser contre lui et coller les lèvres contre son entrejambe. Ne serait-ce pas merveilleux ?

— Aïe ! s'écria Connor.

Il se plia en deux, les bras serrés autour de son ventre.

— Connor, tout va bien ? s'inquiéta Kim.

— Non. Merde !

Il gémit, en proie à une violente douleur.

— Que se passe-t-il ? Tu es malade ? Bon sang, Liam, qu'avez-vous mis dans les pancakes ?

Une assiette se brisa sur le carrelage de la cuisine.

— Merde, murmura Sean, et dans le même temps, ses yeux se voilèrent.

Liam la repoussa brusquement.

— Kim, éloignez-vous. Tout de suite.

Les quatre Morrissey se mirent à grogner, leurs visages à s'allonger. Connor continuait à pousser des gémissements pathétiques.

La jeune femme n'en connaissait pas assez sur les garous pour comprendre le problème. Étaient-ils en pleine transformation ? Souffrants ? Sean s'affala sur le sol au moment où son frère tombait à genoux. Dylan quitta sa chaise pour rejoindre son petit-fils, mais s'effondra à mi-chemin.

Liam leva la tête, et ses lèvres se retroussèrent, laissant apparaître des crocs.

— Partez ! Courez !

Elle ne discuta pas. Elle traversa la cuisine au pas de course, ouvrit la porte arrière et fonça à toute allure dans la moiteur écrasante d'Austin.

Elle pouvait sauter dans sa voiture, ficher le camp du quartier garou, rentrer chez elle et changer toutes les serrures. Déménager. Démissionner. Ne plus revoir un seul garou de sa vie. Ils pouvaient garder ses affaires, elle n'aimait pas la plupart des vêtements qu'ils avaient empaquetés, de toute manière.

Une fois en bas de la véranda, elle entendit Connor hurler. Un cri si pénible qu'elle s'arrêta et rebroussa chemin. C'était le plus jeune, le plus faible d'entre eux, et ce qui leur arrivait l'accablait plus que les autres.

Elle remonta les marches en vitesse et se précipita à l'intérieur. Le rugissement de Connor fendit l'air.

Dylan et Liam rampaient tous deux vers lui, et elle comprit qu'ils essayaient de le toucher pour le réconforter.

— Liam, que puis-je faire ?

Ce dernier se dévissa le cou pour la regarder. Ses yeux étaient écarlates.

— Non, Kim ! Allez-vous-en !

— Je ne peux pas vous laisser dans cet état ! Comment puis-je vous aider ?

Il ne put ou ne voulut pas lui répondre. Il parvint à atteindre Connor, qui hurla encore plus fort.

Bon sang !

Kim n'en savait pas assez sur ces créatures, elle qui pensait avoir mené des recherches exhaustives à leur sujet. Il pouvait s'agir de n'importe quoi, d'un dysfonctionnement de leurs Colliers ou d'un virus étrange.

— Tenez bon. Je reviens !

Elle ignorait si Liam l'avait entendue ou comprise. De nouveau, elle sortit de la cuisine en trombe et emprunta l'allée boueuse jusqu'à la maison voisine. Elle tambourina à la porte et posa les mains en coupe sur la fenêtre pour jeter un coup d'œil à l'intérieur.

— Glory !

Silence. Pendant une seconde, elle craignit que la lycane, elle aussi, ne soit pliée en deux sur le sol, en proie à une terrible agonie. Et si c'était le cas de tout le quartier garou ? *Merde !*

Glory ouvrit soudain la porte. Elle était aussi grande et impressionnante que la veille. Elle arborait un dos-nu fuchsia qui lui ceignait la gorge et dissimulait son collier, un pantalon en cuir noir ultramoulant et des talons aiguilles roses. *Pas une alpha, mon œil !*

Elle était essoufflée, comme si elle venait d'interrompre une série d'exercices, mais il n'y avait pas une goutte de sueur sur son front, pas une mèche décoiffée.

— Quoi ?

— Il y a un problème à côté. Un truc qui cloche. Vous devez les aider !

La lycane jeta un coup d'œil au pavillon des Morrissey.

— C'est Dylan ?

— Tous ! Je n'y comprends rien !

Sans ajouter un mot, l'autre passa devant elle et dévala les marches du perron à toute allure. Kim dut trottiner pour suivre ses grandes enjambées.

Arrivée devant la demeure de ses voisins, Glory ouvrit la porte arrière d'un coup comme si elle habitait là. Elle s'arrêta brusquement, et Kim faillit lui foncer dedans. À présent, Liam enlaçait Connor mais ce dernier hurlait toujours de toutes ses forces, en proie à une douleur insoutenable.

— Qu'est-ce qu'ils ont ? demanda la jeune femme.

— Je ne sais pas. C'est la première fois que je vois ça.

Voilà qui les avançait beaucoup ! Glory se précipita aux côtés de Dylan. Il avait les paupières fermées, et ses crocs allongés lui coupaient les lèvres. Elle l'attrapa par l'épaule.

— Dylan !

Elle dut le secouer et lui crier dessus jusqu'à ce qu'il lève les yeux vers elle ; ses iris étaient jaunes et tachetés de rouge. Il grommela un mot que Kim ne comprit pas, mais Glory hocha la tête. L'air morose, elle se tourna vers l'humaine.

— Ils sont convoqués, déclara-t-elle.

— Convoqués ? Qu'est-ce que ça signifie ?

— Ça veut dire que leur chef de clan les appelle. Il leur a jeté un sort d'obéissance. Ils resteront dans cet état jusqu'à ce qu'ils le rejoignent. Alors seulement, il l'annulera.

Un sort ?

— Je croyais que vous n'aviez jamais vu un truc pareil ?

— En effet. Une Sommation a lieu une fois tous les deux siècles, à peu près, car les chefs de clan qui y ont recours à la légère ne gardent pas leur place très longtemps. Les garous n'aiment pas qu'on leur force la main. Fergus doit vraiment tenir à vous rencontrer.

— Et alors ? Il ne pouvait pas utiliser un téléphone comme tout le monde ?

— Il l'a fait. Il a ordonné à Dylan de vous livrer à lui. Dylan a refusé. Et Fergus a répliqué.

À en juger par son expression, Glory la tenait pour responsable. Son débardeur avait beau dissimuler son Collier et le vieux Morrissey avait beau affirmer qu'elle occupait un rang inférieur au sein de sa meute, cette femme était une garou, puissante et mortelle.

— Vous devez les emmener à San Antonio, déclara Glory.

— San Antonio ?

— Chez Fergus. Vous devez les conduire jusqu'à lui, ils ne sont pas en mesure de prendre le volant.

— À ce Fergus qui exige que je lui sois livrée, quoi qu'il entende par là ? Vous ne pouvez pas vous en charger, vous ?

Glory poussa un grognement agacé.

— Répondre à la Sommation du chef d'un autre clan ? Je suis une lycane. Si je mets le pied dans une assemblée de félins, ils m'arracheront la tête avant que j'aie pu parler.

— Et la mienne alors ?

— C'est un risque à courir. Fergus doit s'attendre à votre venue, de toute façon. Allez, aidez-moi à les installer dans votre voiture.

— Ils n'y rentreront jamais tous les quatre.

— Débrouillez-vous pour que ce soit le cas !

Glory souleva Dylan par les aisselles pour l'aider à se relever. Le colosse tenait à peine debout, mais il prit appui sur elle et se laissa traîner jusqu'à l'extérieur.

— On n'a pas le choix, ajouta-t-elle.

Elle ouvrit la porte de la cuisine d'un coup de pied. Celle-ci claqua contre le mur et se referma lentement, tandis que des flocons de plâtre tombés du plafond voletaient dans les airs.

Liam enroula une main griffue autour du mollet de Kim.

— Non, haleta-t-il. Fuyez !

La douleur dans ses yeux lui fendit le cœur. Il avait raison, elle ferait mieux de l'écouter. Elle devrait les abandonner à leur sort et émigrer en Australie. Elle mourait de peur à l'idée d'affronter Fergus, cet homme capable de vulnérabiliser quatre vigoureux garous à cent vingt kilomètres de distance. Mais la souffrance de Liam l'empêchait de le quitter.

— Kim ! hurla la lycane. Dépêchez-vous !

La jeune femme se pencha au-dessus de Liam.

— Nous devons y aller, Liam. C'est la seule solution d'après Glory.

Il essaya de parler, mais ne put émettre que des borborygmes inintelligibles.

Glory se rua de nouveau à l'intérieur et s'empara de Sean. Kim finit par convaincre Liam de se lever et ce dernier, à son tour, aida Connor à se redresser.

Enfin, ils réussirent à passer la porte tous les trois pour se diriger vers la petite Mustang de l'avocate.

Sean s'était déjà recroquevillé sur la minuscule banquette arrière tandis que Dylan s'appuyait de tout son poids contre la voiture. Il semblait le moins affaibli des quatre, mais il était plus âgé, sans doute plus fort. Glory s'occupa de Connor, et Dylan l'aida à installer son petit-fils avant de se glisser à côté de lui, laissant le siège passager pour Liam qui s'y affala aussitôt.

— C'est quoi ce bordel ?

Une voix de mâle texan arriva jusqu'à Kim. L'imposant lycan qu'elle avait rencontré la veille, Ellison, courut vers eux depuis l'autre bout de la rue.

— Glory, un problème ?

— Sommation, répondit sa congénère, laconique.

— Merde !

— Kim les emmène chez Fergus.

— Punaise ! (Les yeux bleu pâle d'Ellison s'emplirent de détresse.) Et je ne peux même pas vous accompagner. Bon sang ! Liam a mon numéro de portable. Appelez-moi pour me donner des nouvelles, OK ?

— Bien sûr.

Kim monta à son tour comme une automate.

— Attendez !

Ellison fonça chez les Morrissey. Il en ressortit, l'épée de Sean dans son fourreau en cuir à la main.

— Prenez ça, au cas où.

Il n'y avait plus de place dans la voiture pleine à craquer. Kim ouvrit le coffre pour que le lycan dépose l'arme dedans.

Alors qu'elle claquait la portière et démarrait le moteur, Ellison s'approcha de Glory et enroula les deux bras autour d'elle. Elle s'appuya contre lui, pas de façon sexuelle, remarqua Kim, mais pour qu'il la réconforte, comme l'avait fait Sandra la veille avec Sean et Liam.

La jeune femme quitta l'allée, les doigts glacés et tremblants malgré la chaleur estivale, et se dirigea hors du quartier garou.

10

Ils ont intérêt à se montrer reconnaissants. Kim filait à toute allure sur l'autoroute 35, maudissant dans sa barbe les embouteillages monstres. On était dimanche, tous ces gens ne devraient-ils pas être à la messe ? Non, ils erraient sur la route entre Austin et San Antonio, bouchaient les bretelles, lambinaient sur la voie de gauche, lui faisaient des queues de poisson…

Elle roula aussi vite que possible, veillant tout de même à ne pas se faire arrêter pour excès de vitesse. Elle s'imagina expliquant à l'aimable policier pourquoi elle avait quatre garous à moitié déments entassés dans sa voiture et une immense épée dans son coffre.

Les gémissements de Connor s'étaient calmés. Elle ignorait comment ce Fergus avait réussi à leur infliger pareille torture depuis une telle distance, mais elle avait envie de lui arracher la tête. Liam était l'être le plus robuste qu'elle avait jamais rencontré, et le voir plié en deux sur le siège passager, à se balancer pour soulager sa douleur, la mettait en rage.

— Ce n'est plus très loin.

Elle se demanda si Liam pouvait l'entendre, mais il ne répondit pas.

Le trajet ne lui avait jamais semblé si long. Des panneaux avec des noms à consonance germanique défilaient au fur et à mesure : *New Braunfels*, *Gruene*, le fameux parc aquatique *Schlitterbahn*, que Kim avait adoré enfant.

Lorsqu'ils eurent atteint la banlieue nord de San Antonio, Liam ôta enfin les mains de son visage.

— Cette sortie.

Elle s'engagea dans la bretelle qui débouchait sur une rocade.

— Et après ?

Il désigna la route du doigt, ce qu'elle comprit comme un « Continue ». Derrière elle, Dylan se redressa. Dans le rétroviseur, elle le vit attirer Connor à lui et le bercer contre son cœur. Sean avait les yeux fermés, mais elle n'aurait su dire s'il dormait ou non.

Lorsqu'ils arrivèrent à la périphérie sud-ouest, Liam fit un geste pour lui signifier de prendre une nouvelle sortie. Elle suivit l'embranchement qui fusionnait avec l'autoroute contournant l'ouest de San Antonio.

— Il y a un quartier garou par ici ? s'enquit-elle tandis qu'ils s'éloignaient de la ville.

Liam ne répondit pas. Sean s'était redressé, lui aussi, et s'appuyait contre la vitre. Leur respiration était revenue à la normale, ils ne poussaient plus de râles torturés, mais leurs visages étaient blafards, et leurs traits tirés.

Au bout d'une quarantaine de kilomètres, Dylan se pencha entre les sièges et pointa du doigt un chemin de traverse dépourvu de panneaux de signalisation.

— Là.

Ils avaient laissé Hill Country derrière eux pour rejoindre les déserts du sud du Texas. La terre, plate et aride, était parsemée d'une herbe jaunie et non vert tendre comme de coutume. Sur la gauche, derrière des barbelés, quelques vaches paissaient.

Nulle clôture ne délimitait le côté droit, et l'espace s'étendait à perte de vue jusqu'à l'horizon bleuâtre. L'humidité de l'air avait considérablement baissé, la sueur de Kim s'évaporait à vive allure dans la sécheresse ambiante.

— On se rapproche, dit Liam.

Il avait presque retrouvé une voix normale, et ses crocs s'étaient rétractés.

Deux poteaux en bois, sans barrière ni portail, marquaient le début d'un chemin, formant un ruban de couleur pâle à travers l'étendue de terrain. Kim s'y engagea, maudissant en silence les ornières qui heurtaient le dessous de sa voiture. Elle pourrait peut-être faire payer ce Fergus pour les dégâts.

À environ quatre kilomètres plus loin sur cette route qui n'en avait que le nom, se trouvait un lotissement. Un écriteau fait main annonçait : BIENVENUE DANS LE QUARTIER GAROU ! POPULATION : 52 GAROUS, 20 CHEVAUX, 5 CHIENS ET 15 CHATS.

Les maisons, basses et tout en longueur, étaient en adobe et munies de minuscules fenêtres. Des constructions typiques des ranchs de la première moitié du vingtième siècle. Comme à Austin, elles avaient été restaurées et repeintes ; cependant, elles étaient dépourvues de jardin. Elles étaient regroupées autour d'une aire de jeux plutôt triste, sur laquelle aucun enfant ne jouait. Des camionnettes étaient stationnées n'importe comment dans la boue tout autour des habitations.

À l'extrémité de la rue, un enclos constitué de piquets en acier entourait une écurie ouverte au toit en tôle ondulée. Une dizaine de chevaux erraient entre leurs boxes et le corral, sans prêter attention au véhicule qui fonçait vers eux dans un nuage de poussière.

L'un des cinq chiens du village se prélassait devant la maison en face de laquelle Liam demanda à Kim de se garer. Elle n'était pas plus grande que les autres et possédait une porte peinte en vert, flanquée de part et d'autre de deux fenêtres. L'animal se leva, s'étira et se dirigea vers eux en remuant la queue.

— Vous êtes sûrs que nous sommes au bon endroit ?

Kim sortit de la voiture et fit basculer son siège vers l'avant pour libérer les passagers.

— Certain, répondit Liam.

Les quatre hommes avaient presque recouvré leur apparence normale, même s'ils étaient encore tendus. Une fois dehors, Connor s'adossa à la carrosserie, le visage toujours crispé.

— Pourquoi a-t-il convoqué Connor ? murmura Kim à l'adresse de Liam. Si c'est moi qu'il voulait, il lui suffisait de vous viser, vous et Dylan. À moins qu'il ne puisse choisir sa cible.

— Non, le sort est très précis. Fergus l'a jeté sur nous en toute connaissance de cause.

L'avocate lança un coup d'œil au jeune garou, qui s'était éloigné pour vomir sur un carré de hautes herbes.

— Ce gars est un sacré enfoiré. Connor ne me connaît même pas !

Le Liam qui la dévisageait ne ressemblait en rien à l'individu séduisant et aimable qu'elle avait rencontré la veille. Celui qui se tenait à son côté irradiait une fureur contenue. Il lui aurait collé une trouille bleue si elle était entrée dans le bar et l'avait vu derrière son bureau dans cet état. Elle comprit alors qu'il lui avait montré la facette du gentil garou, celui à qui les humains pouvaient parler. Celui avec qui elle pouvait flirter sur un lit.

Non, réflexion faite, elle l'embrasserait volontiers à cet instant. Elle goûterait à sa colère et lui ferait savoir qu'elle la partageait, tandis qu'il la couvrirait de caresses.

Elle s'imagina faisant l'amour avec lui quand il était ainsi, à fleur de peau, farouche. Il la prendrait contre un mur ou sur le capot de la voiture... pour une bonne séance de galipettes. *Du sexe, quoi ! Du vrai !*

Liam entra dans la maison. L'intérieur n'impressionna guère Kim. À l'évidence, on pouvait habiter un lieu sans pour autant se soucier d'y faire le ménage de temps à autre.

Il arpenta le salon en désordre et la cuisine jonchée de vaisselle sale avant de pousser une porte. De l'air frais monta de l'escalier en pierre devant eux. Un cellier ? Un refuge anti-tempête ? Un endroit pareil pouvait abriter des serpents, des scorpions, des veuves noires...

— Par là ? demanda-t-elle.

Elle se sentait capable d'affronter un garou hostile, mais des araignées ? C'était une autre histoire.

Il passa devant elle sans dire un mot. Dieu merci, les garous avaient pour coutume de toujours précéder les femelles. S'il y avait des bestioles, il pourrait les écraser avant qu'elle ne descende.

Dylan fit signe à Sean, qui avait récupéré son épée, d'emboîter le pas à son frère. Il le talonnerait, suivi de Connor.

En haut des marches, Kim hésita, toujours préoccupée par les araignées et par Fergus. Elle pouvait courir, rejoindre sa voiture et filer vers Austin.

Personne ne se trouvait derrière elle, elle aurait une bonne longueur d'avance.

Connor se tourna vers elle et, à la lumière de la cuisine, elle discerna la peur dans ses yeux. Il était terrifié et, à en juger par son teint verdâtre, encore nauséeux à cause de la Sommation. Cette brute de Fergus s'attaquerait-elle à lui si la jeune femme prenait la fuite ? Sans doute.

— Salaud, grommela-t-elle avant de s'engager à la suite du pauvre gamin.

Elle ne pouvait pas lui infliger ça.

Connor lui décocha un sourire anxieux avant de poursuivre. Elle avait l'impression de perdre pied. Elle le suivit de près, refusant de toucher les murs.

Les trois autres les attendirent dans un couloir en tommettes qui jurait avec la décoration de la maison. Les murs étaient en bois poli et, au grand étonnement de Kim, ornés de somptueux tableaux et photographies. De vraies peintures signées par de véritables artistes, que les musées s'arrachaient, et des clichés de photographes célèbres tels qu'Ansel Adams. Des portes en bois sculpté de style espagnol, pourvues de petites fenêtres carrées, séparaient les œuvres d'art hors de prix.

Quel était donc cet endroit ?

En tête de cortège, Liam longea le corridor jusqu'au bout et ouvrit une porte qui menait à une vaste salle plongée dans l'obscurité. Cette fois, Dylan entra le premier, puis Liam, Sean, Connor et enfin Kim, la plus vulnérable.

La pièce était immense, destinée à accueillir plusieurs centaines de personnes. Les murs étaient couverts d'un bois aux teintes chaudes, dont la nuance pourpre laissait soupçonner une origine exotique, sans doute orientale. Le plafond était voûté comme celui d'une cathédrale, les arches ornées d'entrelacs conduisaient vers une énorme cheminée. L'argent et le talent artistique avaient contribué au façonnage de ce lieu, dont la taille dépassait celle de n'importe quelle maison du quartier.

Et il grouillait de garous.

Il devait y en avoir une bonne centaine, tous aussi athlétiques que Liam, Sean et Dylan. L'écriteau à l'entrée de l'agglomération n'annonçait pourtant que cinquante-deux habitants ; le reste avait dû venir exprès pour l'occasion. Il n'y avait que des mâles.

La foule se sépara quand Dylan s'avança sous les arcs menaçants et se faufila à travers la mer de garous, jusqu'au centre de la pièce. Quatre créatures s'y campaient : un type imposant avec une longue tresse noire et une veste de motard, entouré de trois sbires aussi patibulaires que lui.

— Laissez-moi deviner, chuchota Kim à Liam. C'est Fergus.

Il acquiesça, l'air sinistre. L'intéressé planta ses sévères yeux bleus sur elle et la toisa des pieds à la tête, à la manière des garous.

— C'est elle ?

Il avait l'accent du Sud plutôt que du Texas et, à son intonation, elle comprit qu'il s'attendait à plus exceptionnel.

Liam se tut, et Dylan se fit leur porte-parole.

— Voici Kim Fraser, l'avocate chargée de la défense de Brian Smith.

Tous les regards se braquèrent sur elle. Les garous gonflèrent les narines lorsqu'ils flairèrent Kim et le marquage olfactif de Liam. Tous arboraient le Collier, mais la jeune femme se rendit compte pour la première fois que cela ne ferait aucune différence si elle essayait de s'enfuir ou de se battre. Ces êtres étaient dangereux, ils se tenaient à carreau pour l'instant parce qu'ils le voulaient bien.

— Merde, marmonna-t-elle. Et moi qui ai oublié mon gaz au poivre.

— On adore ça, expliqua Liam.

— Ça ne m'étonne pas.

Fergus la cloua sur place d'un regard pénétrant, puis se tourna vers Sean et lui tendit la main.

Ce dernier détacha l'épée de son dos et la lui apporta. Fergus ne le remercia pas. Il se contenta d'attraper l'arme pour la passer à l'un de ses sous-fifres. Alors qu'il faisait volte-face, des lanières de cuir tressées, fixées à un manche accroché à sa ceinture, lui fouettèrent la hanche.

— C'est un chat à neuf queues ? souffla Kim.

— On dirait bien, répondit Liam.

— Pour quoi faire ? Des fois qu'il perde la sienne ?

Un immense sourire éclaira le visage de Liam. Connor éclata de rire.

— La ferme ! feula Dylan.

Fergus reporta son attention sur Kim.

— Approche, femme.

Elle ne bougea pas d'un iota. Hors de question qu'elle trotte vers lui avec obéissance. Liam resta à son côté ; son corps robuste et chaud la rassura, et elle se sentit soudain en sécurité.

— J'ai dit : « Approche. »

Elle leva le menton.

— Est-ce que la phrase « Allez vous faire voir » vous dit quelque chose ?

Les yeux de Fergus lancèrent des éclairs, et l'assemblée se mit à murmurer. Les trois sbires croisèrent les bras et fusillèrent la foule du regard. L'un arborait un crâne rasé et un cou couvert de tatouages, le deuxième, une queue-de-cheval blonde et le troisième, des cheveux noirs coupés court. Il avait l'allure d'un ancien militaire, même si les garous n'étaient pas autorisés à s'engager dans l'armée.

— Amène-la-moi, ordonna le chef de clan à Liam.

Celui-ci resta à sa place. Le silence régnait dans la pièce, la tension était palpable. Les iris de Fergus passèrent de bleu à blanc-gris.

Kim ignorait l'étendue de ses pouvoirs. Pouvait-il convoquer à nouveau Liam pour le forcer à la traîner jusqu'à lui ? Elle se sentait comme un arbrisseau au milieu d'une forêt de séquoias. Ces mâles mesuraient tous plus d'un mètre quatre-vingts et, sans talons, elle avoisinait le mètre cinquante. Où étaient donc les femmes ? À la maison à préparer des cookies ?

— Vous ne pouvez pas me tuer, déclara-t-elle de sa voix ferme d'avocate. L'un des vôtres croupit déjà en prison pour l'assassinat d'une humaine, et même si je suis convaincue de son innocence, des tas de gens le croient coupable. Si je viens à disparaître ou à mourir, vous aurez le shérif du comté et sans doute les fédéraux aux trousses.

Fergus se contenta de la dévisager avant de se tourner vers Liam.

— Il lui arrive de la fermer ?

— Pas à ma connaissance.

— Mauvais point pour elle.

— Je n'en sais rien, répliqua Liam, un petit sourire aux lèvres. Moi, ça me plaît.

Le puissant garou arbora une grimace.

— Amène-la-moi !

— Navré, Fergus. Ce choix lui appartient.

Toute l'assemblée retenait son souffle. Inutile d'être experte en communication non verbale pour voir que la posture de Fergus clamait : « Obéis-moi, ou prépare-toi à souffrir. » Tandis que celle de Liam lui rétorquait : « Va au diable ! » Kim remarqua cependant qu'il n'osait pas soutenir le regard de leur chef.

— Je ne vais rien lui faire, ajouta ce dernier, lèvres serrées.

— Ah oui ? fit Kim. Pourquoi ne suis-je pas rassurée alors ?

— Il dit la vérité.

La voix de Liam lui réchauffa l'oreille, mais elle y perçut de la crispation et comprit l'effort dont il faisait preuve pour se maîtriser.

— Pardon, mais ça ne va pas de soi.

Il la tourna face à lui et lui effleura la joue. Ses prunelles reflétaient son inquiétude, mais une lueur d'excitation les illuminait malgré tout.

— Il ne vous veut aucun mal, trésor, reprit-il tout bas. Ça n'a jamais été son intention. Quand il a appelé mon père la nuit dernière, il nous a ordonné de vous amener à lui afin qu'il puisse vous revendiquer comme compagne.

Elle écarquilla ses yeux bleus, qui brillaient soudain de peur, de colère et d'étonnement.

— Vous vous fichez de moi ?

Il lissa une mèche de ses cheveux, essayant de l'apaiser grâce à son toucher.

— Rassurez-vous, trésor, je ne le laisserai pas faire.

Liam comprit à cet instant qu'il attendait une femme comme Kim depuis des années, peut-être depuis toujours. Il s'était persuadé qu'il refusait les compagnes potentielles pour offrir à ses congénères une chance d'être heureux, mais il se rendait compte à présent qu'il n'avait simplement pas trouvé celle avec qui il avait envie de partager sa vie. Facile de se montrer altruiste quand le sacrifice ne coûte rien.

Cependant, lorsque cette insolente personne était entrée dans son bureau la veille, avec son chemisier étriqué et sa courte jupe grise mettant en valeur son exquis postérieur, quand elle avait commencé à exposer des arguments sensés et passionnés pour lui expliquer pourquoi il devait l'aider, avant même qu'il ait pu ouvrir la bouche, elle avait chamboulé son univers parfaitement structuré. Elle avait réussi à toucher quelque chose qu'il avait toujours gardé secret. Peut-être y était-elle parvenue parce qu'il avait baissé sa garde, ne s'attendant pas à ce qu'une humaine éveille en lui un sentiment qu'aucune femelle n'avait encore suscité.

La nuit dernière, Dylan lui avait appris que Fergus exigeait qu'on lui livre Kim afin qu'il puisse la prendre pour compagne, et Liam s'y était aussitôt opposé. Le père et le fils s'étaient disputés. Le premier ne comprenait pas le refus du second. Pourquoi se soucier du destin d'une humaine alors que le bien de tous les garous était en jeu ? Fergus pourrait la maîtriser, et le problème serait réglé une fois pour toutes.

Liam avait failli frapper Dylan au visage, chose qu'il ne se serait jamais cru capable de faire. S'il voulait emmener Kim chez Fergus, son père devrait lui passer sur le corps. Ce dernier avait d'abord regardé son fils avec étonnement, puis avec compréhension, et presque avec compassion. Il avait cessé de discuter, lui avait dit qu'il acceptait de désobéir au chef de clan, puis quitté la maison.

Compagne. Mienne. Protéger.

Il voulait s'accrocher à Kim et ne plus la laisser partir. Il voulait l'embrasser, la prendre et lui faire des pancakes le lendemain matin. Les instincts qui ne s'étaient pas manifestés au cours d'un siècle d'existence l'assaillaient soudain avec violence.

— Pourquoi voudrait-il faire de moi sa compagne ? s'étonna la jeune femme. Quoi que cela signifie. Il ne m'a jamais rencontrée.

Par la Déesse, comment ne pas vouloir d'elle ? Ceci dit, sa question était pertinente.

— Pour vous contrôler. Vous avez raison, il ne peut pas vous tuer, au risque de s'attirer tout un tas de problèmes mais, s'il s'unit à vous, vous lui appartiendrez. Vous serez soumise à la loi du clan. De fait, vous ne constituerez plus une menace pour nous.

— Et si je refuse ?

Fergus ne la laisserait pas refuser. Liam ignorait encore de quelle manière celui-ci comptait s'y prendre pour la mater – la droguer, l'envoûter, la terroriser – mais il voulait l'avoir sous sa coupe et n'en démordrait pas.

Il devait aussi chercher à savoir jusqu'où Liam était prêt à aller pour la protéger. Lorsque Fergus découvrirait les sentiments de ce dernier pour Kim, il pourrait mieux le manipuler, ainsi que le reste des Morrissey. Dans un cas comme dans l'autre, l'avocate serait étroitement surveillée.

— Ce ne sera pas nécessaire, répondit Liam.

Fergus les dévisagea, les yeux réduits à deux fentes.

— Cela signifie-t-il que tu vas relever le Défi pour elle ?

Liam sentit Dylan et Sean s'approcher dans son dos, guidés par leur instinct protecteur, même s'ils trouvaient qu'il faisait preuve d'une stupidité sans nom. Il aurait souhaité que Connor puisse déguerpir. C'était un enfant, un petit, et il n'était pas encore prêt pour ce genre de confrontation. Fergus ne prendrait sûrement pas ce détail en considération quand il infligerait son châtiment.

Liam glissa la main dans celle de Kim, regarda son rival droit dans les yeux et lui rétorqua avec une insolence texane qui aurait rendu Ellison fier :

— Et comment !

11

Fergus soutint le regard de Liam, qui sentit le triomphe le submerger.

— Dylan ! s'écria le chef de clan avec agacement.

— Mon fils est toujours célibataire, répliqua le vieux Morrissey d'une voix posée. C'est son droit.

Ne me défends pas. Pars. Ce n'est pas ton combat.

Dylan ne bougea pas d'un poil. Liam n'avait pas vraiment pensé qu'il ferait preuve de sagesse et s'en irait. Il n'abandonnerait jamais sa progéniture, même au péril de sa vie.

— Excusez-moi, les interrompit Kim, hors d'elle.

Toutes les têtes se tournèrent vers elle. Cent paires d'yeux de garous la clouèrent sur place, mais elle ne flancha pas.

— Je n'apprécie guère ce genre de discussion, surtout lorsque je suis directement concernée.

Liam se retint de rire tout haut. Elle était incroyable. Ses instincts primaires commençaient à dominer sa raison ; il brûlait de sentir le sang de Fergus sous ses griffes, et Kim dans ses bras.

Le sexe avec elle devait être fabuleux. Il en avait eu un aperçu la veille. Il avait goûté à sa bouche délicieuse, à ses baisers, à ses caresses. Certes, il devrait garder sa forme humaine pendant l'acte, mais le jeu en valait la chandelle. Il lui tardait de s'allonger sur elle pour l'embrasser à pleine bouche, comme elle le lui avait appris, tandis qu'il s'introduirait en elle et la ferait sienne.

Les phéromones émises par Fergus polluaient l'atmosphère de leur odeur forte et persistante. Quand il les flaira, Liam comprit que l'autre comptait réellement faire de Kim sa compagne. Il voulait la posséder, s'accoupler à elle avec fureur. *Plutôt mourir que de lui laisser le champ libre !*

— Fais-la taire, gronda Fergus à son intention.

Sean se campa de l'autre côté de Kim. Même sans son épée, il avait l'allure d'un guerrier, prêt à en découdre.

— Liam a accepté le Défi, déclara-t-il. On ne peut rien faire, si ce n'est regarder le spectacle.

— Foutaises ! s'exclama la jeune femme.

Elle essaya de se soustraire à l'étreinte de Liam, mais il ne la lâcha pas.

— Connor, appela-t-elle par-dessus son épaule. Peux-tu me trouver un truc sur lequel monter ? Une chaise ou un tabouret ?

Sa question arracha le jeune homme à sa terreur. Tant mieux.

Les garous s'écartèrent pour le laisser sortir. Liam pria pour qu'il prenne son temps ou décide de fuir, mais il revint presque immédiatement avec un escabeau.

— Ça fera l'affaire.

Elle lui demanda de le poser par terre devant elle, et Liam la libéra afin qu'elle puisse grimper dessus. Il garda les bras autour d'elle lorsqu'elle se redressa, à la fois pour la stabiliser et l'enlacer avec bienveillance.

— Voilà qui est mieux, constata Kim.

Ainsi, elle dépassait Liam d'une demi-tête et surplombait la foule.

— Toute violence est inutile, dit-elle. Ce que chacun refuse de comprendre, c'est que je suis votre alliée. L'un des vôtres croupit en prison, et le monde entier veut sa peau. Si je parviens à prouver qu'il n'a pas tué sa petite amie, ce serait une incroyable avancée pour les garous. Votre espèce suscite la suspicion et l'hostilité. Si je montre que Brian a été floué, si je le présente comme un personnage sympathique, voire un héros, imaginez l'immense pas en avant qu'on aura effectué ! Vous aurez une meilleure chance de vous intégrer, vos enfants pourront aller dans des écoles qui ne seront pas situées dans des entrepôts désaffectés.

Silence. Des visages de marbre.

— Hé ! P'têt' même qu'ils nous laisseront avoir le câble ! lança d'une voix traînante un garou au fond de la salle, et des rires mâles résonnèrent dans la pièce.

— Je suis sérieuse. Je suis douée dans mon travail. Je peux y arriver si vous m'aidez.

Fergus pinça les lèvres.

— Liam, fais-la taire !

Celui-ci n'en avait pas l'intention. Kim déconcertait leur chef, et il adorait ça.

— Vous agissez comme si vous ne vouliez pas que Brian soit libéré, poursuivit-elle. Il n'a pas tué Michelle. Pourquoi devrait-il être exécuté ? Pourquoi l'abandonner à son sort ?

Fergus tira le chat à neuf queues de sa ceinture.

— Liam.

— Il compte me fouetter ? s'enquit l'avocate, stupéfaite.

Liam la souleva du marchepied.

— Assez parlé, trésor. Fergus, si je dois te défier, qu'on en finisse, vieux.

— D'abord, je vais enseigner les bonnes manières à cette salope.

Connor fonça vers lui malgré les efforts de Sean pour le retenir. Le visage du jeune garou était écarlate, ses gros poings serrés.

— Fiche-lui la paix ! Elle ne t'a rien fait. Elle a le droit de parler. En quoi ça peut te gêner, espèce d'enfoiré ?

— Connor, ferme-la, lui enjoignit Dylan avec sévérité.

Fergus reporta son attention sur Connor, et l'atmosphère se glaça.

— Approche, mon garçon.

Dylan s'interposa.

— Ce n'est qu'un enfant. Il ne comprend pas.

Connor essuya ses larmes.

— Si, grand-père, je comprends. (Il fusilla Fergus du regard avant de baisser la tête.) Et je le pensais.

Fergus était vert de rage. Les veines saillaient sur son cou, et ses yeux brillaient avec intensité, comme ceux d'un indompté.

Liam ne savait que trop le petit scénario que Fergus avait imaginé : les Morrissey se précipiteraient à San Antonio, lui livreraient Kim en se confondant en excuses, puis repartiraient dare-dare, abandonnant la jeune femme à ses bons soins.

Au lieu de quoi, ils l'avaient défié, à deux reprises. D'abord la veille, en refusant de répondre à son injonction verbale. Et à présent, dans son repaire même, Kim l'avait sermonné, Liam l'avait provoqué en duel et Connor avait transgressé la règle suprême : il s'était dressé contre un alpha alors qu'il n'en avait pas encore l'âge.

On passait beaucoup de choses aux enfants du fait de leur immaturité. La Déesse savait que Liam avait été un adolescent particulièrement turbulent, mais ridiculiser Fergus devant tout le clan réuni ne pouvait demeurer impuni. Connor était trop jeune pour se livrer à un combat pour la domination. Il fallait donc le discipliner, comme le ferait un lion avec un lionceau trop agité.

— Approche, répéta Fergus.

Connor avança malgré lui, subjugué par cet ordre empreint de magie. Sean s'apprêta à lui emboîter le pas, mais Liam secoua la tête.

— Non, Sean, permets-moi.

Ce dernier ouvrit la bouche pour protester, mais il finit par acquiescer, le regard morne. Il fit volte-face, mécontent, mais conscient qu'il devait demeurer à l'écart.

— Que faites-vous ? lui demanda Kim.

Elle avait le teint blême, les yeux écarquillés. Elle était terrifiée, furieuse, et si belle que le cœur de Liam en saignait.

Ce dernier lui prit le visage en coupe.

— Kim, mon amour, restez ici avec Sean et Dylan. Ne songez surtout pas à me suivre, et je vous en prie, ne parlez plus.

Elle voulut s'insurger, mais elle se ravisa et hocha la tête. *Brave fille.* Il lui tourna le dos et se hâta d'emboîter le pas à Connor.

Liam et Fergus avaient la même taille. Ils se toisèrent sans broncher.

— Si tu fais ça, déclara le second, animé par une rage cruelle, je te le ferai regretter quand je relèverai ton Défi.

Par les Dieux, quel enfoiré arrogant !

— Allez, qu'on en finisse !

Connor contenait ses larmes avec difficulté, mais il gardait la tête haute, même s'il évitait le regard de Fergus comme celui de son oncle.

— Non, Liam, arrête !

— C'est mon droit, neveu, fit Liam d'une voix posée.

Deux des hommes de main, Crâne-rasé et Tignasse-noire, ôtèrent la chemise de Connor, incapable également de soutenir leur regard.

Liam enleva la sienne à son tour et la laissa tomber à terre. Les sbires n'y prêtèrent pas attention. Ils forcèrent Connor à se retourner et à se courber, exposant son dos juvénile et intact.

Fergus brandit son chat à neuf queues et, avec un grognement, l'abaissa. Avant qu'il ait pu toucher Connor, Liam se coucha sur son neveu et prit le coup à sa place.

— C'est quoi ce bordel ? hurla Kim. Qu'est-ce qu'il fait ?

L'horreur la saisit lorsque Fergus, le regard fixe, la bouche tordue par un rictus sadique, frappa de nouveau. Le sifflement du cuir résonna dans le silence avant de cingler la peau de Liam.

Dylan s'avança vers eux, l'air sinistre, et ôta sa chemise, révélant un dos aussi large et musculeux que celui de Liam. Après avoir rejoint son fils et son petit-fils, il se pencha à son tour sur Connor. Père et fils enveloppèrent celui-ci dans une étreinte protectrice typique des garous. Fergus continuait de faire claquer son fouet comme si de rien n'était, lèvres retroussées, tous crocs dehors.

Kim fit un pas en avant, mais Sean se dressa devant elle, lui barrant le passage.

— Restez ici. Laissez-les finir.

Ses yeux reflétaient un profond tourment ; cependant, elle vit qu'il ne comptait pas arrêter Fergus. Elle perçut aussi que s'il n'avait pas ressenti le besoin de la retenir, il aurait rallié le bouclier humain formé autour de Connor.

— C'est de la folie ! s'écria-t-elle, une boule dans la gorge. C'est barbare, inhumain !

Ce sont des garous, lui souffla une petite voix. *Pourquoi les forcer à porter le Collier si ce n'est pour refréner leur sauvagerie ?*

Le Collier n'empêchait pas Fergus de réduire Liam et Dylan en chair à saucisse. Les lanières de cuir lacéraient la chair du premier, dont le sang gouttait sur le sol. Il en prenait pour son grade, car seuls certains coups atteignaient Dylan. À croire que le chef de clan tenait à tourmenter Liam et personne d'autre. Connor était à l'abri, protégé par un mur de garous.

L'assemblée contemplait la scène en silence, sans chuchoter ni gronder, sans encourager Fergus ni essayer de l'arrêter. Celui-là continua de frapper, sans relâche, comme s'il infligeait aux Morrissey toute la violence qu'il avait accumulée à leur intention pendant des années.

— Pourquoi n'intervenez-vous pas ? demanda Kim, les yeux noyés de larmes, à Sean.

— C'est la coutume, répondit-il, les lèvres pincées en une grimace lugubre.

— Une coutume de cinglés !

Elle attendit que Sean se retourne pour les observer, puis elle se hâta de le contourner pour foncer dans le tas. Être de petite taille pouvait s'avérer un avantage, parfois. Les garous n'avaient pas l'habitude qu'une femme menue et athlétique leur glisse entre les pattes.

Elle alla droit sur Fergus.

— Ça suffit !

Fergus décocha à Liam deux autres coups acharnés, puis braqua son ignoble regard sur Kim. Il était bien plus terrifiant que Dylan, ses yeux rutilants de rage reflétaient sa démence. Elle faisait face à quelqu'un qui était prêt à tout, y compris les actes les plus impitoyables, pour obtenir gain de cause. Rien ne pouvait l'arrêter.

Liam leva soudain la tête.

— Sean, fais-la sortir d'ici !

Celui-ci était déjà derrière Kim, mais elle fit volte-face et se planta sous le nez de Fergus, qui poussa un grognement. Son visage avait commencé à se transformer, ses lèvres se retroussaient pour révéler une gueule rouge de colère. Elle repensa au lycan qui avait essayé de la tuer et constata que Fergus se rapprochait de ce garou sans Collier, dominé par une fureur bestiale.

— Je ne suis pas des vôtres, poursuivit-elle. Vous ne m'effrayez pas.

Mensonge éhonté. Il la terrorisait, et il lui briserait la nuque en moins de deux, elle n'en doutait pas une seconde. Néanmoins, elle ne pouvait pas rester les bras croisés pendant qu'il torturait Liam, dont le dos ruisselait à présent de sang et de sueur.

Fergus s'avança vers elle, martinet levé. Liam se rua sur lui en poussant un grognement hostile, rauque et inhumain, qui emplit la salle.

Les yeux de Fergus brillèrent, non de peur mais de joie. Une seconde plus tard, Dylan avait rejoint son fils.

— Non, Liam. Ce n'est pas ton droit.

— Laisse-le, protesta Fergus.

— Non, insista Dylan d'une voix dure.

Tandis que Kim l'observait, de minuscules étincelles jaillirent autour du Collier de Liam et sur sa peau. Il tressaillit lorsque ses muscles encaissèrent la décharge, sans toutefois quitter Fergus du regard.

Les Colliers fonctionnaient, en effet. Liam était en proie à une rage meurtrière, son système endocrinien indiquait qu'il était prêt à combattre et à tuer. Son Collier tentait de l'en empêcher, de lui épargner une nouvelle torture.

— Liam, murmura la jeune femme, je vous en prie, ne faites pas ça.

Il lui sembla que ses paroles avaient pénétré le nuage de colère qui obscurcissait la raison de Liam. Celui-ci rompit le contact visuel avec Fergus et tourna la tête en direction de l'avocate.

— Je la revendique comme compagne, gronda-t-il.

À la surprise de Kim, l'expression furibonde de Fergus s'évanouit pour laisser place à un sourire satisfait. Il tendit les bras, et les lanières du chat à neuf queues flottèrent au vent.

— J'y renonce donc. De toute façon, je ne voudrais pas de cette pétasse chez moi avec mes enfants. Je te souhaite bien du plaisir.

Tous les garous réunis respirèrent à nouveau et se détendirent. Kim n'y comprenait plus rien.

— Liam...

Il la prit par le bras, la main glissante à cause du sang.

— Je la revendique devant le clan, comme c'est mon droit.

Les pupilles de Fergus scintillaient.

— Le clan y consent.

— Il change d'avis comme de chemise celui-là, railla Kim. C'était l'aventure la plus rapide que j'aie jamais connue.

Liam rit à gorge déployée. Le maître des lieux arborait un air victorieux, comme s'il avait gagné, et la lueur dans ses iris déplut à Kim.

Il ne cédait pas. Oh, non ! Il manigançait quelque chose.

Fergus adressa à l'assemblée un regard dénué d'expression.

— Tout le monde dehors !

Les garous commencèrent à sortir, élevant de plus en plus la voix à mesure qu'ils s'éloignaient. Kim se demanda combien parmi eux soutenaient vraiment leur chef et combien avaient été traînés ici de force, comme Liam et sa famille. D'après Glory, les garous n'aimaient pas les dirigeants qui avaient recours à la Sommation. Peut-être Fergus s'était-il contenté de les menacer pour qu'ils viennent.

Ce dernier passa devant les Morrissey, talonné par ses sbires, les seuls qui ne s'étaient pas détendus. Il devait s'agir de ses gardes du corps. Fergus était le chef de clan, l'alpha ultime. Or s'il détenait un ascendant absolu sur les siens, que craignait-il à ce point ?

Dylan enfila sa chemise et grimaça quand le tissu frôla sa peau meurtrie. Liam, le dos en sang, reprit la sienne des mains de Sean et la roula en boule.

Liam s'était précipité auprès de Connor pour l'arracher à une torture terrible, et Dylan avait foncé pour protéger son fils et son petit-fils. Kim comprenait l'amour qui les animait. Un sentiment tout aussi puissant la liait au frère qu'elle n'avait pas réussi à sauver des années auparavant.

Elle attrapa le tee-shirt de Liam et lui adressa un pâle sourire tandis qu'elle le secouait avant de le replier.

Seul Connor ne semblait guère satisfait. Le dernier garou sorti, il se jeta sur Liam.

— Pourquoi as-tu fait ça ? J'aurais pu encaisser les coups. Je ne t'ai pas demandé de me remplacer !

Des larmes de colère et de frustration ruisselaient sur ses joues tandis qu'il frappait son oncle à la poitrine.

Liam lui saisit les poings.

— Connor, mon garçon, répliqua-t-il avec une douceur inouïe, arrête ça, d'accord ?

Le jeune homme recula d'un bond et se dirigea vers Dylan. Puis, se rendant compte que c'était une mauvaise idée, il se rua sur Sean. Celui-ci l'étreignit aussitôt, en le serrant fort contre lui.

Liam s'approcha derrière Connor et lui caressa les cheveux.

— La punition ne t'était pas destinée. Fergus est furieux contre moi, parce que je ne me prosterne pas devant lui. Il n'a pas trouvé de raison légitime pour me rosser, alors il s'est rabattu sur toi. Il ne s'agissait pas de ta transgression, mon grand, mais de la mienne.

Kim vit Connor se relaxer et s'appuyer sur Sean.

— Pourquoi l'as-tu laissé faire, grand-père ? Pourquoi ne l'as-tu pas combattu, toi ?

— Ce n'était ni l'endroit ni le moment, rétorqua Dylan. Allez, il est temps de rentrer.

Il se retourna et quitta la pièce sans les attendre, ses bottes résonnant sur les tommettes du couloir. Connor relâcha enfin Sean et emboîta le pas au chef de famille en s'essuyant les yeux, puis les trois autres le suivirent.

— Vous comptez m'expliquer ce qui vient de se passer ? s'impatienta Kim alors qu'elle grimpait les marches devant Liam.

L'escalier, miteux et rongé par la moisissure, jurait avec la décoration élégante du sous-sol. La jeune femme repensa aux araignées.

Liam lui ébouriffa les cheveux.

— Sacrée Kim, qui aime les choses carrées. Quel caractère !

Il lui caressa la nuque. Il avait beau avoir le dos en sang, elle frissonnait dès qu'il la touchait, émoustillée par le désir brut qui émanait de lui.

Seigneur ! Elle se retenait de lui sauter dessus ! Peu importe que son père, son frère et son neveu se trouvent à quelques centimètres. Elle voulait l'embrasser comme elle l'avait fait la nuit dernière, peut-être lui demander de la porter afin qu'elle le prenne en étau entre ses jambes.

Il lui déposa un baiser sur le coin des lèvres.

— En avant, trésor. Allons marcher sous le soleil.

Elle lui rendit son baiser, ce qui ne l'aida pas à calmer ses ardeurs, puis elle pivota et suivit Sean jusqu'au rez-de-chaussée. Ils traversèrent la maison paisible et sortirent par la porte principale.

Tous les garous les attendaient, rassemblés en demi-cercle devant la voiture de l'avocate. Son cœur se mit à battre la chamade.

— On ne peut pas partir ?

— Pas encore, répondit Dylan.

Les portes des demeures s'ouvrirent, et les femelles en surgirent. Accompagnées d'enfants. Heureux d'être libérés après le confinement qui avait dû leur être imposé, les gamins se hâtèrent jusqu'au terrain de jeux, apportant aussitôt la joie de vivre sur la triste étendue herbeuse. Tous les chiens du village les rejoignirent en agitant la queue.

Fergus avait fixé le chat à neuf queues à sa ceinture et discutait, les bras croisés, avec quelques-uns des mâles présents. Kim faillit tomber à la renverse lorsqu'une femme se glissa à travers la foule pour enlacer Fergus. Elle n'avait rien d'une mauviette, elle non plus. Elle était grande, robuste et musclée, avec un visage sévère, mais joli. Elle ressemblait à Glory, habillée de façon moins extravagante, toutefois.

— Qui est-ce ? demanda Kim à Liam.

— Sa compagne, répondit Liam. Andrea.

— Une seconde ! (Elle agita les mains.) Je croyais qu'il voulait me prendre comme compagne. Pourquoi faire tout ce cirque s'il en a déjà une ?

— Les chefs de clan peuvent s'unir à plusieurs femmes. Fergus en possède deux. C'est égoïste, car les femelles ne sont pas nombreuses, mais il est vrai que la mixité des gènes garantit aux enfants une meilleure chance de survie.

— Pour l'amour du ciel ! (Elle le contourna.) Et vous, vous pouvez en avoir plusieurs ? Est-ce que vous avez une compagne dans chaque quartier garou de l'État ?

Liam s'esclaffa, et Sean se joignit à lui. Leur rire contenait une certaine tension, comme s'ils étaient contents d'avoir un prétexte pour se dérider. L'aîné serra Kim contre lui.

— Vous me suffisez amplement, trésor. J'espère d'ailleurs que vous saurez me prendre en main.

Il sourit de son calembour. Kim piqua un fard.

— Il faut qu'on parle.

— Plus tard.

Il la conduisit devant le demi-cercle de garous. Il ne récupéra pas son tee-shirt : son dos devait lui faire atrocement mal sous ce soleil de plomb.

Fergus les regarda approcher. Andrea le relâcha, mais resta à quelques centimètres de lui.

— Qu'est-ce qui peut bien l'attirer chez lui ? chuchota Kim. Surtout qu'il a déjà une femme.

— C'est le plus puissant du clan. Le seul mâle dominant après lui, c'est mon père. Et j'aurais dû préciser que nous sommes tous dotés d'une ouïe parfaite.

— Oh ! Merci.

— Liam ! (La voix de Fergus couvrit les conversations des adultes et les cris des enfants.) Ne bouge plus.

Liam s'arrêta devant le chef de clan et tourna Kim face à lui. Il lui effleura la joue, puis colla la main droite contre sa paume gauche, et entremêla leurs doigts.

Sans attendre que tout le monde se taise, Fergus déclara :

— Sous la lumière du soleil, je reconnais cette union.

Il s'exprima sur un ton monocorde, avec rapidité, comme s'il voulait en finir au plus vite. Il était prêt à passer à la suite, et Kim se demanda ce que cela pouvait bien être.

Liam lui sourit. L'assemblée se mit à applaudir et à les acclamer. Connor se jeta au cou de la jeune femme et l'étreignit jusqu'à l'étouffer.

— Merci, Kim !

Avant qu'elle ait pu lui demander pourquoi, Connor s'élança derrière les autres en poussant des cris de joie. Fergus enlaça la taille d'Andrea, et tous deux s'éloignèrent.

Kim ne comprit pas comment, mais soudain, ils se retrouvèrent sous une pluie de mousse. Sean agita une bouteille et les en aspergea, en riant comme un bossu. Il avait récupéré son épée, remarqua-t-elle, la garde saillait derrière son épaule.

— Pile ce dont j'avais envie, maugréa-t-elle. De la bière dans les cheveux.

Liam lui frotta le menton avec son pouce.

— On aura le temps de les laver plus tard.

Il se pencha pour plaquer ses lèvres sèches et chaudes contre celles de Kim.

— Ce baiser convient-il à vos critères ? Je ne suis pas encore expert en la matière.

Il sourit, mais elle sentit sa peau brûlante sous ses doigts et son torse en sueur.

— Vous allez bien ? s'inquiéta-t-elle. J'ai vu la décharge provoquée par le Collier.

— J'y survivrai. (Avec douceur, il posa la bouche sur la sienne avant de lui effleurer la taille.) C'est une autre forme de douleur qui me démange pour l'instant.

La bosse rigide qui pressait contre l'abdomen de Kim ne laissait aucun doute quant à son tourment.

— Votre dos est en piteux état, lui fit-elle remarquer.

— Eh bien, on le lavera en même temps que vos cheveux lors d'une bonne douche.

Il l'embrassa à nouveau. Autour d'eux, les garous festoyaient ; l'ambiance avait changé du tout au tout depuis l'accueil teinté de mépris qui leur avait été réservé dans le sous-sol. À présent, ils auraient pu se trouver à une fête de quartier, avec les voisins et les amis réunis pour célébrer une grande occasion. Dylan taillait le bout de gras avec d'autres mâles, et Sean avait été entraîné au loin par deux femelles. Lui et ces demoiselles flirtaient sans vergogne. À vrai dire, les garous se touchaient pour tout et rien : même s'ils n'arrêtaient pas de se peloter, ils pouvaient très bien discuter de films ou d'un sujet tout à fait trivial.

Un flot de questions assaillit l'avocate. Elle pensait avoir recherché toutes les informations possibles sur ces créatures, mais elle comprenait à présent que l'accès à leur univers était limité. Ils n'étaient pas près de révéler leurs secrets aux humains. Il lui restait tellement de mystères à percer, de nuances à maîtriser. Elle n'avait pas voulu polémiquer au sujet de cette « union », car cela avait permis à Liam d'échapper à Fergus qui, à son tour, avait renoncé à s'en prendre à Connor et Dylan. Sans compter que l'idée de se lier à Fergus de quelque manière que ce soit lui donnait des sueurs froides.

Elle avait souri et ri avec eux. Elle avait prétendu, comme eux, que tout allait bien mais, dès leur retour à Austin, Liam et elle auraient une longue discussion.

Une ombre s'abattit sur elle. Elle leva la tête et aperçut Fergus qui s'approchait d'eux, sinistre.

— Tu acceptes l'union ? demanda-t-il.

À Liam. Pas à Kim. *Quel connard !*

Liam demeura de marbre.

— Oui.

— Tu sais ce que ça signifie ?

Fergus tourna le dos aux autres garous et tâcha de ne pas hausser la voix.

— Tu es responsable de ses moindres faits et gestes. Si elle déraille, tu dérouilles. Ton père ne s'en mêlera pas, il connaît les règles.

Kim ne put retenir sa colère.

— Espèce de…

Les doigts de Liam se plaquèrent aussitôt sur sa bouche.

— Pas maintenant, dit-il. Je sais ce que ça signifie, Fergus. Tu renonces donc à ta revendication pour toujours ?

— Oui, mais à une condition.

— Pourquoi ne suis-je pas étonnée ? marmotta Kim derrière la paume de Liam.

— Je veux que Brian tombe. Vous, femme, vous vous retirerez. Liam, tu y veilleras. Il plaidera coupable et subira le châtiment. Telles sont mes modalités.

Sans attendre leur réponse, il claqua les talons et s'éloigna.

12

Liam savait bien que Kim ne comprenait pas. Il lui tint la main tandis qu'elle conduisait et sentit la confusion qui émanait d'elle. Bientôt, il lui expliquerait tout, mais pour l'heure, une seule chose l'obnubilait : la prendre sauvagement sur le bas-côté de la route.

Il en brûlait d'envie. Quand un garou revendiquait une femelle, le besoin de procréer l'assaillait aussitôt. Il l'avait, en théorie, toujours su, mais aujourd'hui, l'intensité de cet appel le frappait de plein fouet. Il redoubla d'efforts pour garder son sang-froid, mais cela devenait de plus en plus difficile. Il rêvait de glisser les doigts sous la taille de son jean, de se pencher vers elle pour lui embrasser le cou, de déboutonner son chemisier et de plonger la main dans son décolleté.

Avant de le laisser monter dans la voiture, la petite chérie avait sorti une serviette et une trousse de secours du coffre, demandé à l'un des garous de lui apporter une bouteille d'eau et pansé le dos de Liam. Elle avait nettoyé et séché ses plaies, puis y avait appliqué un antiseptique qui l'avait un peu piqué.

Il avait essayé de lui dire qu'il cicatriserait rapidement, mais elle s'était contentée de serrer les dents et avait continué à lui prodiguer ses soins. Avec Sean et Connor dans les parages, il ne pouvait pas lui avouer que la moindre de ses caresses attisait son désir et le poussait à ouvrir sa braguette pour se jeter sur elle.

Les autres, qui avaient dû le percevoir, avaient commencé à le taquiner.

— Le toucher d'une compagne guérit-il vraiment, Liam ? s'était enquis Sean.

Derrière lui, Connor avait ricané.

— Ça m'étonnerait qu'il tienne jusqu'à la maison.

— Tu y survivras, fils, avait déclaré Dylan en lui donnant une tape sur l'épaule. Ça en vaut la peine.

Kim ignorait de quoi ils parlaient mais, à en juger par ses joues cramoisies, elle avait sa petite idée sur la question.

Liam lui pressa la cuisse, et elle lui adressa un sourire nerveux. Elle ne ressentait pas de dégoût, elle ne voulait pas l'envoyer promener… Non, elle l'aimait bien. L'apprécierait-elle toujours une fois qu'il lui aurait expliqué ce qui l'attendait ?

— Bordel ! jura Connor depuis la banquette arrière.

Liam lui jeta un coup d'œil furtif. Le jeune garou était plongé dans une revue que Kim lui avait achetée lorsqu'ils s'étaient arrêtés dans une supérette afin de faire le plein. Elle avait proposé de payer pour l'essence, le magazine et les boissons fraîches, mais Dylan avait sorti en silence des billets de sa poche et les lui avait glissés dans la main.

Il s'agissait d'un journal sportif car, s'il y avait bien une chose que Connor préférait aux voitures, c'était le sport, en particulier le football. Pas la variante américaine avec son ballon ovale et ses protections, mais le football européen, le vrai, en somme. Il n'avait jamais assisté à un match en direct, dans un stade empli par une foule en délire qui faisait passer les supporters américains pour une bande de vieilles femmes. Il les regardait à la télé, quand il le pouvait, et suivait avec intérêt l'évolution de l'équipe nationale de la république d'Irlande.

— L'Irlande joue aujourd'hui, se lamenta-t-il. Ce soir, là-bas, mais dans la journée pour nous.

— Ce ne sera jamais diffusé sur le réseau national ! lança Sean. Ce serait un foutu miracle !

— Ça passe sur Sportz 3. (Connor souleva le magazine de côté pour étudier la grille hebdomadaire.) Une chaîne du satellite. Ça commence dans une heure, ajouta-t-il, l'air abattu.

— Tant pis, fiston, conclut Dylan. (Il s'appuya à la vitre et ferma les paupières.) C'est un loisir d'humain, de toute façon.

Il n'avait jamais compris l'obsession de son petit-fils pour le sport. Cela dit, il avait grandi deux siècles plus tôt, en marge de la société humaine, tandis que Connor avait été immergé dedans pendant toute sa courte vie. Ce dernier incarnait ce que les garous avaient voulu créer en acceptant le Collier, une génération à l'aise avec la culture humaine. Avec un peu de chance, dans quelques décennies, ces objets appartiendraient au passé et les garous seraient complètement intégrés.

C'est ce que Dylan souhaitait. Pour autant, la dépendance de Connor le dépassait.

— Ellison a un ami dans le quartier garou du nord, dit Sean. Parfois, il arrive à choper les chaînes du satellite. Tu veux qu'on t'y dépose ?

— Dans l'heure ? (Connor secoua la tête.) Et puis, je la connais sa télé rafistolée. Il faut éteindre toutes les lumières, se plier en deux et plisser les yeux. Si l'alignement des planètes est favorable, il parviendra peut-être à capter un signal !

— On doit pouvoir trouver un enregistrement. Liam et moi le chercherons pour toi.

Connor reposa son magazine avec agacement.

— Arrête Sean, je ne suis plus un bébé ! Je ne le verrai pas, et tu le sais. Ce n'est pas comme si les vidéoclubs du coin réservaient tout un rayon aux DVD de football irlandais !

— Tu peux toujours le regarder chez moi, suggéra Kim.

Les quatre garous reportèrent aussitôt leur attention sur elle.

— Je possède tous les bouquets satellites possibles et imaginables, poursuivit-elle. Plus un écran plat flambant neuf. Mais pas de bière, désolée.

Connor se faufila entre les sièges, les yeux pétillants de joie.

— Tu es sérieuse ? Tu me laisserais regarder la télé chez toi ?

— Bien sûr, pourquoi pas ?

Dylan répondit à sa place.

— Parce qu'une maison pleine de garous pourrait déplaire à vos voisins. Ils pourraient appeler la police.

— Un humain a le droit d'inviter des garous chez lui, ce n'est pas illégal. Inhabituel, peut-être, mais on passera de toute façon par le garage, ni vu ni connu.

— Je refuse d'abuser ainsi de votre bienveillance, déclara Dylan sur un ton péremptoire.

Connor poussa un grognement exaspéré. Liam partageait sa frustration, mais pour une raison différente. Il s'était imaginé emmenant Kim dans le quartier garou et s'enfermant avec elle dans sa chambre à coucher trois jours durant. Il comprenait les motivations de la jeune femme. Elle leur offrait l'hospitalité pour se racheter, persuadée que, sans elle, Fergus ne s'en serait jamais pris à Connor.

Kim ignorait que leur relation avec leur chef était tendue depuis un moment et que l'incident de la journée n'était qu'une goutte d'eau dans cet océan d'hostilités. Fergus avait obtenu ce qu'il voulait, la mainmise sur l'avocate et la défense de Brian. Ou du moins le croyait-il. Elle n'avait rien dit après qu'il avait énoncé ses « conditions ». Elle s'était renfrognée, mais avait gardé les lèvres serrées, ce qui avait quelque peu alarmé Liam. Fergus la sous-estimait vraiment s'il pensait qu'elle se plierait à ses ordres.

Cependant, en théorie, le chef des félins était désormais libre de menacer Liam et la famille Morrissey si Kim refusait de coopérer. De plus, sa capitulation lui avait donné le beau rôle devant le reste du clan. Il passait pour un dirigeant magnanime qui avait renoncé à s'immiscer entre un garou et sa compagne véritable. N'était-ce pas noble de sa part ?

— Et essayer de me retenir prisonnière, ce n'est pas de l'abus, peut-être ? rétorqua Kim. C'est moi qui conduis, et nous allons chez moi afin que Connor puisse regarder son match !

L'intéressé poussa un cri de joie et l'embrassa sur la joue.

— Je t'adore, Kim ! Je suis si content que Liam t'ait revendiquée !

Elle parut étonnée, mais ne répondit rien. Connor se radossa brusquement à son siège, et Dylan fit un geste de la main, comme pour dire : « Oh, et après tout… »

Bien entendu, songea Liam tandis que les sorties vers Austin défilaient une par une, la maison de Kim était aussi pourvue d'une chambre à coucher.

Une heure plus tard, les garous avaient investi le salon de leur hôtesse et regardaient avec attention des hommes en short courir sur un terrain de foot arrosé par la pluie irlandaise.

Je pourrais finir par aimer ce sport, se dit Kim. Pas de casques ni de protections, seulement des maillots moulants qui laissaient entrapercevoir une toison virile, des chaussettes hautes et des shorts mettant en valeur des jambes musclées.

Toutefois, les garous se fichaient pas mal de l'allure des joueurs. Cinq minutes après le début du match, ils étaient déjà en train de hurler et de les acclamer, de jurer ou de se taper dans les mains. Sean et Connor, du moins. Dylan observait la rencontre avec intérêt, à défaut d'enthousiasme. Liam, quant à lui, quitta la pièce d'un pas agité pour suivre Kim dans la cuisine.

— Vous les avez comblés de joie.

Il s'appuya contre le plan de travail tandis qu'elle inspectait son réfrigérateur presque vide. Aucun doute, elle n'était pas équipée pour recevoir des hommes. Pas de bière, pas de chips ou de biscuits apéritifs que ces messieurs engloutissent habituellement devant un match. Elle était certaine qu'Abel regardait le sport à la télé, même si elle ne l'avait jamais surpris en flagrant délit.

— Ils seront moins contents quand ils auront faim.

— Ça leur sera égal. (Il l'enlaça par-derrière.) Alors, cette douche ?

— Liam ! Votre père est dans le salon.

— Et il n'en bougera pas avant quatre-vingt-dix minutes. Je crois me souvenir que votre salle de bains se trouve à l'étage…

Il lui embrassa la nuque.

— C'est vrai que j'aimerais bien jeter un coup d'œil à votre dos, dit-elle.

— Seulement à mon dos ? (Il pressa le nez contre sa joue.) Bon sang, ma belle, ayez pitié d'un pauvre garou !

De sa langue chaude et humide, il lui lécha le cou. Elle ferma les yeux, traversée par un délicieux frisson.

Il avait envie de sexe, et elle le savait. Sa passion le consumait, le torturait, et il n'en avait pas honte. Kim ne pouvait pas se voiler la face, elle aussi le désirait, de tout son être.

Elle entendit la clameur des supporters, et Sean, Connor et même Dylan bondirent sur leurs pieds en hurlant. Par la porte ouverte sur le salon, elle vit les deux premiers se livrer à une accolade de liesse.

Liam lui mordilla l'oreille.

— Si on montait ?

— Vous n'êtes pas sérieux ! Il y a du sport à la télé, et vous préférez batifoler avec une femme.

Il lui décocha un sourire ravageur.

— Ce football-là, ce n'est pas mon truc. Si ça avait été du football gaélique, en revanche…

Il rit. Kim n'avait pas la moindre idée de la différence entre les deux, mais elle aimait la musicalité de son rire.

Liam lui prit la main pour la mener vers l'escalier. Tandis qu'ils gagnaient l'étage, les autres revivaient le moment de gloire ultime : le but.

La salle de bains de Kim était immense. Quand la folie de la décoration l'avait frappée, elle avait réuni la salle d'eau du palier et la salle de bains principale pour créer un espace incroyable. Au centre trônait une baignoire pour deux personnes, d'un côté une imposante douche à l'italienne, et de l'autre un gigantesque lavabo.

— Il ne manque plus qu'une télé et un frigo, et vous n'aurez plus besoin d'en sortir ! s'extasia Liam.

— Très drôle. Enlevez votre tee-shirt.

Il l'ôta en un clin d'œil. Son torse se souleva au rythme de sa respiration rapide. Il avait une peau lisse et veloutée tendue sur des muscles d'acier. Des boucles noires lui parsemaient le torse jusqu'à l'abdomen. Son Collier étincela, les maillons noir et argent bougeant au gré de ses mouvements. Symbole de captivité, soit. Néanmoins, n'importe quel top model rêverait d'être aussi torride que Liam torse nu, arborant un jean taille basse et une chaîne en métal autour du cou.

Kim voulait toucher le moindre de ses muscles, en redessiner les lignes des épaules jusqu'aux reins, s'arrêter au niveau des fesses et s'y attarder un instant…

Les zébrures que Fergus lui avait infligées avaient cicatrisé, mais les bleus étaient toujours visibles. *D'ici deux jours*, songea-t-elle, *personne ne pourra deviner qu'il a été battu*.

Elle effleura avec tendresse les marques encore apparentes.

— Comment est-ce possible ?

— Je vous l'ai dit, nous guérissons vite, répondit-il avec un sourire. Ce n'est pas ça qui me fait souffrir, trésor.

— Qu'est-ce alors ?

Il se débarrassa de son pantalon, un peu plus doucement parce qu'il devait d'abord descendre sa braguette, puis, sans perdre une seconde, il ôta ses sous-vêtements et Kim se retrouva à cajoler un garou de deux mètres particulièrement excité.

— C'est vous, murmura-t-il.

Sa peau, brûlante et satinée sous les doigts de la jeune femme, ruisselait de sueur.

— J'ai besoin de vous, Kim. Ça me tue.

— Vous avez un problème ? demanda-t-elle avec inquiétude.

— C'est l'instinct de reproduction. Il me pousse à baiser ou à mourir.

— Quel poète !

— C'est plus fort que moi. Je vous ai revendiquée comme compagne, et mon corps veut achever le processus.

Sans déconner ! Elle se lova dans ses bras, pas malheureuse de se blottir tout contre lui. Instinct de reproduction ou non, pour Kim, il s'agissait ni plus ni moins de désir, si fort que le seul remède était d'y succomber.

Liam lui embrassa le front et couvrit sa chevelure de baisers. Elle promena les doigts sur ses épaules, puis sur son dos, jusqu'à son postérieur ferme et rebondi.

— J'adore vous toucher, murmura-t-elle.

— J'adore que vous me touchiez. Vos mains sont si fraîches.

Elle continua de lui caresser les fesses, aussi musclées qu'elle l'avait soupçonné.

— Vous avez un beau cul.

— Vous aussi, fit-il en l'empoignant à son tour.

— Je ne devrais pas faire ça.

— Quoi de plus naturel que l'accouplement ? L'union de la Déesse et du seigneur de la Terre perpétue le cycle des saisons. Et nous en faisons partie.

Elle ne put s'empêcher de rire.

— Vous savez, je crois que c'est la meilleure réplique de drague que j'ai jamais entendue.

Il lui lécha l'extérieur du cou.

— Et ça fonctionne ?

— C'est un conflit d'intérêts. Je pourrais compromettre l'affaire.

Il l'embrassa et commença à lui déboutonner son chemisier. Il ne répondit pas, et elle se rappela les dernières paroles de Fergus. Elle devait renoncer à défendre Brian et laisser le pauvre garçon porter le chapeau.

Porter le chapeau pour quoi, au juste ?

Kim s'était attendue à ce que Liam dise à l'autre d'aller au diable avec ses conditions, mais il n'avait pas protesté. Voulait-il, lui aussi, jeter Brian en pâture aux loups ?

— Liam, nous devons discuter.

À l'évidence, cela ne figurait pas à l'ordre du jour. Il continua de la couvrir de baisers brûlants, de la caresser. Le corps de Kim s'assouplit, son entrecuisse devint humide et douloureux.

L'érection de Liam appuyait contre son ventre, et elle sentit ses tétons se durcir. Elle fit courir sa main jusqu'à son entrejambe, sans pouvoir se retenir, et la referma sur son pénis.

Mince. Il était énorme ! La hampe de chair dans sa paume vibrait légèrement au rythme de son pouls. Sa peau était brûlante, et jamais auparavant elle n'avait perçu à ce point le désir d'un homme.

Ou plus exactement, d'un garou.

Les suppositions des femmes sur les mâles de cette espèce étaient, à l'évidence, fondées. Ils étaient mieux membrés que les humains. Plus durs et plus torrides. Elle frotta le pouce contre son gland glissant et avide.

— Pourquoi me tourmenter ainsi ? lui demanda-t-elle.

Il ne sembla pas l'entendre. Les yeux réduits à deux fentes, comme ceux d'un chat, il poussa un grognement guttural.

— Je vous interdis de vous transformer pendant que je vous caresse. (Elle le serra avec fermeté, et il gémit tout bas.) Ce serait trop bizarre.

— Ah, ces humains ! (Il lui mordilla l'oreille.) Apprenez-moi encore à embrasser.

Il posa la langue sur sa bouche et essaya de s'y insinuer.

À défaut de finesse, il faisait preuve de ferveur. Il lui lécha les lèvres sans cesser de lui caresser le dos. En bas, Sean et Connor lâchèrent un autre cri de victoire, et Kim voulut y répondre. Les dents de Liam l'éraflèrent ; ses baisers étaient maladroits, mais ses mains expertes.

Il acheva de lui déboutonner son chemisier et, de ses doigts rugueux, lui effleura la poitrine. Son soutien-gorge en dentelle s'entrouvrit.

— Je veux vous admirer.

Kim relâcha Liam le temps qu'il écarte les pans de son chemisier et que son soutien-gorge tombe par terre. Il la dévorait des yeux, les joues rouges, les pupilles dilatées.

Abel ne l'avait jamais regardée ainsi, comme si elle était une déesse grecque. Liam prit son sein dans sa paume avec une certaine révérence et, du pouce, suivit le contour de l'aréole. Son téton se dressa, et il se pencha pour le titiller du bout des dents.

— Vous êtes si belle, susurra-t-il contre sa peau.

Abel ne lui avait jamais dit ça, non plus.

— Pour une humaine ?

— Pas seulement.

— Je ne vous dégoûte pas ?

Il rit tout bas.

— Contentez-vous d'accepter un compliment, trésor. Votre corps est fait pour l'amour. (Il posa la main sur le ventre de Kim et lui déboutonna son jean.) J'aime la courbure de vos hanches, ajouta-t-il en le faisant descendre sur ses cuisses, et l'air frais chatouilla la peau dénudée de la jeune femme.

— Leurs rondeurs, oui !

— Ce n'est pas ce que je veux dire, et vous le savez. (Il fit glisser le jean jusqu'à ses chevilles.) Oh, mais vous portez le string, finalement !

Il plaqua une main énorme sur une fesse nue, qui exposait la véracité de son propos. Il la pétrit avec douceur et Kim frissonna. Elle se trouvait en string au beau milieu de sa salle de bains, collée à l'individu le plus sexy au monde.

Celui-ci imprima des baisers le long de son cou, puis lécha le creux à la naissance de sa gorge. Elle se sentit chavirer. Liam lui mordit la lèvre, puis la joue et, avec fermeté, il l'agrippa par la nuque pour la maintenir immobile.

La pensée lui traversa l'esprit que, même entravé par son Collier, le garou était bien plus fort que les hommes qu'elle avait fréquentés. Il pouvait projeter Abel à travers la pièce sans verser une seule goutte de sueur, ou arracher les vêtements de Kim en une fraction de seconde.

Comme s'il avait lu dans ses pensées, Liam saisit l'élastique de son sous-vêtement et le tordit jusqu'à ce qu'il cède. Il frôla du bout des doigts la moiteur entre ses cuisses, et elle haleta en s'arc-boutant contre lui.

Quand il rompit leur étreinte langoureuse, tous deux étaient à bout de souffle. Il desserra sa prise sur sa nuque et l'effleura tendrement en guise d'excuse.

— Je ne veux pas vous faire mal.

Il avait toujours ses yeux étroits de chat, les pupilles bleu pâle en amande.

— Je suis une dure à cuire.

— Vous êtes si menue, répondit-il avec douceur et émerveillement. Si petite, si fragile. (Ses caresses se firent de plus en plus délicates.) Par la Déesse, si jamais je vous blessais ?

Kim lui décocha un sourire passionné.

— Jamais un homme ne m'a qualifiée de « menue ». En général, leur leitmotiv c'est : « Tu es sûre de vouloir manger ça, Kim ? Tu surveilles ta ligne, non ? »

— Quelle bande de crétins !

Elle posa le front contre celui de Liam et se plongea dans son regard effrayant sans broncher.

— Et si on se concentrait sur nous ?

Il lâcha à nouveau un grognement rauque.

— J'ignore si j'arriverai à me retenir. C'est la première fois pour moi.

— Un garou puceau ? Qui l'eût cru ?

— Avec une humaine !

Il lui ébouriffa les cheveux de ses doigts robustes.

— Aussi douce que vous, renchérit-il.

Elle se tortilla contre lui.

— On doit passer à l'acte, déclara-t-elle. Sinon, on risque d'imploser.

Un cri de joie leur parvint du rez-de-chaussée, suivi d'une longue acclamation. Kim ne put s'empêcher de se demander si l'atmosphère était plus chargée dans sa salle de bains ou dans son salon.

Le grondement de Liam se mua en un rugissement bestial, et il s'allongea sur le sol, attirant Kim à lui. Elle se retrouva à califourchon sur son partenaire, l'épais tapi blanc contre ses genoux amortissant le frottement.

Il la maintint par les hanches.

— À vous l'honneur, Kim. Je ne réponds plus de rien.

Elle n'était pas sûre non plus de maîtriser quoi que ce soit. Elle se pencha vers lui et l'embrassa tout en remuant le bassin afin d'appuyer contre son gland.

— Vous êtes un homme incroyable, Liam Morrissey. Nous avons fait connaissance hier, et aujourd'hui on s'envoie en l'air sur le carrelage de ma salle de bains.

Liam ne dit rien, le visage crispé. Kim s'approcha davantage, puis fit glisser son érection en elle.

Oh, Seigneur tout-puissant ! Elle ferma les paupières, renversa la tête en arrière tout en laissant échapper un râle. Liam était énorme, mais elle était si mouillée qu'elle l'accueillit avec plaisir tandis qu'il la pénétrait doucement. Quelle exquise sensation ! Elle gémit de nouveau, elle d'ordinaire si silencieuse pendant l'amour. Elle avait toujours été fière de sa discrétion, de sa délicatesse. Elle se rendait compte à présent qu'elle n'avait jamais eu envie de faire de bruit ni eu de raison d'en faire.

L'expression de Liam se radoucit, et ses prunelles retrouvèrent leur couleur indigo qu'elle aimait tant. Il poussa un cri bestial lorsqu'il lui empoigna les seins et en titilla la pointe de ses doigts rêches et brûlants.

— Je ne me serais jamais douté que les humaines pouvaient être si belles, déclara-t-il.

Kim sourit. Son cœur réchauffé par ces paroles se mit à battre plus vite. Il était sublime. Et doué. Elle l'avait taquiné sur sa « virginité », mais, à l'évidence, il savait très bien s'y prendre.

Elle sentit les peluches de son tapis sous ses genoux, la passion enflammée qui les unissait, les mains apaisantes de Liam. Il exhalait la sueur, le sexe et sa propre odeur. Un voile de transpiration faisait luire son torse musculeux parsemé d'une humide toison noire. Sa barbe de trois jours étincela lorsqu'il releva le menton et ferma les yeux dans un moment d'extase.

Kim se courba vers lui pour l'embrasser, savourant son goût musqué mêlé à l'arôme du soda qu'il avait bu dans la voiture. Il la saisit par la taille et cambra les hanches pour s'enfoncer profondément en elle. La tête de la jeune femme bascula en arrière, et elle ne put réprimer un cri, noyé sous le bruit de la télévision et les hurlements du rez-de-chaussée.

Liam se redressa à moitié, aidant Kim à le chevaucher. Leurs lèvres se frôlèrent, se séparèrent. Les yeux du garou restèrent bleu foncé. De temps à autre, le fauve tentait de refaire surface, mais Liam s'efforçait de le contenir. Il peinait à se retenir, Kim s'en rendit compte même si elle voguait sur un nuage de volupté. Elle se demanda à quoi il ressemblerait une fois libéré de toute entrave, et cette pensée l'excita davantage.

Des perles de sueur gouttèrent sur sa peau. Son amant continuait d'aller et venir entre ses cuisses, la submergeant de plaisir à chaque coup de reins.

— Liam !

Celui-ci gronda. Ses iris devinrent blancs avant de recouvrer leur teinte habituelle. Il l'attira à lui pour l'embrasser. Leurs lèvres se mêlèrent, et il roula avec elle, l'allongeant sur le dos contre le tapis trempé.

Il n'y avait rien de meilleur au monde ! Quoi de plus agréable qu'être étendue par terre, nue, en compagnie d'un sublime et vigoureux garou ?

Kim se cambra pour mieux en profiter. Tous deux haletaient, grognaient. Le visage de Liam était cramoisi, ses yeux mi-clos. Les muscles de ses bras et de ses épaules saillaient tandis qu'il lui faisait l'amour, et le miroir au bout de la pièce renvoyait l'image de son joli fessier qui se contractait.

Quand elle atteignit enfin l'orgasme, elle jouit comme jamais. L'univers s'écroula, et elle ne perçut plus que cette exquise sensation qui la transperçait. Plus rien n'importait, plus rien n'existait, si ce n'est eux, leurs corps ruisselants scellés l'un à l'autre, et la fièvre qui les consumait.

La gorge de Kim l'élançait, mais Liam demeura silencieux tandis qu'il effectuait ces derniers mouvements de va-et-vient.

— Sens mon sperme, Kim, murmura-t-il. Prends-le, mon amour.

Le liquide chaud se répandit en elle, la semence d'un garou. Il l'embrassa à pleine bouche sans cesser d'onduler du bassin.

Quand il s'effondra enfin sur elle, pantelant comme s'il ne devait plus jamais retrouver son souffle, Kim remarqua que le vacarme du rez-de-chaussée avait cessé.

13

C'était donc ça, la félicité.

Une mine radieuse, un cœur joyeux.

Liam roula à nouveau sur le tapis et ramena Kim sur lui. Elle l'embrassa de ses lèvres chaudes et douces. Il n'aurait jamais cru être aussi comblé un jour. Elle était sa dame, sa partenaire, celle qu'il protégerait au péril de ses jours.

Enfouie dans les profondeurs de son esprit, la peur le titillait. Il avait vu ce qui était arrivé à son père et à son frère quand leurs compagnes avaient disparu. Dylan s'était coupé du monde une année durant. Kenny s'était replié sur lui-même et n'avait adressé la parole à personne pendant des semaines.

Liam comprenait leur chagrin, à présent. Si on lui prenait Kim, il en mourrait. Et pourtant, ils venaient de se rencontrer. Leur bonheur était encore récent, fragile. Imaginez la peine après des années de vie commune, passées à connaître l'autre, corps et âme. Et perdre cela…

Il serra la jeune femme de toutes ses forces. Elle était sublime, pulpeuse, sa poitrine généreuse pressée contre son torse. Les hommes qui ne la trouvaient pas parfaite méritaient d'être réduits en lambeaux.

Elle le contempla avec un sourire.

— C'était... Waouh !

— Waouh ? Où sont passés tes talents d'oratrice ?

— « Waouh » résume bien mon ressenti.

Il lui caressa les cheveux et lui baisa les lèvres.

— Je m'améliore d'heure en heure.

— Je crois que tu manques d'entraînement.

— Continue de m'apprendre, trésor.

Elle l'embrassa à son tour. Quand elle recommença, il l'attira à lui avec sa langue, et enfonça les doigts dans sa chevelure. Il savourait ces leçons, même si leurs bouches étaient meurtries après tant d'ébats enflammés. Il voulait s'assurer de l'embrasser, vraiment, pour le restant de ses jours.

Quelque chose vibra à l'autre bout de la pièce.

— Oh, punaise !

Kim se redressa aussitôt.

Liam la laissa se lever à contrecœur. En contrepartie, il la regarda se glisser dans son pantalon, et la vue de son postérieur ne tarda pas à l'émoustiller. Elle tira son portable de sa poche avant de s'asseoir, et il put admirer ses seins ronds et laiteux, ornés de mamelons rose foncé. Il prit appui sur son coude et décida de profiter du spectacle.

— Ouais ? demanda-t-elle dans le combiné.

Un homme répondit, assez fort pour que Liam l'entende.

— Salut chérie ! Quoi de neuf ?

Elle ferma les paupières.

— Abel.

— Tu voulais quelque chose ?

Elle rouvrit aussitôt les yeux.

— Qu'est-ce que tu racontes ? C'est toi qui m'as appelée.

L'intonation d'Abel changea, laissant transparaître un zeste d'agacement.

— La nuit dernière, quand tu m'as téléphoné, tu semblais préoccupée. Qu'y a-t-il ?

— Ça n'a plus d'importance, maintenant.

— Bon. Je vais être débordé toute la journée, toute la semaine même, mais je pourrai m'arranger pour passer vendredi prochain.

S'arranger ? Alors que cette femme l'attendait ? Ce type était un abruti fini.

— Abel. (Kim regarda au loin et ramena les jambes sous ses fesses.) Je ne serai pas disponible vendredi. En fait… je pense qu'on devrait se séparer.

— Bien. (La ligne grésilla tandis qu'il assimilait ses paroles.) Attends, qu'est-ce que tu viens de dire ?

— J'ai dit que je voulais rompre.

— Pourquoi ?

Il paraissait abasourdi. Pas triste, pas fâché, seulement étonné.

Elle claqua la langue avec impatience.

— Le fait que tu le demandes me conforte dans ma décision.

— Kim, chérie, tu racontes n'importe quoi.

— Épargne-moi ta condescendance. J'ai rencontré quelqu'un. Je n'ai rien calculé, mais c'est arrivé. Toi et moi n'allions nulle part, alors je n'y ai pas réfléchi à deux fois.

— Oh. (La stupeur, de nouveau, au lieu de la colère.) C'est quelqu'un du cabinet ?

— Non. Comme je te l'ai dit, je viens tout juste de le rencontrer.

— OK. Bon, ben à plus tard, alors.

— C'est ça.

Abel raccrocha. Kim resta assise, les yeux dans le vague, tendue des pieds à la tête, puis elle balança le téléphone à travers la pièce. Il atterrit par terre et tournoya sur le carrelage avant de percuter la baignoire massive.

— J'ai perdu deux ans de ma vie avec lui, et tout ce qu'il trouve à me dire c'est : « Bon, ben à plus tard » ?

Liam roula sur le dos et prit appui sur les deux coudes.

— Il m'a l'air un peu benêt.

— Pas qu'un peu. (Elle pressa la paume contre son front.) Tu sais pourquoi je suis sortie avec lui ? Ça ne m'avait jamais frappée avant. Parce qu'il voulait bien de moi. C'est tout. On n'a rien en commun. C'était une solution de facilité, pour lui comme pour moi. Je suis pitoyable.

Liam lui tendit la main.

— Tu n'es pas pitoyable, trésor. Tu étais seule. C'est différent. (Il agita les doigts.) Viens par là.

Elle s'approcha sans traîner et se dressa devant lui. Quelle vue magnifique ! Il promena le regard sur ses jambes menues, remontant vers la délicate toison entre ses cuisses, puis jusqu'à son charmant nombril, ses seins voluptueux, sa nuque délicieuse, avant de s'arrêter sur son magnifique visage.

— Nous sommes unis, désormais, déclara-t-il alors que la jeune femme s'agenouillait par terre, à ses côtés. Tu ne seras plus jamais seule. Tu m'as, moi.

— Ainsi que ton ego.

— Tu me fais rire, trésor. Tu m'as, moi, mon père, Sean, et Connor. Sans oublier Ellison et Glory. Tous les garous.

— Même Fergus ?

Il grimaça.

— Lui aussi. Il est sur les nerfs depuis l'arrestation de Brian. Je ne sais pas pourquoi. Mais d'ordinaire, c'est un dirigeant juste. La plupart du temps.

— Juste ? Il a essayé de fouetter Connor pour s'être opposé à lui.

— C'est vrai, et c'est peut-être difficile à comprendre, mais Connor a eu tort. C'est encore un enfant. Il n'occupe aucune place dans la hiérarchie, et s'attaquer au chef de clan ne peut rester impuni. Connor a agi en connaissance de cause. En d'autres circonstances, il s'en serait tiré avec un avertissement, mais en plein milieu d'un débat, alors que notre famille est déjà disgraciée... Fergus ne pouvait pas laisser passer un tel affront.

— Et du coup, il s'est vengé sur ton père et toi.

— N'importe quel membre du groupe peut se porter volontaire pour encourir le châtiment à la place d'un autre. Mon père et moi pouvions supporter le fouet, Connor n'y avait jamais été confronté. Sans oublier que Fergus voulait me punir, moi. Cela ne faisait aucun doute. Connor lui a simplement fourni un prétexte.

— C'est encore un de ces trucs de garous que je ne peux pas comprendre, hein ?

Liam ne put masquer son hilarité.

— Tu finiras par t'y habituer. Un jour, nos mystères n'auront plus de secrets pour toi.

— Non, je ne m'y ferai jamais.

Elle replia les jambes contre le menton, ce qui fit ressortir les courbes exquises de son corps.

— On ne peut pas se fréquenter pour le moment, Liam, reprit-elle. Pas avant la fin du procès et la libération de Brian. Ensuite, pour être honnête, j'aimerais apprendre à te connaître un peu mieux. Ce qui s'est passé aujourd'hui ne saurait se reproduire.

Il emmêla les doigts dans les siens.

— On ne se fréquente pas, trésor. Nous sommes liés pour la vie.

Kim retira ses doigts avec délicatesse et s'éloigna de quelques centimètres. Liam ne s'y opposa pas. Tout cela était nouveau pour elle, et il ne devait pas la brusquer.

— C'est ce que signifie l'union pour les garous.

— C'est différent chez les humains, objecta-t-elle. Je ne serai unie à toi que si je t'épouse. Si je signe un document qui le prouve.

— On ne délivre pas de certificat de mariage aux garous. Du moins, sous les lois actuelles.

— Je sais. Je suis désolée.

— Fergus nous a déclarés compagnons selon nos coutumes, à la lumière du soleil. Dans quelques jours, mon père en fera de même sous la pleine lune. Ensuite, ce sera toi et moi, pour l'éternité. Comme tu es humaine, je demanderai à un fae de nous lier à son tour. Il augmentera ton espérance de vie naturelle afin qu'on vieillisse ensemble. (Il sourit de toutes ses dents.) Tu imagines un peu toutes les affaires que tu pourras défendre ?

— Les faes possèdent un tel pouvoir ? s'étonna-t-elle, les yeux écarquillés. Comment se fait-il que nous ne cherchions pas à les débusquer pour rester jeunes éternellement ?

— Parce que ces créatures sont insaisissables pour les humains, et ça ne fonctionne que si ces derniers sont unis à un garou. Ce qui demeure très rare, pour des raisons évidentes. Par ailleurs, seul un garou peut quérir un fae. Que cela leur plaise ou non, ils doivent s'acquitter de certaines obligations à notre égard, et c'est l'une des faveurs qu'ils nous accordent lorsque nous la sollicitons. Grâce à leur intervention, nous vieillirons et mourrons ensemble.

— Génial, et si tu te fais renverser par un bus ?

— J'ai bien précisé « naturelle ». Pareil qu'une relation normale, mais plus longue.

Kim esquissa un sourire et secoua la tête, comme s'il racontait des bêtises.

— Ce n'est pas aussi simple.

Elle ne comprenait toujours pas. Elle y viendrait, avec le temps. Elle était loin d'être stupide. Et alors... elle le tuerait.

— Ça marche, trésor. De toute façon, tu as gardé ma semence. Que diras-tu au petit si tu refuses de te lier à moi ? Ce sera gênant pour lui.

— Le petit ? Oh, tu veux dire si j'ai un bébé ! Ne t'en fais pas pour ça. Je prends des contraceptifs.

— Pardon ?

— Pour ne pas tomber enceinte. Je ne sais pas si ça existe chez vous.

— Je sais ce que c'est, Kim.

Les humains se reproduisaient comme des lapins et cherchaient toujours des moyens pour empêcher les enfants de venir au monde. Chez les garous, en revanche, le taux de fécondité était si faible et la mortalité infantile si élevée que jamais ils ne songeraient à limiter les naissances. Leurs femelles n'ignoraient pas les dangers de l'enfantement, et pourtant, elles l'appelaient de leurs vœux.

— J'y ai eu recours parce que je sortais avec Abel, expliqua Kim d'une voix posée. Ç'aurait été malvenu que lui et moi ayons un enfant. Pour être honnête, ç'aurait été une catastrophe.

— Et si tu en avais un avec moi ?

— Tu es un garou.

Liam s'appuya à nouveau sur les coudes et fronça les sourcils.

— Quelle différence ?

— Ne te vexe pas, je t'en prie. Si j'avais un bébé à moitié garou, ça signerait la fin de ma carrière. J'ai fait des recherches sur ce point quand j'ai accepté de défendre Brian, parce qu'il fréquentait une humaine. Très peu d'hybrides sont venus au monde depuis que vous portez le Collier, mais chaque fois, la mère a été mise au ban de la société. Tu veux connaître ma théorie sur la mort de Michelle ? Je pense que son ancien petit ami l'a assassinée parce qu'elle l'avait trompé avec Brian, un garou. J'imagine que ça avait dû le rendre dingue. (Elle soupira.) Mais de là à le prouver…

Liam se hissa sur ses pieds et s'avança d'un pas furieux vers l'armoire à pharmacie qui surplombait le lavabo immaculé. Il l'ouvrit et commença à en sortir des flacons.

— Qu'est-ce que tu fabriques ?

— Je cherche tes pilules contraceptives. Pour les balancer aux toilettes.

— Je ne prends pas la pilule. Le médecin me fait des injections.

— Dans ce cas, arrête.

— Pardon ? (Elle se leva et planta les poings sur ses hanches nues.) En quoi ça te concerne ?

— Tout ce que tu fais me concerne.

— Liam, si tu attends d'une femme qu'elle ponde une ribambelle de mini-garous, il y en a des tas qui bavent littéralement sur toi. J'ai vu la serveuse au bar… C'était quoi son nom, déjà ? Annie ? Il lui suffirait d'un clin d'œil pour coucher avec toi.

— Déjà fait.

— Oh. (Liam espérait-il déceler de la jalousie dans ses yeux ?) As-tu jeté à la poubelle tous ses contraceptifs ?

— C'est une lycane. Je t'ai dit que les chances de conception dans ces cas-là étaient limitées, tu as oublié ?

— Sacré veinard !

— À t'entendre, on croirait que tu ne désires pas d'enfants.

— Bien sûr que si ! s'écria-t-elle en dardant sur lui un regard exaspéré. J'aime les enfants. Mais pas maintenant.

— Et pas avec un garou.

— Si je décidais d'en choisir un, ce serait toi. (Elle lui décocha son plus beau sourire.) Peut-être plus tard, quand ma carrière sera établie, et si tu es toujours disponible…

Liam traversa la pièce et la prit dans ses bras avant qu'elle puisse lui tourner le dos.

— Comprends-moi bien, Kim. Nous sommes unis. Cela signifie que je te serai fidèle jusqu'à la mort et même au-delà, car j'aurais l'impression de te trahir même si tu disparaissais. Je te protège, je veille sur toi, je me lie à toi, et à toi seule.

Elle blêmit.

— C'est la tradition chez vous ?

— Non, c'est la loi, la magie qui coule en nous et dont nous sommes empreints. Grâce à cette union, tu fais partie de mon groupe. Fergus ne peut plus te toucher sans me passer sur le corps. Voilà pourquoi je t'ai revendiquée.

Kim se tortilla pour se libérer, et il la laissa partir.

— C'était nécessaire, expliqua-t-il. Si je ne l'avais pas provoqué en duel, Fergus t'aurait prise pour compagne et tu n'aurais pas eu ton mot à dire.

— C'est impossible ! s'insurgea-t-elle. Je ne suis pas soumise à vos lois.

— Tu oublies que nous sommes des bêtes. Malgré nos ressemblances et les chaînes dont vous nous affublez, nous naissons animaux et apprenons à devenir humains par la suite. Le chef de clan peut revendiquer n'importe quelle femelle célibataire selon son bon vouloir. On doit rester en retrait et le laisser faire, à moins qu'on ne souhaite le défier. C'est son droit. Fergus possède une force hors du commun, et beaucoup au sein du clan préfèrent ne pas lui tenir tête. Du coup, il prend les compagnes qu'il veut.

— Mais je ne suis pas des vôtres…

— Tu crois que Fergus s'en soucie ? Il veut te maintenir sous sa coupe pour contrôler ce que tu racontes aux humains derrière notre dos.

— Une seconde. (Elle eut soudain un regard horrifié.) Sous-entends-tu que si je n'avais pas accepté de m'unir à toi, Fergus m'aurait enlevée et violée ?

— Sans doute.

— Mais il paierait gros pour ça. N'importe quel tribunal le crucifierait sur place.

— Vraiment ? Ou estimerait-il que tu l'as bien cherché ? Que tu n'avais qu'à ne pas approcher les garous ? Tu viens de dire qu'avoir un enfant avec moi mettrait fin à ta carrière, que Michelle était morte pour avoir fréquenté un garou. Pour être une pute à garou, comme ils disent.

Kim blêmit, et elle s'assit sur le rebord de la baignoire.

— Merde.

Liam s'avança vers elle et s'accroupit à ses pieds.

— Ne crains rien, trésor. Je ne le laisserai jamais te faire du mal. Jamais. Tu es mienne, à présent, et cela compte plus que la hiérarchie. Il peut s'en prendre à moi, mais pas à toi. Même s'il me tuait, tu serais protégée par ma famille, par mon groupe.

— Mais pourquoi Fergus voudrait-il encore ta peau ? fit Kim, perplexe. Il a eu l'air de capituler, comme s'il se fichait pas mal de moi en fin de compte.

— Parce qu'il se savait vainqueur. Il m'a amené à lui promettre de te maîtriser, pour le bien de tous les garous. S'il s'était entêté à te posséder pour sa seule satisfaction personnelle, le clan n'aurait pas approuvé. Il a beau être le chef, il ne peut pas se permettre de perdre notre respect. Sans compter que mon père était présent. Fergus s'est toujours demandé s'il aurait le dessus face à lui, et il ne tenait pas à le découvrir aujourd'hui, surtout pas devant tout le clan réuni.

— Pourquoi Dylan ne le combat-il pas ? À l'évidence, Fergus n'est guère apprécié.

— Pour tout te dire, trésor, je l'ignore, répondit Liam, troublé. Il refuse d'en parler. Il sait peut-être qu'il ne fait pas le poids face à Fergus et que, s'il était tué, il ne pourrait plus nous protéger. Ce ne sont que des suppositions. Il ne l'a jamais avoué et s'énerve dès qu'on aborde le sujet.

Kim fronça les sourcils et se frotta les bras.

— Pourtant, quand Fergus s'est avancé vers moi avec son fouet et que tu as failli te jeter sur lui, Dylan t'a arrêté. Il a déclaré que ce n'était pas « ton droit ». Qu'a-t-il voulu dire ? Je croyais que tu étais censé te battre ?

Liam se rappela le sursaut d'adrénaline qui l'avait assailli, comme si on l'avait marqué au fer blanc, quand il avait vu Kim dans la ligne de mire de Fergus. Seule la voix dure de son père l'avait empêché de commettre un geste fatal. Sans lui, cette journée se serait achevée d'une façon toute différente.

— À ce moment-là, je voulais le tuer. Le chat-fae en moi brûlait d'affronter Fergus dans un combat de pouvoir, de le terrasser pour de bon. Le duel pour la revendication d'une compagne n'est pas à mort, du moins plus maintenant, mais celui pour remporter la direction du clan, si, à moins que le chef ne s'avoue vaincu avant le début des hostilités. Père m'a évité d'en faire une question d'autorité, louée soit la Déesse.

— Pourquoi ? Du coup, Dylan n'aurait plus à le faire. (Elle soupira.) Non que je souhaite te voir dans une lutte mortelle. Je suis heureuse qu'il t'en ait empêché.

— C'est une question de politique.

Liam essayait de paraître désinvolte, mais un détail subtil avait changé au cours de cet affrontement, et il se demandait encore quoi.

— Seul mon père, en tant que chef de groupe, a le droit de se battre pour la position dominante, poursuivit-il. Si je veux me débarrasser de Fergus, je dois d'abord m'attaquer à mon père, ce qui ne risque pas d'arriver de sitôt.

Kim l'observa avec un petit sourire.

— Parce qu'il pourrait te botter le train ?

Liam rit.

— Non, parce que c'est mon père et que je l'aime. Et oui, il me botterait sans doute le cul, ajouta-t-il, hilare.

Kim enroula ses bras autour de sa poitrine.

— Je pensais avoir mené des recherches exhaustives sur vos lois, mais je ne me rappelle rien de tout ça.

— Parce qu'elles ne sont pas écrites, mais basées sur l'instinct et la tradition. Elles se transmettent de génération en génération. (Il posa la main sur son épaule.) C'est compliqué, même pour nous, mais je te protégerai, Kim. N'en doute pas un seul instant.

Elle lui adressa un regard angoissé.

— Liam, je ne peux pas être ta compagne. Je suis venue dans le quartier garou afin d'obtenir de l'aide pour monter la défense de Brian, point barre. Je suis contente que vous me débarrassiez de Fergus, mais je n'emménagerai pas chez toi pour devenir une machine à pondre des bébés. Tu es fou si tu pensais que j'allais l'accepter.

Il dessina des cercles sur son épaule.

— Personne ne peut te forcer à faire quoi que ce soit, Kim Fraser, je le sais.

Elle s'arracha à son étreinte, se leva et ramassa ses vêtements.

— Tout juste. (Elle enfila son pantalon à la hâte.) À présent, si tu veux bien rentrer chez toi avec ta famille, j'ai vraiment beaucoup de travail et du retard à rattraper.

— Très bien.

Elle s'arrêta pour le dévisager.

— Tu es d'accord ? Juste comme ça ?

— Juste comme ça, trésor.

— Arrête de m'appeler « trésor ».

Il gloussa.

— Ça, c'est impossible.

Il regarda les seins de Kim ballotter tandis qu'elle cherchait à tâtons le reste de ses affaires. Il ne la brusquerait pas. Elle était humaine, tout cela avait été très soudain, et elle avait besoin de temps pour s'habituer. Quoi qu'il en soit, elle était à lui. Elle était sa compagne, son amante.

Sienne à jamais.

Elle finit de se vêtir et sortit en hâte de la salle de bains. Il lui emboîta le pas, peu soucieux de se rhabiller. Il marqua une pause sur le palier pour reluquer ses hanches tandis qu'elle dévalait les marches.

Malgré sa colère, sa confusion et sa souffrance, et même si elle allait faire de sa vie un enfer, la jeune femme rayonnait de beauté. Son corps, imprégné de l'odeur de Liam, exhalait celle de leurs ébats. Magnifique, sublime Kim.

Il la suivit dans l'escalier. Elle s'arrêta brusquement, remarquant que la télévision était éteinte, et le salon plongé dans le silence. Sean et Connor l'observaient d'un air innocent.

Puis le second arbora un immense sourire.

— Tout va bien, là-haut ? J'ai cru que le plafond allait s'effondrer.

Kim piqua un fard.

— Où est Dylan ?

— Parti, répondit Sean. Il a pris le bus pour rentrer. Il vit sa vie.

— Je vois, dit-elle, à l'évidence embarrassée. Je peux appeler un taxi pour vous.

L'autre secoua la tête.

— Pas la peine. Père a dit qu'il reviendrait nous chercher.

Connor s'était rembruni.

— Tu ne viens pas avec nous, Kim ?

Pauvre petit. Il l'aimait bien. Son union avec Liam l'avait ravi, et il avait dû se dire qu'elle allait d'emblée intégrer la famille. Il avait encore beaucoup à apprendre sur les femmes.

— Maintenant que Fergus ne représente plus une menace, comme me l'a assuré Liam, je vais rester chez moi, expliqua l'avocate. J'ai été contente d'avoir pu vous aider, aujourd'hui, et je vous remercie pour les pancakes, mais je suis fatiguée et j'ai du travail qui m'attend.

Liam se transforma. Son chat-fae n'attendit pas qu'il s'y prépare et, pour la première fois de sa vie, la métamorphose ne le fit pas souffrir. Il bondit de la dernière marche, qui grinça sous son poids, et se jeta sur Kim. Il la plaqua au sol avec ses grosses pattes velues, avant d'atterrir sur elle en veillant à garder l'équilibre pour ne pas l'écraser.

Sous cette forme, il pouvait vraiment la flairer, et le plus odorant des champs fleuris n'égalait pas son parfum. Son arôme se mêlait au sien en d'exactes proportions, signe de la compagne parfaite.

Elle se tortilla pour se soustraire à sa prise.

— Liam, qu'est-ce que tu fabriques ? Que quelqu'un me vire ce gros matou !

L'intéressé n'y prêta guère attention, tandis que son frère et son neveu riaient à gorge déployée. Il lui lécha le visage du menton jusqu'au front avec sa large langue et reprit son apparence humaine alors qu'elle tournait la tête pour hurler un : « Beurk ! »

À la grande surprise de Kim, Liam était parti avec les siens, et elle s'était retrouvée toute seule. Elle s'était attendue que, trop enclin à la surprotéger, il insiste pour qu'elle passe la nuit chez eux dans le quartier garou, ou qu'ils emménagent tous chez elle pour pouvoir regarder les chaînes du satellite.

Pourtant, il avait regagné l'étage, s'était rhabillé, et avait mené Sean et Connor dehors, en passant par le garage, à l'instant où Dylan garait son imposante camionnette dans l'allée. Tandis qu'ils y grimpaient, Liam enlaça Kim et l'embrassa.

— Repose-toi, à présent, dit-il en lui caressant les cheveux. On discutera plus tard.

Elle sentit ses lèvres la picoter. Elle en voulait plus, mais se força à reculer.

— J'irai travailler demain matin. Je ne laisserai jamais tomber, peu importe la volonté de Fergus.

— Je sais. (Il lui souleva la main et pressa un baiser sur sa paume.) Si tu abandonnais, tu ne serais plus toi. Mais comme tu aimes si bien dire, il va falloir qu'on parle.

Soudain et contrairement à ce qu'elle avait affirmé, Kim ne souhaitait plus qu'il parte.

— Demain ?

— Demain.

Liam imprima un dernier baiser brûlant sur ses lèvres avant de prendre congé. Elle résista à l'envie de lui courir après pour le supplier de rester.

Qu'est-ce qui ne tournait pas rond chez elle, à la fin ? Liam et sa famille l'avaient séquestrée dans le quartier garou, puis elle avait dû les conduire en plein milieu de nulle part, à cent soixante bornes d'Austin, afin qu'elle endure les mauvais traitements de Fergus, le voyou à moto irlandais.

Pourquoi son cœur l'élançait-il ainsi alors que la voiture s'éloignait, avec les quatre Morrissey entassés à l'intérieur ? Liam avait dû lui faire un lavage de cerveau avec ses sublimes yeux bleus et son sourire ravageur, sans parler de sa façon intense et renversante de faire l'amour.

Tandis qu'elle refermait la porte, le vide de la maison l'oppressa. La télévision était éteinte, aucun homme ne poussait des cris de joie. Elle se tint au centre du salon et laissa le silence l'envahir.

Kim passa le reste de l'après-midi en pilote automatique. Elle se doucha, en veillant à ne pas reluquer le tapis sur lequel elle avait chevauché Liam avec extase. Le souvenir de son corps sur le sien, de ses doigts, de ses baisers, du contact de sa peau était gravé en elle. Elle n'avait jamais expérimenté pareille relation sexuelle de toute sa vie.

Dans un état second, elle roula jusqu'au supermarché du coin, de l'autre côté de la colline. Elle se surprit à remplir son Caddie de produits qu'elle n'aurait jamais pensé à acheter deux jours plus tôt : des steaks, du bœuf haché, des chips et de la Guinness. *Pourquoi ?* songea-t-elle tandis qu'elle payait en évitant de croiser le regard de la caissière. *Ce n'est pas comme si j'allais les inviter de nouveau*. Mais, au cas où…

Elle rapporta les provisions chez elle et entassa le tout dans son réfrigérateur. Elle se prépara une salade qu'elle picora, puis elle ouvrit sa mallette, alluma son ordinateur et feuilleta ses dossiers avec lassitude.

Il fallait qu'elle comprenne tout ça : Brian, les Colliers, Fergus, cette union. Elle relut une note laissée par son ami Silas, qui lui demandait si elle pouvait lui organiser une entrevue avec les chefs des garous. Silas était un journaliste brillant et impartial qui ne craignait pas de révéler la vérité, sans pour autant inventer des histoires de toutes pièces. Deux jours plus tôt, elle aurait fait des pieds et des mains pour lui obtenir un entretien. Après ce qu'elle venait d'apprendre, elle n'était plus sûre que cela soit une bonne idée, ni même que Liam accepte de lui parler.

D'un autre côté, les événements de la journée lui avaient permis d'adopter un nouvel angle de vue dans l'affaire de Brian. Celui-ci avait-il eu l'intention de faire de Michelle sa compagne ? Si oui, n'aurait-il pas dû être aussi protecteur à son égard que Liam l'était avec Kim ? S'il avait décidé de « revendiquer » Michelle, jamais il n'aurait pu lui faire de mal. N'aurait-il pas tenté l'impossible pour la protéger ?

L'ex-petit ami de l'intéressée, en revanche, avait pu disjoncter. Un garou était difficile à éliminer, mais pas une humaine. Et si Brian pouvait porter le chapeau pour le meurtre, tant mieux !

Mais alors, pourquoi ce dernier n'avait-il pas été présent pour empêcher le tueur de s'en prendre à sa copine ? Où était-il passé pour ne pas la secourir à l'instant critique ?

L'avocate soupira et se massa les tempes.

Après une heure passée à se triturer les méninges en vain, elle monta se coucher. Grossière erreur. Elle aurait dû être épuisée après s'être roulée sur le carrelage de la salle de bains avec son amant, or elle était éveillée et surexcitée. Son pouls s'accélérait chaque fois qu'elle se remémorait leurs ébats torrides.

Elle n'avait jamais éprouvé cela. Elle aurait dû se sentir rassasiée après ce moment incroyable, mais elle en désirait davantage. De Liam comme de sexe.

— Qu'est-ce qui cloche chez moi ?

Elle s'assit et alluma sa lampe de chevet. Trois secondes plus tard, son téléphone sonna.

Elle décrocha, le cœur battant la chamade tandis que le suave accent irlandais de Liam lui caressait l'oreille.

— Kim. Tu vas bien ?

Elle voulut soupirer de bonheur.

— Oui, pourquoi ?

— Je voulais m'en assurer.

— Je vais bien. (Elle s'allongea sur les coussins, satisfaite et rassérénée.) Vraiment, très, très bien.

— Tant mieux.

On aurait dit qu'on lui délivrait la meilleure nouvelle de la journée.

Kim hésita.

— Comment va Connor ?

— Il m'en veut toujours, mais ça lui passera. Depuis que tu l'as autorisé à regarder le match chez toi, tu es devenue sa super-héroïne.

— Je suis contente qu'il aille bien.

— Je suis content que tu sois contente.

Elle se demanda si Liam lui téléphonait depuis son lit, s'il était étendu, nu, sur les draps dans lesquels elle avait dormi la veille. Les battements de son cœur s'accélérèrent.

— Je retourne au bureau demain, déclara-t-elle avec fermeté.

— Je sais. Je n'en attendais pas moins de toi. Bonne nuit, trésor, ajouta-t-il d'une voix plus douce. Tu m'appelles quand tu veux, d'accord ?

Il était sincère, c'était évident. Il suffisait à Kim de dire « Liam, j'ai besoin de toi » pour qu'il accoure. Aucun rapport avec Abel et ses sempiternels « Je suis débordée, chérie, je te rappelle plus tard ».

— Bonne nuit, Liam.

Elle rabattit le clapet de son portable et le posa sur sa table de chevet, mais il s'écoula un moment avant qu'elle n'éteigne.

Dehors, devant la demeure imposante de la jeune femme, Liam rangea son téléphone et envoya des baisers invisibles en direction de sa bien-aimée. Il se fondit dans les ombres qui jouaient sur le mur et décida de s'y installer. Ici, il pourrait la veiller jusqu'au petit matin.

14

Le lendemain matin, Kim se gara en toute hâte sur l'emplacement qui lui était réservé chez Lowell, Grant & Steinhurst, avec une demi-heure de retard.

Elle, en retard ! Un lundi. Absente pour la réunion hebdomadaire. Elle s'extirpa avec difficulté du véhicule, attrapa sa mallette et fonça vers l'entrée avant de s'arrêter, consternée.

Adossé à la Harley qu'il avait stationnée contre le trottoir longeant l'allée piétonne devant la société, Liam lui décocha un sourire malicieux.

— Bonjour, trésor, claironna-t-il.

— Que fais-tu ici ?

— Je veille sur toi. C'est mon devoir.

Le soleil de juillet se reflétait sur la crinière de jais et les verres fumés du garou. Vêtu d'un tee-shirt et d'un jean noirs, son Collier autour du cou, il mâchait un chewing-gum avec ostentation et avait tout l'air d'un dangereux prédateur. Ce qu'il était.

Kim poussa un grognement exaspéré.

— Liam, je ne peux pas amener un garou sur mon lieu de travail.

Il ôta ses lunettes et planta sur elle son regard azur.

— Je ne vois nulle part « Interdit aux garous », « Les garous ne sont pas autorisés sur la pelouse » ou « Interdiction de marquer son territoire ».

— Très drôle. Rentre chez toi.

— Non. (Il abaissa ses lunettes et la tira par le coude.) Si tu dois rester ici, je monterai la garde. Tu ne te rendras même pas compte de ma présence.

— Bien sûr, personne ne remarquera le garou d'un mètre quatre-vingt-dix dans mon bureau.

— Je ne bougerai pas, Kim. À moins que tu ne préfères rentrer à la maison avec moi. C'est toi qui vois.

Elle s'arracha à sa prise.

— Tu n'es rien qu'un casse-pieds autoritaire.

— Je ne veux courir aucun risque. Fergus ne peut plus te toucher, mais cela ne signifie pas qu'il s'abstiendra de te causer des problèmes. Certains de ses larbins sont... Disons que leur dévotion frôle le fanatisme.

— Vous êtes tous tarés, vous le savez ?

Liam haussa les épaules.

— Hé, c'est toi qui sors avec un garou. Ce qui fait de toi la plus cinglée de tous. Allons-y.

Il poussa la lourde porte en verre et, comme l'exigeait la coutume chez les garous, entra le premier. Une fois assuré de l'absence de danger dans le hall en marbre et granit poli, il lui fit signe de le suivre.

Elle savait que rien ne pourrait le faire fuir, excepté l'intervention de la police, et même les forces de l'ordre seraient obligées de recourir à un pistolet tranquillisant pour l'appréhender. Et puis, en son for intérieur, elle n'avait aucune envie qu'il parte. Elle se méfiait de Fergus, elle aussi, et la présence de Liam, malgré l'embarras, la gêne et la honte qu'elle suscitait, l'aidait à se sentir en sécurité.

Tandis qu'ils arpentaient les luxueux locaux, les juristes les reluquèrent à travers la porte, ou sortirent dans le couloir avec stupéfaction. Liam salua d'un signe de la tête le directeur qui venait de se figer à sa vue.

— 'Jour à vous !

Kim se précipita dans le bureau où la secrétaire, Jeanne, qui travaillait pour elle et deux autres avocats, tapait sur le clavier de son ordinateur. Celle-ci leva les yeux, les observa, bouche bée, et perdit toutes ses facultés.

— Qui est-ce que…

Liam sourit.

— 'Jour à vous !

— Tout va bien, assura Kim d'une voix ferme. Il m'assiste dans l'affaire du garou.

Jeanne sembla se liquéfier dans son fauteuil.

— Je peux vous offrir un café ? proposa-t-elle, non sans enthousiasme.

— Ce serait grandiose.

Kim attrapa Liam par le bras et le traîna dans son bureau encombré, avant de claquer la porte derrière eux. Elle lui désigna le canapé en cuir coincé entre deux bibliothèques.

— Puisque tu tiens à rester… Assis !

Il lui décocha un sourire carnassier. Il ôta ses lunettes de soleil, avant de s'étendre de tout son long et de croiser les doigts derrière la tête. Il était à croquer.

Irritée, la jeune femme posa sa mallette sur la table et l'ouvrit d'un coup sec.

— Qu'est-ce qui te prend de parler avec cet accent ridicule ?

— Je joue l'Irlandais. C'est bien comme ça que vous nous voyez, non ? J'ai également des expressions pittoresques en réserve, mais je les garde pour plus tard.

— Arrête de débiter des inepties.

Liam gloussa et ferma les paupières. Il semblait décidé à se prélasser ainsi toute la journée, lui rappelant à chaque seconde leurs jeux érotiques passionnés dans la salle de bains. Elle en avait rêvé toute la nuit, c'est d'ailleurs ce qui l'avait mise en retard. Quand il l'avait roulée sur le dos pour la pénétrer, son corps brûlant et puissant sur elle, elle n'avait jamais ressenti une telle union, une telle intimité avec un homme. Elle s'était sentie… entière.

Et même en faisant abstraction de ces mièvreries, s'envoyer en l'air avec lui avait été fantastique.

Trêve de rêvasseries ! Elle devait se montrer professionnelle et faire son travail. Elle avait d'autres affaires à préparer, une pile de témoignages et de rapports d'expertise à passer en revue. Elle n'avait pas encore trouvé un angle d'attaque pour la défense de Brian, ni lu le dernier compte rendu du détective privé.

Une fois le procès gagné, elle en aurait fini avec les garous. Les souhaits de Fergus n'auraient plus lieu d'être, Liam n'aurait plus à la surveiller nuit et jour, il pourrait rentrer dans le quartier garou et sortir de sa vie. Pour de bon.

À cette seule pensée, le monde perdit toutes ses couleurs.

Elle fourra les dossiers dans sa mallette.

— Je dois m'entretenir avec Brian. Je suppose que tu voudras m'accompagner ? On prendra ma voiture. Je refuse de me rendre à la prison du comté à l'arrière de ta moto.

Liam ne bougea pas.

— Tu n'iras pas voir Brian.

— Il le faut. Je dois lui poser des questions sur Michelle, savoir s'il comptait s'unir à elle ou s'il l'avait déjà fait. Si Brian la considérait comme sa compagne, il ne s'en serait jamais pris à elle, si ? Il l'aurait couvée comme un trésor, l'aurait défendue bec et ongles au lieu de l'attaquer.

— Il se peut que tu aies raison, mais ça ne change rien.

Kim referma sa mallette avec exaspération.

— Pourquoi ? Il est derrière les barreaux. Il ne risque pas de s'enfuir.

Il daigna enfin se lever.

— Tu n'iras pas parce que Fergus t'a ordonné d'abandonner.

Il était grand, imposant, et lui barrait le passage.

— On en a discuté. Je me fiche de Fergus.

— Tu fais bien. C'est un gros naze.

La jeune femme demeura impassible.

— Tu es d'accord avec lui ?

— Je n'ai pas dit ça.

Il posa les mains sur ses épaules. Elle n'était pas en mesure de l'affronter. En même temps, elle savait qu'il ne lui ferait jamais de mal. Il l'empêcherait de partir, mais sans la blesser.

— Dans ce cas, précise ta pensée.

— Fergus ne me fera pas confiance pour te maintenir à l'écart. N'oublie pas que c'est moi qui l'avais convaincu de te laisser venir dans le quartier garou. Il aura sans doute envoyé ses larbins pour te surveiller et te mettre des bâtons dans les roues. Je suis là pour t'épargner un accrochage. Si tu te rends en prison, je ne pourrai pas l'éviter.

Kim poussa un grognement excédé.

— Comment suis-je censée défendre un homme à qui je ne peux pas parler ? J'ai des questions importantes à lui poser.

— Trouve un autre moyen.

Elle essaya de le contourner en vitesse. Il l'attira contre lui d'une main.

— Liam.

Il enroula les deux bras autour d'elle et la serra avec fermeté.

— Écoute-moi pour une fois, trésor. Ne provoque pas Fergus plus que de raison. Il te le fera regretter.

Kim voulait succomber à cette divine sensation et se lover dans cette étreinte réconfortante. Ses propres parents ne l'avaient pas couvée autant, même si le décès de Mark les avait rendus paranoïaques. Ils avaient eu tendance à l'étouffer, puis, s'en rendant compte, à faire marche arrière.

Ils avaient fonctionné ainsi jusqu'à leur mort. Son éducation avait donc oscillé entre extrême discipline et permissivité, lorsque ses parents s'efforçaient de feindre le laxisme.

La protection de Liam l'enveloppait comme une douce couverture, mais cela n'en restait pas moins une entrave.

— Je ne peux pas travailler dans ces conditions, protesta-t-elle.

— Nous trouverons une solution.

Il lui embrassa le haut du front.

Le contact chaud de ses lèvres raviva le souvenir de leur nuit de plaisir et lui rappela que sa gorge était irritée d'avoir tant crié. Elle posa la main sur la taille de Liam, bien malgré elle, et laissa courir ses doigts le long de sa braguette. Son cœur s'emballa lorsqu'elle sentit le membre dur et brûlant derrière la fermeture Éclair.

Liam rit.

— Petite aguicheuse.

Il lui renversa la tête en arrière pour l'embrasser.

Il n'était pas encore expert en la matière. Il aimait donc expérimenter et explorer. Il fit glisser sa langue sur celle de Kim tandis qu'il lui agrippait les fesses avec fermeté. Il avait le goût de son chewing-gum mentholé.

Si quelqu'un entrait à cet instant précis, il verrait la main bronzée du garou collée à la jupe grise de l'avocate, imperturbable tandis qu'il lui dévorait la bouche. Et encore, ce n'était que la partie émergée de l'iceberg.

— Stop, chuchota-t-elle. Ne me tourmente pas comme ça.

Il pressa les lèvres contre son front avec délicatesse.

— Je ne te ferai jamais de mal, Kim.

— Ce n'est pas la douleur qui m'inquiète, répondit-elle en posant la tête contre son torse.

Elle perçut la chaleur de sa peau à travers son tee-shirt et les battements précipités de son cœur.

— C'est moi, ajouta-t-elle.

— C'est insensé.

— Je sais ce que je dis. Tu nuis gravement à ma santé mentale.

Liam rompit leur étreinte sans se départir de son sourire.

— Je te fais yoyoter de la cafetière.

— Si tu veux dire dérailler, oui. Entre autres.

On toqua doucement à la porte, et Jeanne pointa le bout de son nez. Elle apportait les cafés, servis dans des tasses et non des gobelets en plastique. Kim se tourna vers elle, espérant arborer un air nonchalant.

La secrétaire déposa le plateau sur la table basse vernie.

— Abel vous cherche.

— Abel ?

L'espace d'un instant, Kim ne parvint pas à se rappeler qui il était. Ah si ! Son ex-petit ami aux dents longues et aux sentiments atrophiés. L'homme qui paraissait horriblement ennuyeux comparé à Liam.

— Qu'est-ce qu'il me veut ?

— Vous poser des questions sur le juge qui a statué sur votre affaire d'attentat à la pudeur. Il est chargé d'un dossier similaire avec le même magistrat.

— Oh.

Un problème de boulot. Des indices sur ce qui impressionnait ce juge ou le mettait en rogne. Kim avait gagné le procès parce que le suspect souffrait de dysfonction érectile certifiée par un médecin, alors que le témoin avait juré avoir vu le défendant… au garde-à-vous.

— Organisez une réunion avec lui. Je suis occupée jusqu'à demain.

— Il est déjà ici.

Avant même que Kim ait pu répondre, Abel Kane poussa la porte et s'engouffra dans la pièce. La jeune femme l'avait toujours trouvé séduisant – grand, blond, bien habillé – mais il faisait pâle figure aux côtés du garou. Et pour ce qui était du sexe… la comparaison était tout bonnement impossible.

— Ça ne peut pas attendre ? s'enquit-elle.

Abel dévisageait Liam avec curiosité.

— Suis à la bourre, Kim.

Menteur. Il n'était pas du genre à se soucier d'une affaire d'attentat à la pudeur. Il se servait de ce prétexte pour venir reluquer son remplaçant.

— Pourquoi ? demanda Kim, agacée. Ton client n'arrive pas à garder sa braguette fermée ?

Abel ne prêta pas attention à sa tentative d'humour.

— Alors les Colliers vont vraiment à tous les garous. À ton avis, quel est le tour de cou de celui-là ?

— Il t'entend, tu sais, Abel.

Liam décocha un sourire niais à l'avocat.

— 'Jour à vous ! claironna-t-il avec son plus bel accent.

— Arrête avec ça ! s'écria Kim.

— Un Irlandais ? s'étonna Abel. J'ignorais que c'était possible.

— Ma famille est ancrée en Irlande depuis des générations, répliqua Liam. Même qu'on habitait un château sur une colline verdoyante.

Abel continua de le jauger comme un scientifique examinerait un spécimen intéressant.

— Rédige un rapport sur lui, suggéra-t-il. Cela nous sera utile lorsque nous devrons en défendre un autre.

— Abel, tu veux bien cesser de parler de lui comme s'il n'était pas là ?

— Quel est le problème, Kim ? Le type que tu as rencontré t'en fait baver, ou tu as tes règles ?

Quel imbécile ! Il n'avait pas fait le rapprochement entre la nouvelle connaissance de Kim et le garou viril au possible debout dans son bureau. Il ne pouvait imaginer l'espace d'une seconde que Kim le largue pour une créature non humaine.

Le sourire de Liam s'évanouit. Il prenait Abel pour l'abruti égocentrique qu'il était, mais la dernière remarque du goujat l'avait énervé. Le prédateur, qu'il jouait à la perfection, surgit soudain, prouvant que, jusqu'à présent, le loup s'était contenté de regarder la brebis gambader.

— La dame a dit qu'elle était occupée, déclara-t-il, un léger grognement dans la voix.

Sans bouger, Liam avait attiré sur lui l'attention de tout le monde ainsi que celle de Jeanne, qui écoutait derrière la porte. Un voile de sueur fit luire le front d'Abel.

— OK. Je t'appelle plus tard, Kim. À propos de ce juge.

Abel ne pouvait pas faire demi-tour pour sortir, par peur de Liam. Pourtant, ce dernier resta à sa place, immobile, sans le toucher, sans même arborer un air menaçant.

L'autre dut reculer, pas à pas, avant de pivoter pour prendre ses jambes à son cou. Il heurta Jeanne. Ils s'emmêlèrent un moment, puis l'avocat prit la fuite, et la secrétaire claqua la porte, laissant Kim et Liam à nouveau seuls.

15

Kim emmena Liam déjeuner. Tandis qu'elle conduisait sa petite voiture, il se cala sur son siège et passa tout le trajet à reluquer les jambes de son amante. Comme il l'avait deviné, elle portait des bas ornés de dentelle, maintenus en place par un porte-jarretelles. Il s'imagina retroussant sa jupe stricte, qui lui remontait déjà sur les cuisses, pour l'admirer en sous-vêtements, ce qui aggrava l'état de son érection.

En revanche, se faire refouler par le premier restaurant sur la route lui fit l'effet d'une douche froide. La serveuse le jaugea et appela le gérant.

Kim sortit, furieuse, mais Liam s'étonna de sa réaction. Cela faisait vingt ans que les garous n'étaient pas les bienvenus dans la plupart des lieux publics.

Ils tentèrent le coup dans deux autres établissements, qui ne les acceptèrent pas non plus. Ils atterrirent dans une gargote au nord d'Austin, non loin du quartier garou. Les propriétaires avaient fini par comprendre que les garous payaient pour la nourriture et ne causaient pas de problèmes, contrairement aux petites frappes qui sévissaient dans les environs.

— Comment peux-tu supporter cet ostracisme ? s'écria Kim tandis qu'elle versait du sucre dans sa tasse. Je n'avais jamais remarqué à quel point il est flagrant.

Son compagnon souffla sur son café pour le refroidir avant d'en boire une gorgée.

— Si tu n'as jamais été témoin des interdictions à l'égard des garous, c'est que tu fréquentes des endroits dans lesquels nous n'essayons même plus d'entrer. Pour moi, le lieu importe peu. De toute façon, je n'ai pas vraiment envie de manger dans un restaurant qui rechigne à me servir.

— Ne fais pas ton blasé. On vous traite comme des animaux.

— Nous sommes des animaux.

— Sois sérieux.

— Kim, chérie, j'ai vécu un siècle dans des conditions variables et parfois difficiles. Notre vie actuelle n'est pas si mauvaise. Moi aussi, je refuse certaines personnes dans mon bar. J'en bloquerais bien l'accès à tous les lycans, mais Ellison et Glory me botteraient le train.

— Sois sérieux, répéta-t-elle.

— Pourquoi ?

Liam se plongea dans ses yeux bleus et tenta de calmer sa fureur. La colère de Kim lui mettait malgré tout du baume au cœur, car elle signifiait que la situation lui importait.

— Le comportement des humains à notre égard peut être amusant.

— La discrimination n'a rien de drôle.

— Tu es une femme vertueuse, Kim. C'est ce que j'aime chez toi.

— Comment peux-tu rester assis sans rien faire ?

— Je n'aime pas boire mon café debout. Ou alors, je m'adosse à quelque chose. Si je m'allonge, ça coule dans le mauvais tuyau.

La rage de la jeune femme commençait à transparaître sur ses traits, et Liam lui prit la main.

— Je suis désolé, trésor. Je suis touché que tu le prennes à cœur. C'est gentil. Mais tout ça ne me dérange pas.

— Comment parviens-tu à garder ton sang-froid alors que les gens te piétinent ? Abel t'a traité comme une bête de foire !

— C'est simple. Ils ne me piétinent pas.

Il scruta les alentours, mais ils étaient relativement à l'écart des autres clients.

— On ne se laisse pas faire. Tu saisis ?

— Pas vraiment.

Liam avala une gorgée de café.

— Fergus non plus. Voilà pourquoi il a choisi un quartier garou situé en plein désert. Il ne supporte pas qu'on malmène son ego.

Kim resta silencieuse et effleura le bord de sa tasse. Puis, elle s'exprima avec prudence, comme si elle pesait chacun de ses mots :

— Tu veux dire que tu restes calme quand on te recale à l'entrée d'un restaurant ou qu'on t'interdit l'accès au câble, parce que ces choses-là ne comptent pas à tes yeux.

— Tu commences à comprendre.

— Et Abel ne te dérange pas parce que tu te fiches de son opinion.

— Bingo ! En revanche, la prochaine fois qu'il te manquera de respect, je lui briserai la nuque.

Soudain, l'image d'un lion se prélassant dans la steppe, remuant la queue pour chasser un exécrable moucheron, traversa l'esprit de l'avocate. L'insecte avait la tête d'Abel. Des lionceaux grimpaient sur le lion, qui les retournait pour les saluer d'un coup de langue.

— C'est comme si nous vivions dans deux mondes différents, déclara-t-elle. Et nous n'en avons même pas conscience.

— Quelque chose dans ce goût-là.

Elle l'observa, atterrée.

— Et moi qui te plaignais.

— Ne t'en fais pas pour ça, trésor. (Il arbora un grand sourire.) Si tu as couché avec moi par pitié, j'en suis ravi.

Kim s'empourpra.

— Ce n'était pas le cas. Et ne me parle pas de sexe quand j'essaie de garder la tête froide.

— J'espérais faire plus qu'en parler.

— Stop. (Elle plaqua les paumes contre la table.) Quand tu es comme ça, je n'arrive plus à réfléchir.

— Tant mieux, c'est une activité surfaite.

— Liam, comment Fergus se procure-t-il tout cet argent ?

Il demeura de marbre.

— Tu crois qu'il est riche ?

— Ne fais pas l'innocent. Tu as vu comme moi son installation souterraine et ses œuvres d'art. Elles n'ont pas poussé du jour au lendemain.

— Les garous vivent longtemps, et certains s'avèrent de fins gestionnaires.

— Mais vous n'êtes pas censés détenir beaucoup d'argent.

— En effet.

Il but une gorgée de café pour se calmer. Kim fourrait son nez dans des questions très confidentielles, et il se sentait contraint de lui fournir des explications. Il rechignait à mentir à la femme qu'il avait choisie comme compagne mais, d'un autre côté, elle voulait révéler au grand jour les secrets qu'ils devaient protéger coûte que coûte.

— À ton avis, comment subsistons-nous, trésor ? lui demanda-t-il à voix basse. Seuls les boulots mal payés nous sont accessibles, et pourtant, les autorités s'attendent à ce que nous nourrissions nos familles et réglions notre loyer. Tu ne penses tout de même pas que mon salaire de gérant de bar à temps partiel me permet de gagner ma croûte ?

— Ton attitude désinvolte pour ce qui a trait au travail ne m'avait pas échappé. Tu n'y mets jamais les pieds.

— Mais j'ai un emploi. Les comités humains peuvent cocher la case « actif » sur leurs bulletins et s'en féliciter.

— Alors, tu as de l'argent ?

— Allons, Kim, je vais finir par croire que ce qui t'a attiré chez moi ce n'est ni mon charme, ni ma personnalité hors du commun.

Elle rougit de nouveau.

— De toute évidence, tu me trouves indiscrète. Mais je suis censée être ta compagne, pour la vie, et tu rechignes à me fournir des explications primordiales.

Liam posa les mains sur les siennes avec douceur.

— Je te taquinais. Disons que ma famille est à l'abri. Tout comme le seront ma compagne et nos enfants.

— Nous voilà de retour sur un terrain glissant.

— Je pensais que toutes les femmes voulaient savoir que leur homme pouvait subvenir aux besoins des petits, mais soit. (Il retira ses mains.) Revenons-en à Brian.

Kim parut surprise par ce soudain changement de sujet.

— Très bien. Pourquoi Fergus s'oppose-t-il à ce que je le sauve ? Pourquoi veut-il que Brian plaide coupable ?

— J'aimerais pouvoir te répondre, trésor. Brian ne représente pas une menace pour Fergus, il n'est pas en mesure de le défier pour prendre sa place. En plus, Fergus a aidé Brian et sa famille par le passé. Ils ne sont pas proches, mais pas ennemis non plus.

— Peut-être que Brian l'a énervé.

— Si c'est le cas, je n'ai rien entendu. On me l'aurait forcément rapporté.

Il en savait très peu sur ce qu'il s'était passé entre ces deux-là, et cela l'ennuyait. Il avait toujours pensé être au fait des moindres évolutions du quartier garou. Il connaissait tout le monde et vice versa. Si un garou avait des problèmes, quelqu'un l'avertissait, ou en parlait à Sean. Voilà comment fonctionnaient les choses. Sauf dans le cas de Brian.

— La première fois que je suis venue te voir, reprit Kim, tu m'as dit que tu ne connaissais pas bien Brian.

— J'essayais de t'éloigner. Une humaine qui vient fourrer son nez chez nous, c'est dangereux.

— Tu m'as quand même emmenée voir sa mère.

— Tu m'as plu.

Ce sentiment gagnait en profondeur, à tel point que c'en devenait périlleux. La joie qui l'assaillait chaque fois qu'il contemplait les magnifiques yeux de Kim et son sourire insolent augmentait de jour en jour. Cette pensée aurait dû l'inquiéter, pourtant il ne s'en souciait guère.

Parfois, seul l'instinct de reproduction poussait les garous à prendre une compagne. Certains s'en tenaient à cette relation. Mais d'autres, comme ses parents, son frère Kenny et Sinead, avaient tissé un lien qui transcendait l'accouplement et même l'amour. C'était un lien particulier, que les humains ne pouvaient pas comprendre, et Liam sentait qu'il s'installait entre Kim et lui.

La sensation était enivrante, mais il craignait qu'elle ne lui inflige plus de souffrance qu'il n'en avait jamais éprouvée. La torture du Collier n'était rien comparée à Kim lui brisant le cœur.

Cette dernière contemplait son café, la mine renfrognée.

— Je n'en reviens pas ! J'ai enfin des questions pertinentes à poser à Brian, et tu refuses de me laisser l'approcher. Tu ne me facilites pas la tâche, Liam. (Elle leva la tête, et un éclair illumina son regard.) Une seconde. Fergus n'empêcherait quand même pas une mère de rendre visite à son fils.

— C'est possible. Les règles du clan sont une chose, mais les liens maternels sont sacrés.

— De la même manière que Fergus ne peut pas s'en prendre à moi si je suis ta compagne.

Liam acquiesça.

— À moins que je ne l'y autorise.

— Que tu l'y autorises ? Toutes ces histoires de pouvoir me dépassent ! Les garous n'ont vraiment rien compris au féminisme.

— Je ne dirais pas ça, trésor. Nos femelles sont plutôt coriaces. N'oublie pas que nous avons vécu en petits groupes pendant des milliers d'années. Les mâles protégeaient les femelles et les petits. Pour nous, c'est une question d'instinct. C'est la première fois que nous habitons si près les uns des autres. Les clans existaient déjà à l'époque, mais on ne se voyait que rarement. Nous avons besoin de temps pour nous habituer.

Elle l'étudia avec curiosité, sans cesser de caresser le rebord de sa tasse. Liam l'imagina effleurant ainsi son sexe, ce qui le fit aussitôt durcir.

— Où vivais-tu avant ? s'enquit-elle. En Irlande, je veux dire, avant que vous ne veniez au quartier garou. Tu as dit à Abel que vous possédiez un château.

— Un château ? Ah, ça, oui !

— Avec des remparts, et tout ?

— Il était en ruines quand nous y avons emménagé, mais nous l'avons restauré et l'avons rendu habitable.

— Que pensaient les Irlandais de vous ? C'était avant que les garous ne se révèlent au grand jour, n'est-ce pas ?

— Oh, ce n'étaient pas les théories qui manquaient ! Ceux qui croyaient aux histoires de fantômes nous prenaient pour des faes, ce qui n'est pas très éloigné de la vérité. Heureusement pour eux, nous sommes dix fois plus gentils. D'autres supposaient que nous étions d'anciens membres de l'IRA en quête d'une cachette. Les plus sceptiques nous traitaient de fous. Mais tous savaient que nous protégions le village, et personne n'essayait de nous bannir.

Kim le dévisageait à présent comme l'avaient fait ses collègues de bureau, mais être scruté par cette paire d'yeux bleus ne le dérangeait pas.

— Pourquoi venir à Austin alors que vous possédiez un château en Irlande et que tout le monde vous appréciait ?

Liam haussa les épaules.

— Nous avons été trahis par l'un des nôtres. Ce salaud a raconté son histoire en Angleterre et a montré qu'il pouvait se transformer. Après quoi, l'Irlande est devenue une terre périlleuse pour nous. Ceux qui avaient besoin d'argent acceptaient de jouer les chasseurs de primes. Les garous étaient recherchés, morts ou vifs. La compagne de Kenny, Sinead, était enceinte, et nous ne pouvions pas prendre le risque qu'elle soit traquée. Des rumeurs circulaient à propos des États-Unis. Les garous n'y étaient pas exterminés mais parqués dans des camps. On les y laissait vivre en sécurité. Alors, on a fait nos bagages, et voilà !

— Mais Sinead, la mère de Connor, est décédée malgré tout.

— En effet. (La douleur les hantait depuis sa disparition.) Mais si nous étions restés en Irlande, nous aurions aussi perdu Connor. Il est né prématuré, il était si faible ! Il avait besoin de calme et d'assistance médicale. Ici, mon père, mes frères et moi étions en mesure de veiller sur lui sans avoir à affronter des villageois munis de fourches.

— Vous avez accepté le Collier pour le sauver ?

— Plus ou moins.

— Puis un indompté a tué Kenny. (Un éclair de rage traversa les yeux de Kim.) L'enfoiré !

La fureur de la jeune femme lui fit chaud au cœur. Elle comprenait.

— Qu'ils rôtissent tous en enfer !

— Les indomptés sont ceux qui ont refusé le Collier, non ? Pourquoi attaquent-ils leurs congénères ?

Sa question raviva la colère enfouie dans les entrailles de Liam.

— Parce qu'ils nous considèrent comme des traîtres. Au lieu d'attendre de nous faire massacrer et de regarder nos enfants mourir, nous avons choisi de sacrifier notre liberté pour faire front commun. Ce qui les met hors d'eux, c'est que nous cohabitions entre espèces différentes. Pour les indomptés, c'est pire que de laisser les humains croire qu'ils nous dictent notre conduite.

— L'union fait la force ?

— Et comment ! (Il sourit.) Lorsque nous avons tiré un trait sur nos différends inter-espèces, nous sommes devenus plus puissants. Nous avons commencé à nous entraider au lieu de nous entretuer. Les garous étaient éparpillés et en voie d'extinction. Aujourd'hui, notre population s'accroît et s'endurcit.

— À t'entendre, on jurerait que les quartiers garous sont des forteresses et non des lieux de captivité. Quoi qu'en pensent les humains.

— J'aurais dit des sanctuaires, mais tu n'as pas tout à fait tort. (Il se rembrunit.) Tu comprends pourquoi Fergus ne veut pas qu'une humaine découvre nos secrets ?

Kim promena son regard alentour, mais personne n'était venu s'installer près d'eux. Le café était désert, les gens qui sortaient déjeuner n'avaient pas encore envahi les rues d'Austin.

— Alors pourquoi me les révèles-tu ?

Liam haussa les épaules avec nonchalance.

— Tu es ma compagne. Je ne te cache rien.

— C'est ça ! Tu soutiens que vous habitez les quartiers garous pour votre bien-être et que vous n'accordez pas d'importance aux détails matériels, comme le câble, les voitures dernier cri et les boulots bien payés que les humains vous interdisent de posséder. Je saisis. N'empêche que les Colliers, c'est cruel.

— J'en conviens. Ils ont été inventés par un demi-fae hostile aux garous. En vérité, nous n'étions pas si violents à l'état sauvage. Nous chassions pour nous repaître, aujourd'hui nous achetons notre viande au supermarché. Comme vous, en somme. Nous nous battions entre nous pour la domination ou la protection du groupe, mais nous ne massacrions pas le tout-venant.

— Cela de la bouche d'un homme qui a tué un garou dans ma chambre et qui se trouvait à deux doigts d'affronter son chef de clan pas plus tard qu'hier matin...

Il haussa les épaules.

— Circonstances atténuantes.

— Et vous êtes censés détester les autres espèces ?

— On a appris à dépasser nos préjugés pour le bien commun. Enfin, on essaie. Je considère Ellison comme mon ami, mais ça ne m'empêche pas de le traiter de clébard puant.

Les yeux de la jeune femme pétillèrent.

— J'imagine qu'il te rend la pareille ?

— Il m'appelle « crotte de chat ».

Elle éclata d'un rire nerveux.

— J'aurais opté pour « boule de poil ».

— Glory nous appelle comme ça parfois. Quand ce n'est pas « saloperies de félins irlandais suceurs de pines ».

Kim arqua les sourcils.

— Et ton père couche avec cette femme ?

Impossible d'expliquer la relation de Dylan et Glory.

— Je suis heureux qu'il s'intéresse à quelqu'un. Je lui fiche la paix. Il a perdu sa compagne.

— Ta mère.

— Oui.

Liam ne chassait plus le souvenir de sa mère. Il l'avait fait pendant longtemps, car il refusait de sonder le vide dans son cœur. Tout compte fait, son père avait bien fait de s'exiler pendant un an, même si, à l'époque, Liam avait été furieux contre lui. À présent, il comprenait son besoin d'espace. Il avait dû faire son deuil tandis que ses fils apprenaient l'autonomie.

— C'était une femme admirable, confia-t-il tout bas. Belle, avec des yeux verts et des cheveux roux.

Quand elle se transformait, elle était majestueuse, un mélange de grâce et de férocité. Il ne fallait pas la chercher. Père et elle s'adoraient, parfois c'en était même embarrassant. On entrait dans une pièce, et ils étaient en train de s'embrasser, de se peloter. Tu imagines ? À leur âge !

— J'ai vraiment du mal à me dire que ton père est vieux. Je sais qu'il a deux cents ans, mais quand même… Tous les garous vieillissent-ils aussi bien ?

— S'ils ne meurent pas jeunes, oui.

— Est-ce le cas de la plupart d'entre vous ?

Voilà qu'elle reposait des questions douloureuses.

— Oui. Du moins, ça l'était.

— Encore une raison qui vous a incités à accepter le Collier.

Trois personnes s'assirent sur la banquette derrière eux. Des humains qui devaient avoir l'habitude des garous, car ils ne semblaient pas trop inquiets. Liam changea de sujet.

— Je devrais m'entretenir avec Sandra en tête à tête.

— Tu veux que je te conduise ? Avant que je retourne au bureau ?

— Pas maintenant. Ce soir, après le travail. (Il poussa sa tasse de café sur le côté et se leva avant d'aider Kim à se mettre debout.) On fera d'abord un saut chez toi pour que tu récupères tes affaires.

— Tu veux encore que je passe la nuit avec toi ?

Elle avait un peu trop haussé la voix, et les clients attablés près d'eux regardèrent alentour d'un air étonné, curieux, complice.

— Je voulais dire chez toi, ajouta-t-elle. C'est inutile, j'ai ma propre maison.

— Mon neveu aura le cœur brisé si tu ne viens pas.

Elle lui jeta un coup d'œil contrarié.

— On en reparlera plus tard.

Elle tourna les talons et s'avança vers la porte d'un pas chaloupé.

Liam sortit des billets de sa poche et les déposa sur la table, songeant qu'il pourrait admirer les fesses sensuelles de Kim toute la sainte journée sans jamais s'ennuyer. Et une fois le soleil couché, il s'allongerait à côté d'elle, puis passerait la nuit collé à sa croupe. Et ça non plus, il ne s'en lasserait pas.

Kim n'aurait jamais laissé Liam avoir le dernier mot et accepté de rentrer avec lui si elle n'avait pas aperçu Crâne-rasé, le garou de San Antonio, posté à l'arrêt de bus devant chez elle. Il portait un col roulé pour masquer son Collier – par cette chaleur, quel imbécile ! – mais elle le reconnut malgré tout et devina aussitôt qu'il n'attendait pas les transports en commun.

Imaginer rester seule chez elle alors que le sbire numéro un de Fergus rôdait sous ses fenêtres lui flanqua une trouille bleue. Ironique, songea-t-elle tandis qu'elle traversait l'autoroute, direction le quartier garou, qu'elle se sente plus en sécurité dans une demeure pleine de garous, avec une cinglée dans celle d'à côté, plutôt que dans son propre quartier. Depuis sa rencontre avec Liam, toute sa vie avait été chamboulée.

Le quartier était aussi animé que d'habitude quand elle y pénétra, précédée de Liam sur sa moto. Les mères appelaient les enfants qui jouaient dehors pour qu'ils rentrent dîner. Kim huma des effluves de fumée et de viande grillée. Hommes et femmes levèrent les yeux lorsque Kim passa devant eux au volant de sa Mustang. Liam, sexy en diable sur sa Harley, les salua d'un geste de la main.

Tout était calme sur la pelouse des Morrissey, pas de barbecue. L'avocate se demanda qui était de corvée de cuisine et espéra que les hommes n'avaient pas décrété que c'était à elle de s'y coller. Cependant, quelque chose ne tournait pas rond. La maison était fermée à clé, les volets baissés.

Liam le perçut, lui aussi, et passa devant elle tandis qu'ils montaient les marches du perron en silence. Il ouvrit la porte, et tomba sur Sean et Dylan, debout face à face dans le salon, livides de colère, les yeux blancs comme ceux d'un indompté. Connor se réfugia dans la cuisine, le plus loin possible, sans pour autant changer d'étage.

Liam s'enquit d'une voix très calme :

— Quel est le problème, Sean ?

Sean tourna le dos à Dylan, le corps si crispé de rage que Kim s'étonna qu'il ne se transforme pas en fauve. Ses griffes s'allongèrent quand il s'empara d'un papier sur la table pour le coller sous le nez de Liam.

— Le voilà, le problème.

Il s'agissait d'un e-mail imprimé. La jeune femme se dressa sur la pointe des pieds pour le lire en même temps que Liam.

À l'issue de l'union qui sera célébrée à la pleine lune, il a été décidé par le conseil clanique que Dylan Morrissey démissionnera de ses fonctions à la tête du quartier garou d'Austin Est et sera remplacé par un autre félin élu par le conseil.

Sur ordre de Fergus Leary,
chef du clan des félins du Sud-Texas.

16

Kim n'avait jamais vu Liam perdre son aplomb. Son garou irlandais était tout de même le roi du baratin.

À présent, il observait le bout de papier, le visage empourpré et les yeux d'un bleu tirant sur le blanc.

— J'ai dit à père, reprit Sean d'une voix tendue, qu'il devait affronter Fergus et clore ce chapitre pour de bon. Il a refusé.

Kim replia ses doigts frigorifiés contre sa paume et décida, pour une fois, de conserver le silence. Elle se rappela ce que lui avait expliqué Liam. Il ignorait pourquoi son père n'avait jamais combattu le chef de clan pour le pouvoir mais d'après lui, c'était pour préserver la paix parmi les garous.

— Le fils de pute, grommela Liam. Père, pourquoi ?

La gorge de Dylan était serrée, ses poings crispés. Ses griffes s'étaient allongées et son propre sang maculait ses mains.

— Oublie ça, Liam.

— Impossible. Fergus veut que tu te retires ? Pour installer l'un de ses sous-fifres à ta place ? Nos vies ne vaudront que dalle si ça se produit. Il sape ta position au sein de ton groupe, sans même parler du clan.

— J'ai dit : « Oublie ça » !

Liam ne broncha pas.

— Père, c'est un coup de poing en pleine figure ! Une invitation ouverte à le défier !

Les yeux de Dylan étaient rouges de rage, mais Kim perçut l'anxiété derrière sa fureur bestiale.

— Tu crois que je l'ignore ? Or je ne lui donnerai pas cette satisfaction. Pas maintenant.

— Pourquoi pas, bon sang ?

— J'ai mes raisons, bordel ! gronda Dylan.

Si sa colère avait été dirigée sur Kim, cette dernière aurait détalé sur-le-champ. Liam ne bougea pas d'un pouce. Lui aussi commençait à sortir ses griffes.

— Si tu crois abdiquer pour le bien du quartier garou, tu es fou. Ce sera la première étape pour nous chasser. Fergus s'assurera qu'on atterrisse très loin d'ici, qu'on se retrouve sans clan et tout en bas de la hiérarchie. Kim sera obligée d'abandonner Brian, qui sera condamné pour meurtre.

De toute évidence, Liam était persuadé que la jeune femme les suivrait s'ils devaient partir, mais elle se dit que le moment était mal venu pour soulever la question.

Tout espoir semblait avoir déserté le vieux Morrissey.

— Je sais.

Liam déchira le papier dont les morceaux retombèrent au sol.

— Je ne peux pas affronter Fergus à ta place. Tu en es conscient.

— Oui, reconnut Dylan à voix basse. Je le sais.

— Dans ce cas, pourquoi…

Ses paroles restèrent en suspens lorsque la porte de derrière s'ouvrit avec fracas et qu'un vent chaud s'engouffra à l'intérieur. Glory entra, vêtue de fuchsia, des sandales argentées aux pieds, les ongles des mains et des orteils assortis à sa tenue.

— Dylan, que se passe-t-il ?

Celui-ci lui adressa un regard las.

— Pas maintenant, Glory.

— Fergus veut que grand-père abandonne la tête du quartier garou, bredouilla Connor depuis la cuisine.

La lycane en resta bouche bée.

— Quoi ? Nous ne l'accepterons jamais. Il peut aller se faire foutre !

— Bien dit ! renchérit Kim.

Les mâles présents, excepté Connor, ne prêtèrent guère attention aux deux femmes. Sean croisa le regard de Dylan. Son expression était sereine.

— Je le ferai. Je combattrai Fergus.

Un concert de cris couvrit ses paroles. Liam partit d'un rire amer.

— Pardon ? Tu vas tuer notre père, puis moi avant d'aller trouver Fergus ?

— Non. (Le visage de Sean était livide.) Je me contenterai de le descendre. Je peux lui tirer dessus, n'est-ce pas, puis le frapper avec l'épée. Fergus tombe en poussière, problème résolu.

— Et après, selon nos lois, je devrai t'abattre, rétorqua son frère d'une voix sévère. Mauvais plan.

— Est-ce que ça importe vraiment ? s'écria Sean.

Les autres restèrent muets, et l'avocate ne put se retenir davantage.

— Vous êtes tous cinglés, ou quoi ? Pourquoi laisser Sean envisager cette possibilité ?

— Ne vous mêlez pas de ça, Kim, répliqua Dylan sans la regarder.

— Non, elle a raison. (Glory croisa les bras, faisant ressortir son opulente poitrine moulée dans son haut rose.) Sean, pourquoi devrais-tu te sacrifier ?

— Pour maintenir la paix, répondit ce dernier avec lassitude. Je n'ai pas de compagne. La logique veut que je sois l'assassin et que je paie le prix.

Sean toisa Liam, qui, étonnamment, baissa les yeux.

— Écoutez donc l'humaine, poursuivit Glory. Le seul qui doit payer, c'est Fergus. Laissez-le se sacrifier, lui.

— Bonne idée ! approuva Connor.

— Suffit ! rugit Dylan. On obéira aux ordres de Fergus, point barre.

Kim et Glory s'apprêtèrent à protester mais, soudain, la lycane ferma la bouche, comme si elle venait d'assimiler un élément important. Dylan fusillait Liam du regard. Ils communiquaient sans parler, et leurs yeux étincelaient de rage.

Liam courba la tête et tourna le dos à son père. Celui-ci parut presque déçu, puis s'éloigna avant de sortir par la porte de derrière. Glory prit une profonde inspiration mais, à la grande surprise de Kim, elle ne suivit pas son amant.

— Je n'y comprends rien, déclara Kim, brisant le silence. Pourquoi ton père préfère-t-il se retirer et laisser Fergus gagner ?

Liam lui jeta un coup d'œil furtif. Il était inquiet.

— Je l'ignore.

— Parce que Dylan n'est pas prêt à mourir, affirma Glory. Il n'est pas si vieux et il n'a rien perdu de sa virilité. Et puis, il m'a, moi.

Son commentaire suffisant contribua à détendre un peu l'atmosphère. Connor émit même un ricanement nerveux.

— Ça vaut la peine de vivre, c'est sûr !

— Tu es encore jeune, petit, riposta Glory. Tu comprendras un jour.

Liam resta muet. Un garou maussade et furieux avait pris la place de l'être souriant, aux yeux charmeurs, que Kim connaissait. Dans cet état, il faisait vraiment peur à voir, mais elle marcha vers lui et passa la tête sous son bras. Les autres s'étaient reculés et, pour la première fois depuis qu'elle avait fait leur connaissance, ils gardaient leurs distances.

Kim sentit que Liam n'avait pas besoin d'espace à cet instant, mais de contact, de réconfort. Elle se blottit contre lui, et il finit par baisser les yeux sur elle, ses iris blanchâtres se fonçant peu à peu pour recouvrer leur teinte azur habituelle.

— On trouvera une solution, lui assura-t-elle malgré la gravité de la situation. Sans que personne meure ni que Sean n'abatte Fergus d'une balle dans le dos. Tout bien considéré, ça ne me gênerait pas de m'y coller. Après avoir vidé mon sac.

— Ne t'en avise pas, fit-il, les lèvres pincées. Ou je t'enchaîne dans le sous-sol.

— Il y a des araignées ?

— Sans doute.

Elle leva la main.

— Très bien, je tâcherai de me montrer raisonnable. Je dois passer à la vitesse supérieure pour libérer Brian, et j'ai quelques idées qui me viennent à l'esprit.

Liam cligna les yeux, comme s'il se méfiait de ses illuminations, mais ses crocs et ses griffes s'étaient rétractés.

Glory ricana.

— La petite chatte a les dents acérées, Liam. Fais attention quand elle explore ton entrejambe.

Connor éclata de rire. Liam adressa à Kim un sourire coquin.

— Je suis prêt à courir le risque.

La lycane passa devant eux.

— Veuillez m'excuser. Je pense que Dylan a eu le temps de canaliser sa rage meurtrière. Il est l'heure pour moi de jouer les affectueux toutous de compagnie.

— Je n'ai aucune envie de connaître ces détails, grommela Connor avec dégoût tandis que Glory sortait d'un pas frivole.

Il s'approcha de Kim et l'enlaça dans une étreinte chaleureuse, l'étouffant presque.

— Je suis content que tu sois la compagne de Liam, Kim, et je suis heureux que tu sois venue à la maison. On va faire la fête demain soir pour la bénédiction de la pleine lune. Sean et moi avons invité tout le monde.

En effet, Liam avait mentionné que son père les unirait au clair de lune, mais la jeune femme n'avait pas vraiment prêté attention à ses paroles.

— Une fête ?

— La bénédiction d'un couple est un événement rare, tous les garous veulent être de la partie, expliqua Liam. Ne t'inquiète pas, on s'habille comme d'habitude.

— Oh, merci.

Tout le quartier allait accourir pour la jauger. Après tout, cela pourrait être le prétexte idéal pour mettre en œuvre certaines de ses idées. Puisque Silas brûlait d'en apprendre plus sur les garous, pourquoi ne pas lui en offrir un aperçu ? Et en retour, il pourrait aider Kim.

— Puis-je inviter quelqu'un ?

Liam fronça les sourcils.

— Qui donc ?

— Une vieille connaissance qui m'a déjà aidée par le passé. Les humains sont-ils autorisés à assister à cette cérémonie ?

Il hocha la tête.

— Bien sûr. Fergus ne sera pas content, mais on l'emmerde.

— Alléluia !

Elle lui décocha un sourire. Elle n'était pas en mesure de lui ôter toutes ses tensions mais, au moins, elle avait réussi à le détendre.

— Je dois passer quelques coups de fil. Je peux ? s'enquit-elle.

Liam la relâcha.

— Cette connaissance humaine n'a pas de problèmes avec les garous ?

— Non, il les aime bien.

— Il ?

Son expression, empreinte d'une jalousie soudaine, la fit rire.

— Rassure-toi. Ce n'est qu'un ami. On se connaît depuis des années.

Le regard du garou s'adoucit un peu, mais Kim nota dans un coin de sa tête de prévenir Silas : il devrait éviter de la toucher, même de façon détachée.

— Va téléphoner, dit Liam avec tendresse. (Le garou prêt à tuer avait disparu, mais il était toujours crispé.) Moi, je retourne rendre visite à Sandra. J'aimerais comprendre pourquoi Fergus redouble d'efforts pour empêcher Brian d'aller jusqu'au procès.

Liam trouva Sandra dans son jardin, seule. Elle avait installé son barbecue au centre du gazon et y avait allumé un feu. Alors qu'il avançait, il l'entendit psalmodier une incantation à la Déesse de la Terre tout en jetant des morceaux de papier dans les flammes.

Il s'approcha en silence. Il ne voulait pas interrompre sa prière mais, quand il vit ce qu'elle brûlait, il courut vers elle pour le lui arracher.

Sandra fit volte-face en inspirant brutalement. Ses crocs de fauve étaient sortis, ses yeux tiraient sur le blanc.

Liam observa les photos qu'elle essayait de détruire. Sur l'une, Brian riait face à l'objectif, le bras autour de sa mère, une bouteille de bière à la main. Sur une autre, il posait avec ses amis devant un lac. Sur la troisième, il étreignait une jeune humaine, sans doute la victime du meurtre, Michelle.

— La situation n'est pas si désespérée, Sandra.

— Ne m'en empêche pas. Je dois m'assurer qu'il atteigne le Pays de l'été.

— Brian n'ira nulle part, et sûrement pas au Pays de l'été.

Il l'enlaça afin de la réconforter grâce à sa chaleur corporelle.

— C'est pour ça que je suis venu, poursuivit-il. Je voudrais que tu m'aides à le blanchir.

Elle leva vers lui des yeux éteints.

— Il n'y a rien que je puisse faire.

— C'est faux. Rentrons nous désaltérer. Comment veux-tu réfléchir sous ce cagnard ?

Elle l'autorisa à la mener à l'intérieur et à lui apporter une bouteille fraîche. Puis, il s'en décapsula une et s'affala sur le canapé pour la déguster. Il se rappela s'y être assis quelques jours plus tôt pour masser les pieds de Kim. Ils étaient si mignons, minuscules dans ses grandes mains.

Il glissa les photos de Brian dans sa poche car, s'il les laissait à Sandra, elle les brûlerait après son départ. Une représentation de l'être aimé sacrifié au feu était le meilleur moyen de lui assurer un passage paisible dans l'au-delà.

Sandra but sa bière sans manifester le moindre plaisir.

— Qu'est-ce que tu veux, Liam ?

— Que tu me parles de cette fille, Michelle. Brian avait-il l'intention d'en faire sa compagne ?

Elle l'observa avec surprise.

— Aucune idée.

— Si c'était le cas, il n'aurait pas pu la tuer, et tu le sais. Je n'y avais pas pensé, parce que prendre une humaine pour compagne ne m'avait jamais effleuré l'esprit. Mais Kim est vraiment futée.

Son interlocutrice le scruta avec attention.

— Il paraît que tu l'as revendiquée.

— En effet. Ne t'en fais pas, Fergus m'a donné son aval. C'est même lui qui a insisté. Cela dit, j'y songeais, de toute façon.

— Soleil et lune ?

— Pour l'instant, sous le soleil. La lune sera pleine demain soir et mon père nous bénira à ce moment-là. Tu devrais venir. Ce sera une belle fête.

— Et Kim ? Elle est d'accord pour devenir tienne ?

Liam songea à l'embarras et à l'indignation de la jeune femme. Il sourit.

— Je n'oserais pas aller jusque-là, mais elle s'y fera. J'y veillerai.

Il but une gorgée de bière et vit que Sandra souriait.

Il la persuada de le laisser passer en revue la chambre de Brian. Ce dernier n'était plus un enfant depuis longtemps. Il avait grandi et trouvé sa place dans la hiérarchie, mais il avait continué à habiter avec sa mère pour l'assister. Liam avait toujours jugé saugrenue cette coutume humaine qui voulait que les enfants quittent le nid dès leurs dix-huit ans. Les garous partageaient le même toit, parfois à plusieurs familles, pendant des générations.

Sandra avait perdu son compagnon bien avant que Brian et elle n'emménagent dans le quartier garou. Mère et fils vivaient seuls. Avant l'arrestation, elle avait nourri l'espoir qu'il revendique bientôt une femelle et emplisse la maison de petits. Or, à présent, tandis qu'elle menait Liam à l'étage, elle semblait résignée.

Brian occupait deux pièces au premier ; l'une lui servait de chambre à coucher, l'autre de bureau. Un vieil ordinateur trônait sur sa table de travail, relié tant bien que mal à deux autres boîtiers, comme s'il avait voulu monter un réseau. Bien que Liam n'eût rien d'un as de l'informatique, il maîtrisait assez bien la navigation sur Internet. Pour autant, il n'était pas en mesure de déterminer si Brian cherchait à commettre un acte illégal avec ces appareils, ou essayait simplement d'améliorer les performances de sa machine.

Comme si cette vue lui était insoutenable, Sandra tourna les talons après l'avoir laissé entrer. Il ne lui en tint pas rigueur. En attendant que l'ordinateur s'allume, il examina avec soin le bureau, mais n'y trouva rien d'utile. S'y amoncelaient vieilles factures d'essence, sous-verre en carton, souvenirs de diverses attractions des environs et billets de loterie périmés.

Il s'avéra que l'informatique ne lui fut d'aucun secours. À défaut de pouvoir cliquer sur une icône, il appuya sur la touche « Entrée », et une liste de fichiers défila sur l'écran jusqu'en bas, puis le curseur se mit à clignoter.

— Merde.

Sean devrait y jeter un coup d'œil. Contrairement à son frère aîné, il en connaissait un rayon sur le sujet, et bien plus que ce qui était autorisé aux garous, d'ailleurs.

Le reste de la pièce, qui abritait une collection de cassettes vidéo et de DVD, des livres et des magazines, fournit un seul indice à Liam : comme Connor, Brian était obsédé par les voitures. Une véritable maladie chez les plus jeunes. Il ne comprenait pas ce qui les attirait. Après tout, ce n'était pas des Harley !

Il survola rapidement du regard la chambre à coucher, mais n'en retira pas davantage d'informations. Si Brian avait des secrets, il ne les cachait pas dans la maison familiale. Liam trouva quelques photos de Michelle en vrac dans le tiroir de sa table de chevet. Elle était jolie, avec des cheveux blond doré, un sourire mutin et une peau hâlée par le soleil texan. Les clichés du couple indiquaient qu'elle se fichait pas mal que son petit ami soit un garou.

— C'est toi qui les as rangées là ? demanda-t-il à Sandra.

— Non, répondit-elle après les avoir regardées. C'est Brian. Les policiers n'en ont emporté que la moitié lors de la perquisition.

Liam ne dissimula pas sa surprise. Peut-être en avaient-ils assez pour montrer au jury quelle jeune et innocente victime Brian avait dépravée.

— Je peux prendre celle-là ?

Il lui tendit une photo de Michelle enlaçant son amoureux.

— Bien sûr.

Elle s'efforçait d'afficher un air impassible. Liam reconnut les signes qu'il avait déjà vus chez son père et Kenny lorsqu'ils avaient perdu leurs compagnes. Faire comme si on avait tiré un trait sur le malheur, prétendre que les affaires de ces êtres chers n'étaient que du matériel sans valeur, sans importance.

— Questionneras-tu Brian à son sujet ? s'enquit-il en glissant les photos dans sa poche. Pour qu'on sache s'il comptait revendiquer Michelle ou non. C'est primordial.

Elle secoua la tête.

— Je ne lui rendrai plus visite.

— Ne baisse pas les bras.

Un éclair de fureur illumina son regard, et elle s'anima soudain.

— Je ne peux pas lui rendre visite. Il s'y opposera.

— Qui ça ? demanda Liam en plissant les yeux. Fergus ?

— Oui. On m'a ordonné de rester en retrait, de laisser partir Brian.

Il s'approcha d'elle et lui frotta les épaules.

— Sandra, tu ne peux pas faire ça. C'est ton enfant, ton petit. Il a plus que jamais besoin de toi.

— Va dire ça à Fergus. Ce sont ses ordres.

— Eh bien, considère que je les outrepasse.

Elle partit d'un rire sinistre.

— Tu ne peux pas.

— J'exerce mes prérogatives en tant que second de ce quartier garou. (*Pour l'instant*, songea-t-il.) Va voir Brian, je m'occupe de Fergus.

— Je ne peux pas. Il risque de te tuer.

— Il veut déjà me tuer pour un millier de raisons. Tu es la seule à pouvoir nous rendre ce service, trésor. Fergus ne m'autorisera jamais à approcher Brian et, désormais, il refusera aussi que Kim lui parle. Mais se dresser entre une mère et son petit… Comment pourrait-il justifier cette décision ? Il doit en avoir conscience.

Sandra paraissait éreintée.

— Je ne peux pas lui tenir tête, Liam.

— Tu n'auras pas à le faire. Il n'est pas ici, et ses sous-fifres ne s'opposeront pas à une mère qui use de ses droits. (Il lui adressa un sourire d'encouragement.)

Même les brutes de Fergus ont des mères. Ils n'auront pas fini d'en entendre parler s'ils t'empêchaient de voir ton fils.

Elle se détendit un peu.

— Tu es fou, Liam.

— Essaie. Ils ne s'en prendront pas à toi, pas devant tous ces humains. Tu veux voir Brian, n'est-ce pas ?

— Tu viendrais avec moi ?

— Je ne peux pas.

Il lui frotta les épaules à nouveau. Si seulement il pouvait lui assurer que tout se passerait bien !

— Ils hésiteront à t'arrêter, mais moi, ils ne me laisseront jamais approcher de la prison. Toi, vas-y. Prends ton temps pour discuter avec lui, et rapporte-moi tout ce qu'il t'aura dit.

Liam entra par la porte de derrière au moment où Kim raccrochait. Une étrange sensation la submergea, et elle mit une minute à la reconnaître : elle était contente de le revoir.

Elle n'avait pas été aussi heureuse de voir quelqu'un franchir un seuil depuis bien longtemps, du moins depuis la mort de ses parents. Les amis, ça allait encore, quant à Abel… En vérité, chaque fois qu'il arrivait dans une pièce, il suscitait son agacement et son irritation.

Or son cœur venait de bondir dans sa poitrine à la vue de Liam, et pas seulement par concupiscence. Elle se sentit fondre lorsqu'il lui sourit et s'approcha d'elle pour lui embrasser la joue.

— Où est passé tout le monde ? s'informa-t-il.

— Ton père est toujours chez Glory. Connor est sorti retrouver des amis. Ellison est venu, et il a embarqué Sean.

— Oh, vraiment ? En te laissant seule et sans défense ?

Il joua avec les cheveux à l'arrière de son cou.

— Seule ? Tu oublies tes voisins qui observent la maison depuis leur pelouse. Tu ne les as pas remarqués ?

— Ils se demandent ce que je peux bien trafiquer avec l'humaine. (Il lui massa la nuque et se pencha pour lui mordiller l'oreille.) Que puis-je faire pour toi ?

Kim sentit son corps se ramollir.

— Liam, à propos de la personne que j'aimerais inviter…

— Qu'y a-t-il ? Ce n'est pas un ancien amant, au moins ?

— Non. Je t'assure, c'est juste un ami. On s'est connus à l'université. Je n'ai pas voulu le préciser devant tout le monde, mais Silas est journaliste. Excellent dans son domaine. Il souhaiterait écrire des articles sur les garous et réaliser un documentaire. Pour exposer les maltraitances dont ils sont victimes. Aborder la question de son point de vue.

Il se redressa, une once de méfiance dans les yeux.

— Laisser un autre humain révéler nos secrets ?

— Non, il s'agirait de montrer la réalité, la vie des garous au quotidien. Les enfants qui jouent dans la cour, comme le petit Michael qui s'amusait dans la piscine la première fois que je suis venue. Il est mignon, il aurait un impact incroyable. Les humains pourraient voir des mères s'occuper de leurs jardins, des pères rentrer chez eux après une dure journée de labeur. Des adolescents, comme Connor, jouer au football ou tenir la main de leur petite amie. Que les gens voient à quel point vous êtes pacifiques et normaux !

— C'est tout ? Tu sais que Fergus n'acceptera jamais.

— Pourquoi crois-tu que je te le demande ?

Elle lui sourit et arbora son air le plus adorable.

L'expression de Liam s'adoucit.

— Tu es une petite rusée, Kim. Tu espères que ces histoires feront basculer l'opinion publique en faveur de Brian, n'est-ce pas ?

— Qui ne tente rien…

Il rit tout bas et lui embrassa le sommet de la tête.

— Et tu sais que si je te dis oui, je n'en dirai rien à Fergus.

— En gros. Ni à ton père ?

— Ni à mon père, qui se sentira obligé de partager l'info. Amène ce Silas à la fête et présente-le-moi. Sans caméras ni calepins. Tout restera entre nous tant que je ne le connaîtrai pas mieux.

— Bien sûr. C'est un homme juste, Liam, c'est pour ça que j'ai pensé à lui.

— Mais si je ne l'aime pas…

— Je lui dirai non. Promis.

— Dans ce cas, d'accord. (Il se pencha et recommença à lui mordiller l'oreille.) Assez parlé. Tu sais que nous sommes tout seuls dans cette grande maison ?

— Être entouré de ta famille ne t'a pas gêné hier, lui fit-elle remarquer d'une voix tremblante.

— La frénésie de l'accouplement ! Aujourd'hui, j'ai envie de prendre mon temps. De te prendre à mon propre rythme. (Il effleura du bout des doigts sa chute de reins, l'électrisant sur-le-champ.) Je veux voir si tu portes des bas sous cette jupe sexy.

Elle s'adossa contre le comptoir de la cuisine et remonta sa jupe de quelques centimètres.

— Oui.

Il lui enveloppa les cuisses de ses mains chaudes et rentra les pouces sous le rebord de ses bas.

— Je te reconnais bien là.

17

Kim se retrouva assise sur le comptoir, Liam debout entre ses jambes. Il lui baisa les lèvres avec délicatesse tout en lui caressant l'intérieur des cuisses.

— Serait-ce un string ? murmura-t-il en le frôlant du bout des doigts. Ce morceau de tissu que tu affirmais ne pas pouvoir porter ?

— Possible.

— L'as-tu mis pour moi, Kim ?

— Oui.

Il pressa le nez contre sa joue.

— J'aime. (Il lécha l'endroit qu'il venait de chatouiller.) C'est facile à écarter.

— C'est fait exprès.

— Tu es toute mouillée.

— Oui. (Elle fit courir la main le long de sa braguette.) Tu es prêt aussi à ce que je vois. À moins que tu n'aies caché une batte de baseball dans ton caleçon.

— Ce serait douloureux, tu ne crois pas ?

— Oh, je pense que tu souffres déjà, lui susurra-t-elle à l'oreille. Ce serait mon cas si j'avais ce truc énorme entre les jambes.

— Tu veux un aperçu ?

— Ça ne me déplairait pas.

Elle n'avait jamais fait ça couchée sur un comptoir, la jupe retroussée, la culotte de côté et son partenaire à moitié habillé, le pantalon sur les chevilles. Après tout, elle n'avait jamais eu d'amant comme Liam, un grand Irlandais tout en muscles aux yeux magnifiques.

Elle l'enserra entre ses cuisses tandis qu'il lui soutenait la tête, et savoura l'ardente sensation que lui procurait leur union. Avec ferveur, Liam lui embrassa le visage, la gorge, la bouche, les cheveux.

— Par les Dieux, c'est si bon d'être avec toi, Kim !

Elle ne répondit pas. Elle perçut du désespoir en lui, la nécessité de se plonger dans le sexe pour oublier l'étrange dispute qui l'avait opposé à son père ainsi que l'ultimatum de Fergus. Il avait les nerfs à fleur de peau ; même Dylan réagissait mieux que lui.

Une joie brute assaillit la jeune femme. Émoustillée par la perspective d'être surprise en flagrant délit, elle voulut hurler à pleins poumons. Ses partenaires avaient toujours privilégié les rapports sans risque. Ils veillaient à utiliser un préservatif, bien entendu, mais s'assuraient aussi d'éteindre les lumières, de fermer les portes à clé et de tirer les rideaux afin que personne ne soit au courant de leur vie intime.

Liam désirait Kim et faisait fi de la discrétion. Il n'avait pas honte d'afficher ses sentiments, de les clamer haut et fort. Au lieu d'être embarrassée, elle sentit son cœur se gorger de bonheur.

Ainsi qu'une autre partie de son anatomie. Elle cambra les hanches, attirant son partenaire au plus profond d'elle, et se délecta de cette sensation.

— Liam, gémit-elle, dévergonde-moi !

— Avec plaisir, trésor, haleta-t-il, le visage contre le sien. Je suis à tes ordres.

Elle accéléra le rythme, il la suivit, et elle recommença.

— J'aime ce que tu me fais.

— Je n'avais jamais ressenti ça, chuchota-t-il.

Elle chercha quelque chose de sensuel à répondre, mais son cerveau n'était pas en mesure de réagir.

— Tais-toi et baise-moi.

Liam rit. Il continua son va-et-vient rapide jusqu'à ce qu'ils soient tous les deux hors d'haleine. Il la serra fort contre lui tandis qu'il déversait en elle sa semence brûlante, sans cesser de l'embrasser. Il manquait encore d'entraînement, mais elle s'en fichait. Elle lui caressa la langue avec la sienne, les lèvres, les dents, et s'abîma avec bonheur dans ce profond et langoureux baiser.

Il sourit contre sa bouche, et elle rit avec lui. Le sexe pouvait-il être encore meilleur ?

Puis, songeant qu'avec Liam c'était possible, son cœur se mit à battre la chamade et elle sentit l'orgasme arriver. Elle décrivit des cercles contre lui, incertaine du bruit qu'elle faisait et ne s'en souciant guère.

Lorsqu'elle eut fini, il se recula, toujours en érection, remonta son pantalon et la porta jusqu'au canapé affaissé du salon. Il s'y laissa tomber, Kim sur lui, tous deux pantelants.

— Bon sang, c'était incroyable !

Appuyée contre son épaule, elle tâchait de reprendre son souffle, et rire ne l'y aidait pas.

Il promena les doigts dans sa chevelure.

— Ce n'est pas ce que j'avais en tête, mais c'était pas mal.

— Comment ça, « pas mal » ?

Il braqua sur elle son regard de prédateur, les yeux mi-clos.

— Je t'ai dit que je voulais y aller en douceur. T'aimer comme tu le mérites. Pas te culbuter à la va-vite sur le plan de travail de la cuisine.

Elle lui embrassa le bout du nez.

— Au cas où tu ne l'aurais pas remarqué, ça ne m'a pas dérangée. Du tout.

— Je veux te donner tellement plus ! (Il l'étreignit avec passion.) Tout ce que j'ai possédé, tout ce que j'ai perdu… Je veux le récupérer. Pour toi.

Elle entendit le cœur de Liam battre à toute allure contre son oreille, et le sien se serra. Ses déclarations l'effrayaient. Elle aurait pu ne pas y prêter attention, se dire que c'étaient les paroles d'un homme comblé par une partie de jambes en l'air, des mots qu'il oublierait sitôt repu. Cependant, ses pulsations cardiaques effrénées n'étaient pas seulement dues à l'épuisement physique. Elle perçut dans la voix de son amant de l'incertitude, une aspiration qu'il craignait de ne pouvoir satisfaire.

Elle laissa courir ses doigts sur son torse vigoureux.

— Tu n'as pas à faire quoi que ce soit pour moi.

— Ne sois pas ridicule, enfin ! Je prends soin de toi, dorénavant. Je veux tout faire pour toi.

Elle secoua la tête.

— Je me débrouille toute seule. J'ai un travail honnête et une jolie maison. C'est plus que la plupart des gens.

— Avant le Collier, l'homme ramenait sa compagne chez lui, dans sa famille, et l'y cloîtrait. Il se démenait pour elle, chassait pour elle, s'assurait qu'elle ait chaud, qu'elle mange à sa faim et qu'elle se sente bien. Il la choyait et la couvrait d'attentions.

— Vraiment ? Et les droits des femmes dans tout ça ?

— C'était le XIXe siècle, trésor. (Il sourit.) Les femmes n'étaient pas séquestrées ou emprisonnées. On les isolait pour les protéger. Les femelles ont toujours été en nombre insuffisant, et il fallait éviter que d'autres garous nous les volent. Le lien entre conjoints est sacro-saint, mais quand les temps sont durs, certains ne se soucient plus de violer les tabous. (Il la berça contre son cœur.) Je dois combattre mes instincts qui me dictent de t'enfermer en lieu sûr et d'empêcher quiconque de te regarder.

Kim ne s'était jamais considérée comme un objet précieux jusqu'à aujourd'hui. Certes, Abel l'avait traitée comme une simple commodité, et les hommes qu'elle avait fréquentés avant lui n'avaient guère fait mieux. Elle n'avait connu que des relations du genre « amis avec avantages ». Très éloignées, en somme, du grand amour, véritable, éternel, celui qui faisait dire des phrases comme : « Je veux prendre soin de toi et te protéger pour le restant de nos jours. »

Elle s'occupait de sa petite personne depuis assez longtemps, et le fait que quelqu'un désire la soulager de ce poids lui faisait un drôle d'effet, même si c'était agréable. Elle ne laisserait jamais faire Liam, mais la sensation lui plaisait.

Il la souleva et bondit sur ses pieds en même temps. Elle se retrouva plaquée contre son torse, la tête sur son épaule, tandis qu'il rejoignait l'escalier à grands pas.

— Que fais-tu ? lui demanda-t-elle.

— Je t'emmène au premier, là où est notre place. J'en ai assez de réprimer mes instincts.

Un délicieux frisson la parcourut.

— Comment ça ?

Il baissa sur elle des yeux bleu pâle, ses pupilles réduites à deux fentes.

— Je vais t'aimer toute la nuit, ma compagne. Sur un lit. Je vais t'aimer jusqu'à l'épuisement.

Si Abel lui avait dit ça, elle aurait levé les yeux au ciel, ou aurait craint de mourir d'ennui ou de frustration. Mais quand Liam prononçait ces mots, son corps entier s'embrasait.

Pour le taquiner, elle répliqua :

— Je dois vraiment étudier mes dossiers.

Il darda sur elle un regard bestial.

— Au diable tes dossiers !

Elle rit. Il rugit et grimpa les dernières marches en quatrième vitesse. Puis, il fonça dans la chambre à coucher et la jeta sur le lit. Alors que leurs vêtements volaient dans les airs, Kim céda. Pour la première fois de sa vie, elle allait savourer une nuit d'amour sauvage et débridé dans les bras d'un être qui jurait de rendre ce moment inoubliable : peu importait ce qui les attendait au petit matin.

C'était au tour de Sean de préparer le petit déjeuner, et Liam lui arracha des mains une assiette pleine de pancakes, tandis que le soleil s'infiltrait par les fenêtres orientées à l'est.

— Kim ne va pas tarder à descendre.

Son frère, les yeux injectés de sang, lui décocha un regard agacé.

— Je songe sérieusement à insonoriser ta chambre.

— Les bruits de l'amour te dérangent donc à ce point ?

— Oui, quand vous passez la nuit à hurler.

Attablé à sa place, Connor sourit de toutes ses dents.

— J'ai dû porter un casque avec la musique à fond. Ça n'a pas suffi à couvrir vos cris.

— Vous êtes juste jaloux, bande d'idiots. Où est père ?

Sean fit claquer la spatule contre le comptoir.

— À ton avis ?

À côté. Chez Glory. Tant mieux.

— Tu envies ton vieux paternel qui prend du bon temps ? le taquina Liam. Quel fils ingrat tu fais !

— Sean est en rogne parce qu'il ne s'envoie pas en l'air, lui, lança Connor. Moi, je m'en fiche, je suis encore trop jeune et innocent pour comprendre tout ça.

— Conneries ! grommela Sean.

Le benjamin éclata de rire. Liam lui tapota l'épaule et fit volte-face, son petit déjeuner à la main.

— Tu finiras par trouver une compagne, Sean. Et alors, on se moquera du bruit qui viendra de ta chambre.

Sean lui décocha un regard assassin et retourna à sa pâte à crêpes. Sa mauvaise humeur n'était pas seulement liée au fait que Liam l'avait empêché de fermer l'œil toute la nuit. La veille, il avait été prêt à se sacrifier pour sa famille, et cela n'avait pas été facile pour lui.

Liam s'apprêtait à s'asseoir lorsqu'il flaira la présence, reconnaissable entre toutes, de Kim descendant l'escalier. Il sentit, également, qu'elle sortait tout juste de la douche. Elle portait une jupe simple, un chemisier sans manches et des sandales à talons hauts. Elle avait les jambes nues.

— Super, des pancakes ! s'écria-t-elle. Je meurs de faim.

Liam l'attira à lui. Il s'était réveillé à ses côtés à peine une heure plus tôt et ne s'était jamais senti aussi heureux. Il enfouit le nez contre sa joue avant de l'embrasser.

Elle lui sourit.
— J'en déduis que les pancakes sont savoureux.
— Sean est presque aussi bon cuisinier que moi. Viens t'asseoir.
Comme elle s'approchait, Connor se leva, et Liam lui fit un signe de tête. La jeune femme parut surprise quand le premier passa ses bras maigrelets autour d'elle et termina son câlin maladroit par un bisou sur la joue.
— Bonjour, Kim, dit-il en la relâchant.
— Bonjour, Connor. Je…
Ses paroles restèrent en suspens, car Sean se campa devant elle et l'enlaça à son tour. D'un geste plus maîtrisé, il la serra avec fermeté, lui frotta le dos et lui embrassa les cheveux.
— Tu aimes les myrtilles, Kim ? lui demanda-t-il tandis qu'il la libérait pour retourner à ses fourneaux.
— Euh, oui. Des myrtilles. Parfait.
Liam lui caressa le creux de la nuque et la mena à sa place.
— Tu as bien dormi ?
— Non.
Elle s'écroula sur sa chaise et attrapa la carafe de jus de fruits au centre de la table.
— Mais tu le sais déjà, reprit-elle. Sean, Connor, essayez-vous de me consoler de la nuit que j'ai dû passer avec Liam ?
Connor explosa de rire. Sean arbora un petit sourire, oubliant un instant son humeur maussade.
— Tu as besoin d'être consolée, Kim ? ironisa-t-il. Il est si mauvais que ça ?
— La ferme, grommela Liam, mais il se sentait bien trop comblé pour se soucier de leurs railleries. Ils te reconnaissent comme ma compagne, trésor. Ils t'accueillent au sein de la famille.

— C'est vrai que les garous sont très câlins.

Liam laissa courir sa main le long du bras de Kim et savoura la douceur soyeuse de sa peau.

— En quoi est-ce mal ? Se toucher et s'étreindre, c'est bien.

— C'est inhabituel, répondit-elle. Pour les humains, s'entend.

— Cela permet de rassurer, de maintenir les liens familiaux. Ça dépasse l'amour, c'est une nécessité.

— Les humains le font aussi, lança Sean planté devant le four. Sauf que ça les gêne. Du coup, ils inventent d'étranges rituels, comme offrir des fleurs ou des chocolats aux dames. Les hommes se tapent quand ils s'apprécient. Je l'ai vu de mes yeux !

— Sean étudie les humains et leur comportement, expliqua Liam. Ça l'occupe.

Kim adressa à Sean un regard empreint de respect.

— Si tu arrives à y comprendre quelque chose, chapeau ! Je ne suis même pas sûre que nous y parvenions.

— Je les observe de l'extérieur. C'est différent.

— Comme les humains avec les garous. (Elle saisit son assiette de pancakes et ne se fit pas prier pour attaquer.) Je sais que vous ne voulez pas en parler, mais je refuse que vous envisagiez de vous soumettre à Fergus. Il cherche à semer la discorde entre vous. J'ai retourné la question dans tous les sens et je pense qu'avant tout, vous avez besoin d'un bon avocat. Par chance, il y en a justement une qui prend le petit déjeuner avec vous ! Je vais éplucher vos lois, voir si Fergus a le droit de demander à votre père de se retirer, ou essayer de trouver une faille pour lui mettre des bâtons dans les roues. Par conséquent, je dois connaître toutes les règles, coutumes ou traditions qui ne sont pas écrites. Il faut que je maîtrise le sujet sur le bout des doigts.

Avec sa compagne si près de lui, imprégnée du mélange de leurs odeurs, Liam ne se souciait guère de Fergus, de Brian et du bordel sans nom dans lequel ils avaient plongé le quartier garou.

— Ne t'en fais pas, Kim. Je ne t'empêcherai pas de tenter le coup. Ne nourris pas trop d'espoirs, c'est tout.

Elle termina son dernier pancake et bondit sur ses pieds.

— C'est mieux que de laisser Fergus l'emporter.

— Il ne gagnera pas, affirma Liam, les yeux rivés sur ses hanches tandis qu'elle se dirigeait vers l'évier pour y déposer son assiette. Je m'y opposerai.

Sean lui jeta un regard noir.

— Je persiste à penser que ma méthode est la meilleure.

Il était moins catégorique que la veille, Liam le devinait à sa tension qui avait baissé d'un cran, mais il était toujours furieux.

— Nous avons besoin de toi comme Gardien, Sean, déclara-t-il avec douceur. Connor n'est pas encore prêt à prendre l'épée.

— Carrément pas ! renchérit l'intéressé, plongé dans son magazine automobile. Je t'interdis de me claquer dans les pattes, Sean !

Kim semblait de nouveau perplexe. Liam lui désigna le perron à l'arrière de la maison, avant de dévaler à sa suite les marches menant au terrain sans clôture, baigné par le soleil estival d'Austin. La journée s'annonçait caniculaire, pour changer, mais dès la tombée de la nuit l'astre d'argent nimberait le jardin de sa fraîcheur.

— Il faut que j'aille travailler, dit Kim.

— Je sais.

— Tu vas essayer de m'accompagner, n'est-ce pas ?

— Je vais t'accompagner. Je ne veux pas te perdre de vue une seconde tant que les sbires de Fergus erreront dans les parages et que celui-ci sera fumasse contre les Morrissey. Il est tout à fait capable de punir les membres insubordonnés du clan pour montrer l'exemple.

— Je vais arranger ça, Liam.

Il se contenta d'acquiescer.

— OK, mais tu restes dans mon champ de vision, trésor.

— Qu'est-ce qui tracasse Sean ? s'enquit-elle, en jetant un coup d'œil vers la maison.

Liam avait remarqué que Kim prenait son temps avant de poser une question. Une déformation professionnelle, sans doute. L'avocate y réfléchissait à deux fois avant de soutirer l'information qu'elle désirait.

Il se gratta les cheveux, car il n'aimait pas penser à ça.

— Sean s'est toujours reproché la mort de Kenny. Je me tiens pour responsable, car j'obéissais stupidement à des ordres au lieu de les protéger tous les deux. Sean était à ses côtés. Il s'est battu et a survécu, mais il n'a pas pu sauver Kenny. Ça le ronge. Littéralement.

Kim lui jeta un coup d'œil sceptique.

— Oh, je t'en prie ! Je me doute bien que Sean ne s'est pas contenté de rester sur la touche pour regarder Kenny se faire zigouiller. Il a dû livrer bataille.

— En tant que Gardien, son devoir est de manier l'épée, et il ne pouvait pas risquer que l'indompté la lui prenne. Kenny le savait. Il a combattu pour préserver le Gardien et l'épée.

Kim le dévisagea, les yeux écarquillés.

— Tu veux dire que ce morceau de métal comptait plus que votre frère ?

— Non, ce n'est pas le sens de mes paroles. Cependant, le Gardien est investi d'une énorme responsabilité envers tout le clan. Il doit survivre pour protéger l'épée de mains ennemies, au cas où il aurait besoin de s'en servir sur l'un d'entre nous. Kenny a agi en connaissance de cause.

Il voyait bien que cette évidence échappait à Kim, même si son regard s'était adouci.

— Ça ne rend pas les choses plus faciles pour autant, n'est-ce pas ?

— Non.

Elle lui enserra la taille.

— Liam, je suis désolée.

Il sentit sa peine et se blottit contre elle, tandis que les larmes roulaient sur ses joues au souvenir du frère qu'il avait perdu. Être garou allait de pair avec le sacrifice, et le fait que la jeune femme le comprenne délia le nœud qui le tourmentait depuis une décennie.

Kim travailla toute la journée pour rattraper le retard accumulé au cabinet. Elle passa des coups de fil, tria des papiers et prépara le procès qu'elle comptait bien obtenir pour Brian. Le détective privé qu'elle avait engagé lui apprit qu'il détenait la preuve que l'ex-petit ami de Michelle avait été dévoré par la rancune quand cette dernière avait commencé à fréquenter Brian. Il y avait eu des menaces et les amis de l'ex en question s'étaient inquiétés. Parfait. Kim lui demanda de continuer à creuser.

Elle étudia avec minutie toutes les informations glanées sur les législations des garous. Elle trouverait le moyen d'empêcher Fergus de battre les Morrissey, peu importe le temps que cela lui prendrait. D'ordinaire, le gouvernement humain ne se mêlait pas de la hiérarchie des garous, avant tout parce qu'il n'y comprenait rien. Cependant, elle était déterminée à résoudre ce problème. Ainsi, Liam pourrait découvrir pourquoi Fergus tenait tant à ce que Brian soit exécuté.

Travailler avec son amant étendu sur le canapé de son bureau la perturbait, d'autant qu'il passait son temps à l'observer. Il n'exigeait pas son attention ni ne l'interrompait dans ses tâches, il se contentait de… la contempler.

Il lui faisait penser aux lions de la savane africaine, couchés à l'ombre de ces arbres dont elle ignorait le nom, guettant les troupeaux de gazelles. Même s'ils n'avaient pas faim à cet instant, les fauves restaient aux aguets. La tête haute, les oreilles dressées, en état d'alerte. Immobiles. À l'affût.

Vers dix-sept heures trente, Kim la gazelle était prête à rentrer. Elle n'essaya même pas de se rendre chez elle. Elle regagna le quartier garou en compagnie de Liam, ce qui lui procura un curieux sentiment de soulagement.

Lorsqu'ils débarquèrent chez les Morrissey, Sean avait allumé un énorme barbecue dans le jardin, et plusieurs glacières débordaient de bières et de glaçons. Une dizaine de garous se prélassaient sur la véranda et tout autour de la maison, en discutant avec Sean et Dylan. Connor jouait au football avec d'autres jeunes de son âge, tandis que deux adolescentes les jaugeaient de loin.

Silas, l'ami journaliste de Kim, arriva peu après. Il était grand et très mince, avec une pomme d'Adam proéminente.

— En quel honneur est cette fête ? demanda-t-il lorsque Kim le présenta à Liam.

Elle l'avait prévenu : seul Liam connaissait la véritable raison de sa venue, et Silas avait juré de rester discret.

— C'est une bénédiction au clair de lune, répondit Liam avant de lui décocher un sourire carnassier. Le rituel qui va suivre promet d'être très intéressant.

Kim roula des yeux, agacée par sa propension à forcer son accent irlandais devant des étrangers ; au moins avait-il cessé de balancer des « 'Jour à vous ! » à tout va.

— On croirait entendre un leprechaun de dessin animé, lui asséna-t-elle après qu'ils eurent présenté Silas aux autres invités, dont Annie, la serveuse, avec qui il entretenait à présent une discussion enflammée.

— Chut, tu me vexes, là.

— La ferme, Liam.

Il arqua les sourcils et se mit à rire.

— Tu commences à apprendre, chérie.

Son rire lui réchauffa le cœur, lui rappelant qu'il l'avait aimée toute la nuit. Et en cet instant même, il la couvait d'un regard empreint de voracité.

— Je ne t'ai pas touchée depuis trop longtemps.

Un délicieux frisson la traversa. Elle était d'accord. Cela faisait trop longtemps qu'il n'y avait pas eu de contact intime entre eux. Des heures.

— J'ai hâte que la cérémonie soit terminée et que tout le monde rentre, lui souffla-t-il à l'oreille.

— On devrait sans doute manger avant. Se montrer sociables.

— En effet.

Il laissa courir ses mains jusqu'à ses fesses et la plaqua contre lui pour l'embrasser.

— Mais j'espère que ça ne prendra pas toute la nuit, ajouta-t-il.

Ils revinrent vers le barbecue, à mesure que d'autres garous se joignaient à la foule. Tous ceux que Kim avait rencontrés dans le quartier étaient présents : le loup Ellison, Glory, Annie, Sandra, les femmes qu'elle avait aperçues lors de sa première venue, le petit Michael, si fier de sa piscine gonflable.

L'avocate se crispa lorsqu'elle vit les deux sbires de Fergus, le tatoué au crâne rasé et le paramilitaire avec ses lunettes de soleil, mais Sean, l'air de rien, leur tendit une assiette de steaks carbonisés avec des petits pains.

— Ils ne vont pas chercher la bagarre, hein ? demanda Kim en attrapant un burger.

Les deux brutes s'étaient éloignées pour manger et elle remarqua que les autres les évitaient.

— Ni sortir un chat à neuf queues pour fouetter tout le monde ? ajouta-t-elle.

— Ils sont ici pour assister au rituel, répondit Sean. Ils représentent Fergus. Et ils se tiendront à carreau.

— Je n'aurais pas invité Silas si j'avais su qu'ils venaient.

Liam secoua la tête.

— Ils n'interrompront pas la cérémonie. Fergus veut que cette union soit célébrée, et s'assurer que père abandonnera le pouvoir dès demain.

Kim acquiesça d'un air abattu. Elle n'était pas encore en mesure de démontrer que la requête de Fergus était illégale, mais elle n'avait pas dit son dernier mot. Elle ne négligerait aucun détail.

Elle mâcha son burger, qui était délicieux, surtout avec le fromage fondu sur la viande. Elle avait complètement flingué son régime, mais elle n'en avait plus rien à faire.

Ellison sortit de la foule, vêtu de son énorme Stetson noir et de ses santiags. Liam et lui se tapèrent dans la main avant de se donner une chaleureuse accolade virile.

— Kim ! s'écria le lycan de sa voix de stentor.

Il ouvrit grand les bras et, avant que la jeune femme puisse s'enfuir, il ôta son chapeau et la souleva de terre. Liam rattrapa l'assiette à moitié pleine de Kim tandis qu'Ellison la faisait tournoyer dans les airs.

— Félicitations ! (Le colosse la reposa et lui tapota le ventre avec douceur.) C'est pour quand ?

— Je vous demande pardon ?

Ellison parut stupéfait.

— Liam, tu ne l'as pas encore touchée ? C'est quoi ton problème ? Vous avez été bénis sous le soleil, non ? Tu attends quoi ? La Saint-Glinglin ?

— On l'a déjà fait, t'inquiète. (Il rendit son assiette à Kim.) C'est pour bientôt.

Le visage de l'avocate s'empourpra.

— Même si ce ne sont pas vos oignons.

— Pas mes oignons ? Chérie, qu'un mâle sache comment s'y prendre nous concerne tous. Nous devons être doués pour faire des bébés. Pourquoi crois-tu qu'on s'exerce autant ?

Il serra les poings et se déhancha, parodiant un sensuel va-et-vient.

— Ne fais pas attention à lui, Kim. Les lycans sont dégoûtants.

— Je te remercie, répliqua Glory.

Elle passa devant Ellison, grande et mince dans son pantalon noir moulant et son haut en soie, sa crinière blonde parfaitement en place.

— Abrutis de félins !

— Saletés de lycans ! rétorqua Liam avec entrain.

Dylan s'avança.

— Kim.

Elle le regarda approcher avec nervosité, mais il se contenta de l'enlacer chaleureusement. Elle perçut dans son geste quelque chose de différent, qu'elle n'avait pas senti chez les autres. Un sentiment de soulagement et non une joyeuse exubérance. Dylan la serra fort, et elle huma l'odeur de sa chemise en coton humide mêlée à celle de la mousse à raser. Son accolade n'avait rien de sexuel. Il la serra comme on bercerait un enfant, comme il apaiserait Connor, par exemple.

Il l'étreignit un long moment, et ses yeux étaient embués lorsqu'il s'écarta d'elle. Il les essuya, sans honte, puis se retourna et prit Liam dans ses bras.

Père et fils restèrent immobiles dans cette position, tandis que Kim récupérait son burger des mains d'Ellison. Pour refouler ses larmes qui affluaient, elle se dit qu'elle ferait mieux de finir son assiette au plus vite, avant que d'autres invités ne souhaitent la féliciter à grand renfort de câlins.

Elle remarqua que Glory n'avait pas essayé de l'embrasser. Celle-ci alla se chercher à manger d'un pas nonchalant en compagnie de Dylan une fois que ce dernier se fut décidé à relâcher Liam. Kim se demanda si la lycane manifestait sa désapprobation quant à l'union de Liam et d'une humaine, ou si elle ne se sentait pas assez proche de la famille pour participer au festival d'embrassades. Glory et Dylan avaient beau copuler comme des lapins, le sexe et l'intimité n'allaient pas forcément de pair, Kim en savait quelque chose. Cette créature l'intriguait.

La nuit mit du temps à tomber, mais Liam et Dylan ne semblaient guère pressés. Liam présenta sa compagne à tous les invités, en lui tenant la main ou en l'enlaçant par la taille tandis qu'ils se promenaient de groupe en groupe. Kim rencontra des lycans, d'autres félins et des ours.

Ces derniers la fascinèrent. C'étaient des individus osseux arborant de longues crinières. La plupart des mâles portaient la barbe, et les deux sexes, à l'évidence, affectionnaient les tatouages. Eux aussi l'accueillirent avec entrain, même si leurs étreintes étaient moins intimes que celles de la famille. Tous n'étaient pas ravis qu'on introduise une humaine parmi eux, mais ils se montrèrent cordiaux.

Quand Liam la conduisit enfin vers le centre du jardin, il faisait nuit noire et la température s'était, par chance, rafraîchie. La lune se leva vite et, lorsqu'elle atteignit son zénith, la foule se tut.

Les voisins de Liam formèrent deux cercles concentriques autour du couple et de Dylan. Le plus petit contenait la famille et les amis proches de Liam ainsi que les deux hommes de main de Fergus. L'autre rassemblait le reste du quartier garou.

La lune filtrait à travers les arbres, baignant le visage de Kim lorsque Liam la tourna vers lui. Comme il l'avait fait devant Fergus à San Antonio, il leva la main gauche et la pressa contre la paume droite de la jeune femme. Il emmêla leurs doigts et se plongea dans son regard.

Dylan serra leurs mains entre les siennes et entonna un chant dans une langue étrangère. De l'irlandais ? Du gaélique ? Ou une sorte de langage garou ? Ceux qui les encerclaient lui firent écho, psalmodiant en canon. Ils commencèrent à tourner autour d'eux, le premier cercle dans le sens des aiguilles d'une montre, le second en sens inverse. À pas volontairement lents, ils entamèrent une danse d'apparence millénaire, simple et puissante.

Puis, Dylan cessa de chanter.

— À la lueur de la lune, déclara-t-il sur un ton grave et sérieux, je reconnais cette union.

Ellison hurla, et tous les loups se joignirent à lui sans tarder. S'ensuivirent les rugissements des fauves et les grognements rauques des ours. Liam attira Kim contre lui et l'embrassa avec passion.

— Merci, trésor, dit-il d'une voix enrouée. Merci.

À San Antonio, la bière et la petite fête impromptue avaient suffi à exciter les garous, mais ce n'était rien à côté des réjouissances de cette nuit. Les adultes s'agrippaient, s'étreignaient, riaient et dansaient ensemble comme des fous. La bière coulait à flot, les enfants couraient partout en criant, les couples s'embrassaient. Plus d'un garou se débarrassa de ses vêtements pour se transformer, et bientôt le jardin compta plus de fauves, de loups et d'ours que d'humains.

Kim chercha Silas des yeux, se demandant ce qu'il allait bien pouvoir tirer de tout ça. L'homme élancé se tenait près d'Annie, une bouteille à la main. Ils faisaient la même taille, et la serveuse avait passé le bras autour de ses épaules.

— Super fête, Kim, s'exclama le journaliste, l'air jovial.

Il semblait heureux, pas énervé ni effrayé pour un sou. Tant mieux.

Glory s'approcha, elle paraissait un peu plus détendue.

— Annie ! Tu as mis le grappin sur un humain ? Liam a lancé une mode.

Annie se colla à Silas.

— Il est sympa.

— C'est mon ami, précisa Kim. Je l'ai invité.

— Je sais. (Glory s'éloigna de Dylan et enlaça l'avocate dans une étreinte parfumée.) Ils ont besoin de toi, chérie. Sois bonne avec eux.

Connor fonça vers elle, talonné par Sean, et Kim recula contre Liam.

— Encore des câlins ? Je vais avoir des bleus partout.

— Ils sont contents, lui souffla son amant à l'oreille. Ce n'est pas tous les jours qu'un couple s'unit. Dans notre famille, nous ne pensions pas célébrer une alliance avant des années. Et encore, je reste optimiste.

Sans laisser à Kim l'occasion de répondre, Connor, puis Sean, puis à nouveau Connor la serrèrent dans leurs bras.

— J'ai une tante, claironna le jeune garou. J'ai une tante, et bientôt j'aurai un cousin !

— Tu n'aurais pas quelque chose à m'apprendre, Kim ? railla Silas.

— Joue le jeu. Ils adorent les bébés. Envisager la possibilité, même lointaine, d'une naissance les transporte de joie. Pendant longtemps, leurs petits mouraient en bas âge, ça les a traumatisés.

Elle avait piqué sa curiosité. Tant mieux. Au détour d'une conversation informelle, Liam parla à Silas de la faible proportion de femelles par rapport aux mâles et il lui expliqua qu'à une époque, beaucoup d'entre elles décédaient malheureusement en couches.

— Mais cela commence à s'améliorer, conclut-il. C'est l'un des avantages d'avoir accepté le Collier, un peu de paix pour prendre soin de nos familles.

Silas scruta le Collier de Liam avec intérêt.

— De quoi sont-ils faits ? J'ai entendu dire qu'ils étaient magiques, mais ce sont des histoires, n'est-ce pas ?

Liam posa sur lui des yeux brillants et innocents.

— Vous ne croyez pas à la magie ?

— Les garous n'ont rien de magique, répliqua Silas avec un sourire destiné à montrer qu'il n'était pas dupe. Vous avez une anomalie génétique qui vous permet de muter en animal. Ça remonte à un ancêtre lointain dont on ignorait l'existence jusqu'à ce qu'on découvre la vôtre.

— C'est en partie génétique, en effet. Nous avons été engendrés il y a très longtemps pour servir de jouets et de chasseurs. Et un jour, nos éleveurs se sont rendu compte que les chasseurs mordaient.

Il arbora un sourire carnassier.

— Vous avez été conçus de manière délibérée ? s'étonna Silas. C'est la première fois que j'entends ça.

— Oui. Et nos créateurs ont eu recours à la magie. Comment expliquer notre existence sinon ?

— Par la manipulation génétique ? (Silas haussa les épaules.) Les anciennes cultures en étaient-elles capables ?

Kim se demanda jusqu'où irait Liam, qui continua cependant :

— Les faes, oui. Il s'agit d'êtres féeriques mentionnés dans les légendes celtes et irlandaises. Leur magie nous a forgés, mais notre force nous a maintenus en vie quand ils ont commencé à disparaître de la surface de la Terre. Les garous étaient doués pour la survie, et les faes pour l'évasion. Devinez qui étaient les plus puissants ?

Les garous rassemblés autour d'eux sourirent et acquiescèrent.

Silas l'écoutait avec intérêt.

— Donc ces histoires sur vos Colliers enchantés sont…

— Vraies, termina Liam pour lui. Les humains n'y croient pas mais, après tout, cela importe peu. Ce qui compte, pour eux, c'est de nous savoir domptés. Voilà pourquoi vous pouvez rester à côté d'Annie sans qu'elle vous croque. Pour l'instant.

— La nuit est longue, ronronna la serveuse.

Silas arbora un grand sourire.

— Essayez-vous de terrifier l'humain et de le pousser à fuir ?

— Allons, est-ce vraiment notre genre ? roucoula Annie.

Les dents de Liam commencèrent à s'allonger.

— Que diriez-vous d'une démonstration ? Cela suffirait-il à vous rassurer ?

Les garous se crispèrent. Kim savait que Liam proposait cela pour rendre service à Silas. C'était le prétexte rêvé pour montrer que les Colliers fonctionnaient et prouver que Brian n'aurait pas pu assassiner une humaine. Mais ses congénères, y compris son père, froncèrent les sourcils.

— J'ai lu que les Colliers envoyaient une décharge insupportable dans le système nerveux, répliqua Silas qui n'avait pas remarqué le changement d'atmosphère. Je ne peux pas vous demander une chose pareille.

— Mais les humains veulent tout connaître sur les garous, non ? poursuivit Liam d'une voix suave. Le bon, le mauvais, les points faibles.

Un loup courut devant eux et se jeta, la mine ravie, les quatre fers en l'air, aux pieds de Kim.

— Les points faibles, répéta-t-elle avec nervosité. Ha ha !

— Très drôle, Ellison, dit Liam. Reprends-toi, maintenant.

— C'est Ellison ? s'enquit Silas avec surprise.

Le loup roula sur le ventre pour se relever, leur décocha un regard espiègle et fila de nouveau.

— Dans toute sa gloire. (Liam se tourna vers Silas.) Vous avez raison, vieux. Les Colliers font un mal de chien. Voilà pourquoi nous sommes tous, y compris le célèbre Brian, cloîtré dans sa cellule, non-violents. Et personne, aucun de nous, n'a envie de vous faire cette démonstration.

— Parle pour toi, Liam. (Glory posa les mains sur les hanches, et sa tenue moulante s'étira de façon intéressante.) L'humain ne croira jamais que les Colliers fonctionnent avant de l'avoir vu de ses yeux. Vous voulez une démo ? La voici !

Elle braqua les yeux sur Silas, et ses iris blanchirent. Son visage ne changea pas, mais la louve sauvage tapie derrière la pin-up qu'elle faisait mine d'incarner se révéla au grand jour. Annie et Liam se ruèrent sur le journaliste pour le protéger. Alors, Glory fit volte-face, agrippa Kim par le cou et commença à l'étrangler.

18

Voilà donc ce qu'on ressentait quand on mourait. Aucune technique d'art martial ne traversa l'esprit de Kim, qui se contenta de saisir les mains de Glory. Le souvenir de l'indompté qui avait essayé de la tuer dans sa chambre à coucher lui revint en mémoire et la peur l'assaillit.

Elle ne pouvait plus respirer. Sa vision s'obscurcit, ses poumons la brûlèrent et son cœur, en manque d'oxygène, s'emballa. Elle entendit Liam rugir au loin.

Des étincelles jaillirent dans la nuit, le Collier de Glory s'enclenchait. L'air pénétra à nouveau dans la cage thoracique de Kim, qui atterrit sur les fesses lorsque la lycane la repoussa pour affronter le fauve bondissant sur elle.

Liam.

Glory se transforma à moitié afin de contrer l'offensive, mais son Collier continua de briller tandis que son corps tressaillait de douleur.

Dylan s'élança derrière Liam et muta dans la foulée. Les vêtements de Liam craquèrent lorsqu'il en surgit sous sa forme bestiale. Puis, soudain, les deux félins roulèrent au sol dans une lutte effrénée, feulant, griffant, mordant à tout va. Leurs Colliers s'activèrent, leurs muscles et leur fourrure tremblaient sous l'effet des décharges, mais père et fils poursuivirent le combat.

— Compagne, haleta Glory. (Elle avait porté les mains à son cou, la chaîne obsidienne rutilait contre sa gorge crémeuse.) Quelle idiote ! J'ai attaqué sa compagne. Il n'a pas pu s'en empêcher. Il devait la défendre...

L'assemblée recula pour laisser assez d'espace aux deux fauves. Sean les observait, blême, prêt à foncer vers la maison.

— Arrête-les ! hurla Kim.

— Je ne peux pas. Je suis le Gardien, répondit-il entre ses lèvres pincées.

— Fais ton boulot, bon sang !

Connor cria. Les garous sursautèrent et se tournèrent vers lui. Il serra les poings.

— Non ! glapit-il. Non !

Sean l'agrippa, mais Connor se libéra de sa prise et se jeta sur les deux bêtes féroces. Il s'était à moitié changé en un jeune chat sauvage dégingandé et s'apprêtait à bondir lorsque son Collier s'alluma. Son râle de douleur retentit dans la clairière.

— Connor ! s'écria Kim.

Glory se redressa avec difficulté et courut vers lui. Sean resta en arrière, immobile, scrutant la scène.

Le Collier de Connor continua d'étinceler, et il se mit à gémir comme quand Fergus les avait convoqués. Il reprit sa forme humaine, ses vêtements en lambeaux.

La lycane l'attira contre elle.

— Kim, à l'aide !

L'un des fauves roula jusqu'à percuter un arbre. Ses membres se tordirent, et Liam émergea, nu, le corps strié de boue et de griffures. Dylan apparut à son tour, étendu par terre sur le dos, à bout de souffle.

— Kim !

Glory berçait Connor sur ses genoux. Kim les rejoignit et s'accroupit devant le garou. Elle se sentit tellement inutile !

— Il a besoin de ton toucher, fit Glory. Tu fais partie de la famille maintenant.

Kim posa les mains sur le dos nu de Connor.

— Ça va aller, Connor.

— Il lui faut plus que ça ! Par la Déesse, comment les humains arrivent-ils à survivre ?

En respectant l'espace vital de chacun, qui pour eux est primordial ? Pour les garous, cette notion était différente. Kim croyait jusque-là avoir découvert pourquoi ces créatures avaient besoin de contact, tout comme les chats qui se frottaient aux congénères qu'ils connaissaient et appréciaient.

Cependant, elle comprenait à présent que c'était bien plus complexe. Il ne s'agissait pas seulement d'affection, mais d'un moyen de réconforter et de rassurer l'autre. Et peut-être d'apaiser sa douleur. Elle se rappela comment Sean et Liam avaient étreint Sandra pour la calmer lors de sa première visite dans le quartier garou. Elle avait d'abord pensé que ces trois-là avaient une aventure ; elle savait à présent qu'il n'y avait rien eu de sexuel dans leurs embrassades.

Elle enlaça Connor par-derrière et s'appuya contre lui.

— Tout va bien, mon grand, reprit-elle. C'est fini.

La tête de Connor reposait contre l'épaule de Glory, qui le tenait par la taille. Il ne poussait plus de gémissements déchirants, mais tremblait comme une feuille.

Kim s'était rendu compte qu'il était vraiment très jeune lorsqu'il s'était transformé. Sous sa forme de fauve, il n'était pas tout à fait développé. Il ressemblait plus à un lionceau qu'à un adulte, même s'il avait vingt ans en âge humain et allait à l'université. Le fossé entre leurs deux mondes était vaste.

Soudain, elle se rappela la présence de Silas. Oh, Seigneur !

Elle leva les yeux. Le journaliste était resté auprès d'Annie, qui s'était jetée devant lui dans une posture défensive. Il considérait la scène, ébahi, mais après avoir vu les pires atrocités en Irak et en Afghanistan, il fallait plus qu'un combat de chats-garous pour le désarçonner. Du moins l'espérait-elle.

— Pourquoi vos Colliers n'ont-ils pas fonctionné ? demanda-t-il, brisant le silence.

Dylan était toujours étendu sur le dos, les paupières closes, le visage blafard. Liam répondit :

— Ils ont fonctionné. Vous avez devant vous l'incarnation de la douleur, mon vieux. Père a voulu me donner une leçon, voilà tout.

Bien que son explication fût évasive il n'avait pas menti. Dylan et lui faisaient peur à voir.

Ellison avait repris son apparence humaine, mais n'avait pas récupéré ses vêtements. Il alla trouver Liam et l'aida à se mettre debout. Sean se campa de l'autre côté, passa le bras autour de l'épaule de son frère et frotta le nez contre sa joue.

— Vas-y, Kim, dit Glory. Je m'occupe de Connor.

— Et Dylan ?

Le vieux garou gisait par terre, à bout de souffle, le corps livide et brillant de sueur.

— Oublie Dylan. Liam est ton compagnon. Il a besoin de toi.

Kim embrassa une dernière fois Connor avant de se relever. Elle ne savait vraiment pas dans quelle catégorie classer Glory : pétasse finie ou femme compliquée. La lycane avait la langue acérée mais, lorsqu'elle posa sur l'avocate des yeux emplis d'angoisse, cette dernière eut soudain envie de la cajoler à son tour.

Elle résista et alla rejoindre Liam.

Ellison lui céda la place. Kim tâcha de ne pas regarder son corps nu, mais il ne sembla ni le remarquer ni s'en inquiéter.

— On doit le ramener à la maison, loin de tout le monde, déclara Sean, à la droite du blessé.

Kim acquiesça. Ils aidèrent Liam à marcher, un pas chancelant après l'autre, jusqu'au perron arrière et à l'intérieur de la demeure familiale, plongée dans le silence. Il y faisait noir, personne n'y avait mis les pieds depuis le coucher du soleil, mais ni Kim ni Sean ne se soucia d'allumer.

— Conduisez-moi jusqu'au canapé, dit Liam. Ça va aller.

Ils l'y déposèrent avec délicatesse. Kim prit la main de son amant entre les siennes, et Sean s'assit à côté de lui.

— Arrêtez de me couver comme deux vieilles bonnes femmes ! grommela-t-il. Ce n'est pas si terrible. Assurez-vous plutôt que Connor se porte bien.

— Et ton père ? demanda Kim.

— Glory s'occupera de lui. Pauvre Kim. On t'a effrayée.

— Épargne-moi ton attitude paternaliste ! (Elle se redressa et fusilla les deux autres du regard.) Il s'est passé un truc grave dehors. Je veux connaître la vérité !

— C'est fini maintenant.

— Tu arrives à peine à parler, Liam. Alors, tais-toi. Quant à toi... (Elle pointa le doigt vers Sean.) Tu es resté planté là. Comme à San Antonio quand Fergus a pété les plombs avec son fouet. Tu les as laissés se battre sans rien faire. Connor s'est jeté sur eux et a été blessé par ta faute. Je croyais que tu étais censé être le grand Gardien du clan. Ton rôle n'est-il pas de le protéger ?

— Kim, intervint Liam. Arrête.

— Ce n'est rien, Liam. Elle ne comprend pas.

— Aidez-moi à comprendre, bon sang !

Sean la dévisagea un instant, puis attrapa l'épée qu'il avait posée contre le canapé. Il la tira de son fourreau et la brandit devant elle, à deux mains, afin qu'elle puisse voir les entrelacs celtiques gravés sur la lame et la garde. La qualité de l'artisanat, la légèreté des lignes qui se mêlaient à l'ensemble pour constituer un motif complexe et travaillé lui coupa le souffle.

— Forgée par les garous et enchantée par les faes. Très ancienne. Elle n'est pas destinée au combat.

— À quoi sert-elle alors ?

— Le rôle du Gardien n'est pas de protéger le clan, déclara Sean tout bas. Je suis le Gardien du Portail. Le Portail pour l'au-delà.

Kim détacha son regard de l'arme pour le braquer sur les yeux paisibles de Sean.

— Je ne te suis pas.

— Avant, le Gardien ne s'occupait que de son groupe. Mais depuis que nous avons accepté le Collier, je suis responsable de la communauté entière, de tout notre quartier. Lorsque l'un des nôtres meurt ou n'a aucune chance de survie, j'use de la lame. Elle libère son âme et lui permet de rejoindre le Pays de l'été. Le Gardien s'assure que les âmes des défunts ne restent pas coincées ici-bas. Cela les rendrait vulnérables aux tentatives d'assujettissement des faes. Je leur épargne ce sort.

Kim essaya de comprendre, força son esprit cartésien à y croire.

— Donc quand tu ne bouges pas d'un poil devant un combat…

— J'attends de voir si l'épée sera nécessaire. Personne d'autre ne pourra la dégainer si j'interviens, et que je me retrouve blessé ou tué. À ma mort, un nouveau Gardien surviendra. De la même lignée, en général, mais c'est compliqué.

— Es-tu en train de me dire que si Dylan avait causé de sérieuses blessures à Liam cette nuit, tu aurais frappé ton frère avec l'épée ? Tu l'aurais transformé en poussière comme le garou dans ma chambre à coucher ?

— Oui, trésor, répondit Liam. Il aurait fait son devoir.

— Oui, je l'aurais réduit en poussière, acquiesça Sean. Comme je l'ai fait avec notre Kenny.

Il glissa la lame dans son fourreau, tourna les talons et sortit de la maison, serrant l'arme dans sa main avec fermeté.

— Oh, soupira Kim, rompant le silence. Je me sens vraiment stupide. Quelle idée de lui avoir rappelé ce souvenir ! Je suis désolée, j'aurais dû me taire. J'étais furieuse contre lui de ne pas t'avoir secouru.

— C'est une vieille blessure. C'est ma faute, j'aurais dû te l'expliquer plus tôt.

Liam paraissait épuisé, les rides sillonnaient son visage tiré. La jeune femme s'assit à côté de lui et lui embrassa la main.

— Tu ne vas pas bien. Tu m'as dit à quel point ton père était puissant, et le Collier t'a infligé une sacrée punition, là dehors.

— Ce n'est pas si terrible, répondit Liam d'une voix presque inaudible. Pour l'instant. Pourrais-tu m'aider à regagner mon lit, Kim ? Je compte y passer le reste de ma nuit d'union. Ce n'est pas du tout ce que j'avais prévu, mais je finirai par aller mieux. (Il sourit.) Et alors, je te voudrai à mes côtés.

Il essayait de parler avec légèreté, mais elle perçut la souffrance dans ses yeux, et se souvint comment celle-ci l'avait assailli, la nuit où il l'avait sauvée des griffes de l'indompté. Elle lui embrassa les lèvres avec douceur, tâchant de ne pas lui faire mal, avant de l'aider à se relever.

Dylan n'avait jamais baisé comme ça auparavant. Les ressorts du canapé s'enfonçaient dans le dos de Glory tandis qu'il la clouait sur place de tout son poids. C'était merveilleux. Il allait et venait en elle de plus en plus fort, passant outre aux larges égratignures et aux bleus qui couvraient son corps. Son regard était fixe, ses yeux semblables à ceux d'un indompté.

Elle avait craint qu'il ne soit furieux, et c'était le cas, mais sa rage n'était pas dirigée contre sa maîtresse qui, d'ailleurs, n'en comprenait pas la cause. Au lieu de la réprimander, le seuil de sa porte à peine franchi, il l'avait attrapée et avait commencé à lui faire l'amour avant même qu'ils n'atteignent le canapé. Il était déjà nu et Glory l'aida à déchirer ses vêtements avant de le serrer dans ses bras. À présent, il la pilonnait jusqu'à ce qu'elle hurle de plaisir, sans se soucier le moins du monde que tout le quartier, toujours rassemblé dehors, puisse les entendre.

Glory ne se faisait pas d'illusions quant aux sentiments de Dylan. Ce dernier n'avait jamais cessé d'aimer sa compagne, et il se gardait d'entretenir ce type de relation avec elle. Il s'efforçait de se montrer gentil mais, en son for intérieur, il pensait trahir celle qui avait porté ses enfants, et Glory le savait. Le besoin qu'il éprouvait le mettait hors de lui et, lorsque la colère l'emportait sur son désir, il refusait de la voir pendant des mois.

La lycane s'accrocha à lui, sentant qu'il lui échappait de nouveau. Bon sang, pourquoi n'arrivait-il pas à se décider ? S'il pouvait cesser de la torturer de la sorte !

Il grogna lorsque sa semence se déversa en elle et, en dépit de tout, elle espéra tomber enceinte, cette fois encore. Il envisagerait peut-être d'en faire sa compagne si elle lui donnait un petit. Concevoir un bébé hybride était plus difficile, mais pas impossible, et elle adorerait porter celui de Dylan.

Elle se contracta pour le retenir et le serra contre son cœur. Il s'effondra sur elle, pantelant.

Les bruits des réjouissances au-dehors leur parvinrent. Les garous festoyaient à nouveau. Le combat était terminé, rien n'avait changé et il restait un rituel d'union à célébrer. L'excuse parfaite pour faire la fête jusqu'au bout de la nuit.

Dylan se libéra de l'étreinte de sa partenaire et se redressa, essoufflé. Il recoiffa ses mèches trempées de sueur.

Glory adorait les cheveux de Dylan. Coupés court, ils grisonnaient un peu au niveau des tempes et faisaient ressortir les ridules qui lui cernaient le contour des yeux. Si ce mâle pouvait être sien…

— Je ne demanderai pas si tu vas bien.

Elle avait les lèvres enflées, et elle grimaça lorsqu'elle passa la langue sur une coupure.

— Tu ne serais pas ici si tu allais mal, ajouta-t-elle.

Il ne répondit rien. Il se cala contre le canapé et essaya de retrouver son souffle. Glory se leva pour se diriger vers la cuisine. Lorsqu'elle revint avec une serviette humide, elle fut satisfaite de constater que Dylan n'avait d'yeux que pour son corps dénudé.

Elle s'assit à côté de lui et commença à éponger le sang sur son visage.

— Merci, fit-il. Est-ce que tu vas bien, toi ?

À présent, elle s'inquiétait. Dylan ne s'embarrassait guère de politesses, sauf quand la situation était vraiment grave.

— Je n'ai reçu qu'une petite décharge. L'effet s'est vite dissipé.

Un mensonge, mais Glory savait que la souffrance de Dylan, lorsque la crise arriverait, dépasserait dix fois la sienne. Repousser les effets du Collier causait une douleur bien plus vive que les encaisser.

— Je suis navrée, Dylan, reprit-elle. Je n'aurais jamais cru que Liam réagirait avec une telle violence. J'étais sûre que mon Collier me stopperait et qu'il rigolerait de ma stupidité.

Dylan contemplait le lointain.

— Je ne pensais pas non plus qu'il riposterait ainsi.

— Et pourtant tu as bondi sur lui pour me sauver. Mon héros. (Il lui lança un regard noir, et elle recommença à panser ses blessures.) C'est fini maintenant. Tu t'es battu, et tu as mis fin au combat. Je suis désolée pour Connor.

— Connor doit apprendre à rester en retrait avant d'avoir atteint l'âge adulte. (Il marqua une pause.) Et je n'y ai pas mis fin. C'était Liam.

— Il a courbé l'échine. Je l'ai vu.

— Non, insista Dylan d'une voix monocorde. Il a stoppé le duel parce qu'il était en train de gagner.

Glory se figea, et l'eau de la serviette goutta sur ses cuisses nues.

— Par la Déesse ! Tu en es sûr ?

— Certain, ma belle. Liam s'est arrêté avant de me blesser. Si on avait combattu à l'époque, sans le Collier, il m'aurait tué.

Il ferma les yeux et reposa la tête contre le dossier du canapé.

— Que vas-tu lui faire ?

Dylan se fendit d'un rire forcé.

— Je ne vais rien lui faire du tout. Je ne peux pas. C'est mon fils, et il a une compagne désormais. C'est à lui de décider. (Il rouvrit les yeux.) Si tu dis quoi que ce soit, si tu en parles à quiconque, je…

Il ne termina pas sa phrase et elle en fut heureuse. Quand un garou disait : « Je te tuerai », il le pensait. Le vieux chef de groupe ne prononcerait jamais ces mots à la légère.

— Comme si c'était mon genre. Je ne trahirai jamais tes secrets, Dylan.

Le regard de celui-ci s'adoucit, et il referma les paupières.

— Merci. Je le sais bien. Le Collier va se venger maintenant. Tu ferais mieux de rejoindre les autres. Ça risque de ne pas être joli.

— Je ne t'abandonne pas.

Il tendit le bras pour lui prendre la main. Elle mêla les doigts aux siens, le cœur galopant. Dylan commença à trembler, submergé par la torture. Une larme perla sous ses cils.

— Merci, murmura-t-il.

— Ça s'annonce mal, déclara Liam en se contorsionnant de douleur.

— Que puis-je faire ?

Kim s'agenouilla sur le lit à côté de lui.

— C'est déjà bon de t'avoir près de moi. (Il marqua une pause, secoué par un spasme.) Bon sang !

Elle l'enlaça. Elle savait d'instinct qu'il avait besoin de sa chaleur et de sa présence, et il s'en réjouissait. Sans elle, il ne pourrait pas supporter ce supplice.

— C'était un sacré combat, reprit la jeune femme. Pourquoi vous êtes-vous battus ?

— Glory a attaqué ma compagne. La bête en moi devait l'en empêcher.

Il grimaça lorsqu'une nouvelle vague de douleur déferla en lui.

— Son Collier s'est immédiatement activé. Elle savait qu'elle ne pourrait pas me blesser.

— Certes, mon cerveau le conçoit maintenant, mais sur le coup, la bête féroce en moi n'a cherché qu'à te secourir.

— Et ton père a essayé de la protéger, c'est ça ?

— Exactement, trésor.

Il tenta de sourire, même si les muscles de sa bouche refusaient de bouger.

— Quel gros menteur ! Je savais qu'il se souciait bien plus d'elle qu'il ne voulait le montrer.

— C'est une bonne chose, n'est-ce pas ? Même si vous avez dû vous affronter pour le découvrir.

Liam plongea le regard dans ses yeux empreints d'honnêteté et sentit quelque chose se briser en lui. Il savait ce qui s'était passé au cours de ce combat, et ça allait bien au-delà des sentiments inavoués de Dylan envers Glory.

Ce dernier l'avait perçu, lui aussi. Liam avait vu l'expression de son père quand ils s'étaient séparés.

La défaite.

Le fauve tapi en Liam brûlait de rugir, de célébrer son triomphe. Le groupe lui appartenait. Liam avait une compagne, il était puissant et il avait vaincu le seul garou de la communauté plus fort que lui.

— Merde, murmura-t-il. Que la Déesse me vienne en aide !

Kim lui massa les épaules.

— Ça fait mal ?

Elle pensait qu'il faisait allusion au Collier. Or cet objet n'était rien comparé à la peine qui le tenaillait et livrait bataille à la joie sauvage que lui procurait sa victoire, au chagrin qu'il avait ressenti quand il avait lu la peur dans les yeux de son père. Dylan… le craignait.

— Kim, j'ai tout fait foirer.

Il l'attira contre lui, la maintint avec fermeté et lui expliqua, rapidement et à voix basse, ce qu'il venait de se passer.

Le lendemain matin, Liam éprouva des difficultés à gagner la cuisine pour le petit déjeuner. D'abord, parce que le moindre centimètre carré de son corps l'élançait à cause du combat contre son père, de l'effet différé du Collier et de sa nuit d'amour avec Kim, même s'ils y étaient allés en douceur. Ensuite, parce que celle-ci, nue dans son lit et blottie contre lui, dormait à poings fermés. Enfin, parce qu'il allait devoir affronter Dylan.

La veille, en l'espace de quelques secondes, sa vie entière avait basculé. Il ignorait comment réagir, il ne savait même pas ce qu'il ressentait. Ce maelström d'émotions et de pensées lui donna la nausée.

Il descendit les marches en passant la main dans ses cheveux mouillés. Il s'était douché deux fois. La première, avec Kim, tandis qu'elle nettoyait ses plaies. D'ailleurs, ils avaient failli inonder la salle de bains. Il y avait vraiment un truc avec cette fille et les salles de bains. La seconde fois, ce matin après s'être levé.

Accoudé au bar de la cuisine, Dylan buvait son café en lisant le journal. Son Collier chatoyait sous les rayons du soleil matinal.

— Fergus t'a déjà viré ? s'enquit Liam en se dirigeant vers le percolateur.

Ils ne possédaient pas de cafetière, non que ce fût interdit aux garous, mais ils ne juraient que par le café infusé dans son pot.

— Pas de nouvelles pour l'instant. Il ne devrait pas tarder, j'en suis sûr.

Liam se servit une tasse.

— Où sont passés Sean et Connor ?

— Je leur ai demandé de sortir.

— Pourquoi ?

— Pour que nous puissions discuter.

Liam avala une gorgée et grimaça.

— C'est l'œuvre de Sean, je suppose ?

Sean, incroyable devant un grill, mais incapable de préparer du café.

— Il faut prévenir Fergus.

— Que Sean s'est occupé du café ?

— Liam !

— Merde !

Les deux hommes se turent. Le fils sirota son café tandis que le père faisait mine de lire le journal. Liam ne l'avait pas entendu rentrer. Glory avait dû passer la nuit à le réconforter, comme Kim l'avait fait avec lui-même.

— Tu veux que je parte ? s'enquit Dylan sans lever les yeux.

— Non, ça va. Ça ne me dérange pas que tu lises le journal. (Il renonça à faire semblant.) Tu veux dire pour de bon, c'est ça ? Pourquoi devrais-tu faire ça ?

— Mon père est mort avant que nous puissions savoir si j'étais en mesure de le vaincre. Les mâles battus n'avaient que deux choix à l'époque : être tués ou bannis.

— Je sais.

Dylan tourna une page.

— Je savais que cela finirait par m'arriver tôt ou tard, mais je ne pensais pas que ce serait hier soir.

— Le combat est resté inachevé.

— Tant mieux.

Dylan leva enfin la tête. Il était beaucoup trop calme. L'œil vigilant, il s'appuyait contre le comptoir avec sérénité. Les entailles sur son visage avaient commencé à cicatriser.

— Si ta supériorité avait été trop évidente, Fergus se serait déjà pointé pour exiger un duel afin d'établir sa domination.

— Tu en as parlé à quelqu'un ?

— Glory.

— Tu lui fais donc confiance.

Dylan lui décocha un petit sourire.

— Je vais peut-être devoir emménager avec elle. C'était quand même plus honnête de lui expliquer pourquoi.

— Bon sang, père ! Tu n'as pas à déménager. Nous ne vivons plus à l'état sauvage. Nous ne sommes plus obligés de nous étriper pour défendre nos idées.

— Non, nous sommes trop civilisés pour ça, répondit Dylan d'un ton caustique. Le choix t'appartient, Liam. Ça ne me dérange pas de partir.

— Non.

Liam reposa brusquement sa tasse sur le comptoir, et elle se brisa au passage. Le liquide chaud lui coula sur les doigts et lui éclaboussa les cuisses.

— Je ne veux pas que tu partes. Au nom de quoi le devrais-tu ? Ta place est ici.

Dylan délaissa son journal et lui attrapa les épaules de ses grandes mains.

— C'est naturel, fils. Ça arrive.

— Rien à foutre.

Dylan l'attira contre lui. Liam résista et essaya de le repousser. Depuis toujours, il s'était senti en sécurité et confiant parce que son père était là. Même quand celui-ci s'était isolé pour faire son deuil, sa protection s'était infiltrée à travers les murs de leur château, et Liam avait su que son paternel reviendrait. Il n'en avait jamais douté.

Après leur arrivée aux États-Unis, une terre inconnue, et pendant la torture qu'avait constituée l'imposition du Collier, Dylan avait été présent. Il incarnait la stabilité dans sa vie de fou, dans le chaos universel.

La nuit précédente, à l'instant où le fauve en lui avait compris qu'il pouvait écraser son père selon son bon vouloir, ce monde-là avait changé. Le sol s'était fendu sous ses pieds, le lien qui le rattachait à la raison avait disparu. L'abîme l'appelait et, à présent, il devait le braver seul.

Liam recula d'un bond. Dylan et lui mesuraient la même taille, il pouvait le regarder dans les yeux.

— N'en parle pas à Fergus. Pas encore. Je ne veux pas qu'il s'en prenne à toi.

Dylan acquiesça, et Liam s'efforça d'apaiser sa colère. Une rage primaire lui dictait de se heurter au chef de clan sur-le-champ. Il lui ferait bouffer son fouet.

— Est-ce pour ça que tu refusais d'affronter Fergus ? demanda Liam. Parce qu'une fois que tu l'aurais eu vaincu, j'aurais été obligé de te battre toi ?

Dylan resta muet un moment, puis hocha la tête en signe d'affirmation.

C'était si énorme que Liam en était malade. Il avait toujours pensé que son père se retenait de défier son rival pour maintenir la paix dans le quartier garou, parce que vivre sa vie et éduquer ses enfants comptaient davantage pour lui que ces luttes de pouvoir. Il lui avait donné raison, y avait cru de tout son cœur. À présent, Dylan avouait qu'il avait évité de se mesurer à Fergus jusqu'à ce jour en partie parce qu'il avait peur.

Quand un chef de clan mourait, son second prenait sa place, à moins qu'un garou proche de ce dernier ne s'estime capable de rivaliser avec lui. Cela ne faisait pas d'histoires. D'autres garous de rang inférieur pouvaient s'affronter entre eux pour grappiller des points et une série de combats pouvaient avoir lieu jusqu'à ce que l'ordre hiérarchique soit rétabli. De manière générale, il ne changeait plus mais, parfois, un jeune alpha s'imposait, ou un garou plus âgé faiblissait et perdait sa position. Dylan avait deviné que l'autorité naturelle de Liam émergerait dès que Fergus disparaîtrait du paysage, et que son fils ne pourrait pas se retenir de le défier.

— Merde !

— Fergus devra l'apprendre tôt ou tard.

— D'accord, mais pas maintenant. On le lui dira quand on l'aura décidé, quand on sera prêts.

Dylan approuva silencieusement.

— OK.

Liam aimait son père de tout son cœur mais, à présent, ses instincts lui dictaient de le renvoyer et de s'octroyer son pouvoir. Les Colliers avaient beau les empêcher de recourir à la violence, ils ne supprimaient pas leur besoin ardent de dominer.

Dylan en avait conscience. Son flair devait lui conseiller de plier bagage, de fuir tant qu'il le pouvait. Aux ridules qui cernaient sa bouche, Liam comprit qu'il s'efforçait de refouler cette pulsion.

— Bon sang ! s'exclama Liam. Pourquoi ne m'as-tu pas prévenu plus tôt ?

— J'espérais que ce jour n'arrive pas avant plusieurs années. Je pensais que nous aurions tous les deux le temps de nous y préparer. Mais revendiquer une compagne a déclenché quelque chose en toi. Tu es l'aîné. Tu n'ignorais tout de même pas qu'un jour tu dirigerais notre famille ?

— Je ne pensais pas que ce serait maintenant, ni que ce serait aussi douloureux.

Dylan sourit.

— Ta mère serait fière de toi pour la compassion dont tu fais preuve. Pour ne pas me mettre à la porte à mains nues.

— Elle était trop bonne, nous ne la méritions pas.

— Je sais.

Liam croisa le regard de son père et se permit une remarque qui lui aurait valu une raclée avant ce jour.

— Elle voudrait que tu sois avec Glory, que tu sois heureux.

— N'en rajoute pas, Liam.

Ce dernier voulut rire, mais il était beaucoup trop anxieux. Certes, son père et lui venaient d'échanger leur place dans la hiérarchie, néanmoins cela ne signifiait pas que Dylan était une mauviette.

Liam le serra fort dans ses bras, puis le relâcha brusquement et quitta la maison.

Alors qu'il étreignait son père, ses instincts l'avaient assailli, lui dictant de lui rappeler qui dirigeait le groupe dorénavant. Liam avait besoin de prendre ses distances avec Dylan pour s'habituer à sa nouvelle position et apprendre à se maîtriser.

Il regarda par-dessus son épaule et vit Kim qui l'épiait de la fenêtre de sa chambre, mais cela ne suffit pas à le faire rester.

19

Kim trouva Liam à la périphérie du quartier garou, assis sur un muret en brique à côté des quelques arbres plantés sur la bande de terre, les mains croisées au-dessus de la tête.

La municipalité avait intégré ce parc qui n'en avait que le nom au quartier après coup, puis en avait oublié l'existence. On y avait installé une balançoire pour les enfants, mais pas de tables de pique-nique. Par endroits, l'herbe avait cessé de pousser. Les garous n'y allaient pas souvent, comme la jeune femme avait pu l'observer, préférant les espaces verts derrière leurs maisons.

Elle s'avança vers Liam d'un pas lent mais déterminé, se demandant s'il allait se lever et partir. Il ne bougea pas. Il ne lui prêta pas non plus attention lorsqu'elle prit place à son côté et étendit ses jambes nues. La chaleur estivale les caressait agréablement, même si elle savait que bientôt la canicule rendrait la journée insupportable.

— C'est ici ton refuge ?

Il se tourna vers elle.

— Mmm ?

— L'endroit où tu viens quand tu veux réfléchir. Moi, c'est un café sur les rives du Colorado. On peut siroter un cappuccino face au fleuve qui s'écoule. C'est apaisant.

Il regarda au loin.

— Ça m'étonnerait qu'on y laisse entrer les garous.

— Possible. Mais ici, c'est ton havre de paix, non ?

— Non, juste un coin commode pour poser mon cul.

Kim passa outre à sa mauvaise humeur. Elle n'aurait sans doute pas dû le suivre, mais la conversation entre Liam et Dylan, qu'elle avait entendue malgré elle, l'avait perturbée et inquiétée. Son amant lui avait expliqué qu'il avait désormais le dessus sur son père, mais elle n'avait pas tout compris. Néanmoins, elle avait senti la tension, la violence qui couvait, prête à éclater. Nul besoin d'être un garou pour les percevoir.

Elle tergiversa un moment, songeant que Liam souhaitait peut-être s'isoler, mais une petite voix lui souffla de ne pas le laisser seul. Il avait les épaules crispées, les bras noués, les lèvres pincées en une grimace rigide. Comme d'habitude, il parlait avec légèreté, mais les ténèbres dans ses yeux démentaient sa nonchalance.

Elle resta assise avec lui en silence. Seuls les gazouillis des oiseaux dans les arbres troublaient le calme des lieux. Il n'y avait pas d'enfant sur les balançoires, et aucune voiture ne traversait la rue paisible au-delà du parc. Elle entendit les bruits de la cité au loin, de l'autre côté des immeubles délabrés bordant le quartier garou. Les habitants d'Austin se rendaient dans le centre-ville pour amasser de l'argent ou faire de la politique, ignorant tout des intrigues qui se nouaient ici et dont les tenants et aboutissants leur échappaient.

— Est-ce que ça va ? Après ton Collier qui s'est enclenché et… tout le reste.

— Tu fais allusion aux ébats exubérants et frénétiques que nous avons eus après ? (Un pâle sourire se dessina sur sa bouche.) C'est pour ça que j'ai dû m'asseoir.

Kim posa la main sur la sienne, sentant sa tension.

— Liam, ce qui s'est passé hier soir est ma faute. C'est moi qui ai voulu inviter Silas. S'il n'avait pas été là, il n'y aurait jamais eu de démonstration.

Il porta les doigts de la jeune femme à ses lèvres.

— Ne te tracasse pas, mon cœur. J'étais d'accord pour qu'il vienne. Je n'aurais pas dû l'encourager à me questionner sur les Colliers. Je n'avais pas prévu que Glory s'en mêle, sacrée bonne femme, ni que Connor se blesse, ni qu'un événement dramatique se produise. Mon idée, c'était d'empoigner Silas, d'attendre que mon Collier s'illumine et que tout le monde se moque de moi.

— Alors que tu souffrais ?

— La douleur, je connais, et je m'en suis toujours remis.

— Liam…

— Ce qui s'est passé entre mon père et moi serait arrivé tôt ou tard, trésor, et c'est peut-être mieux que le combat ait eu lieu sous vos yeux attentifs, à toi, Connor et ton ami journaliste. Vous m'avez donné la force de l'interrompre. Si père et moi avions été seuls, on aurait frôlé la mort avant que je ne parvienne à maîtriser mes instincts. (Il sourit, tremblotant.) Ce serait plutôt à moi de te remercier.

Elle lui caressa les doigts avec son pouce.

— Ne me fais pas culpabiliser davantage, bon sang ! (Elle soupira.) En plus, je dois aller bosser.

— Je sais.

— Tu m'accompagnes ?

— Je ne risque pas de te laisser partir seule, chérie. Pas tant que tu désobéiras allègrement à Fergus.

— Tu ne voulais pas que je continue à aider Brian ?

— Si. Je faisais allusion à ton manque de discrétion. Je sais pourquoi tu es une si bonne avocate. L'honnêteté émane de toi. Quand tu affirmes qu'il est innocent, tout le monde veut te croire.

— Si seulement c'était aussi simple. Il faut faire attention au moindre détail. Un oubli, et l'affaire va à vau-l'eau.

— Sandra rend visite à Brian ce matin. Elle va lui demander s'il comptait prendre Michelle pour compagne. Elle t'est reconnaissante de croire tellement en lui.

— Vraiment ? Je me méprendrais sur le sens de ses regards assassins ?

— Elle est terrifiée. Fergus a instillé la peur en elle et elle ignore pourquoi. Tout ce qu'elle sait, c'est qu'on lui a ordonné de sacrifier son fils. (Il secoua la tête.) Pour une mère, la perte d'un enfant… Je ne peux qu'imaginer ce qu'elle ressent. Si ça ressemble à celle d'un frère…

— C'est atroce.

Liam caressa les cheveux de Kim avec tendresse.

— Ce serait comme te perdre, toi.

Elle sentit son pouls accélérer.

— Ça n'a rien à voir. On se connaît à peine.

— On en connaît un rayon l'un sur l'autre. Je sais que tu as un grain de beauté à l'intérieur de la cuisse droite.

— Je ne parlais pas de sexe.

— Moi non plus.

Liam se tourna pour s'asseoir à califourchon sur le mur et attira Kim à lui.

— L'union ne signifie pas copuler jusqu'à engendrer une flopée de petits. Il s'agit d'un lien indissoluble à jamais.

— Ce n'est pas comme un mariage que les humains reconnaîtraient ou valideraient, lui fit-elle remarquer.

— Bon sang, femme, veux-tu arrêter de réfléchir en termes légaux trente secondes ? Oublie un peu ces papelards que vous aimez tant ! Ce lien est en nous, il s'étend entre toi et moi. Rien ni personne ne peut le couper, ni la loi humaine, ni ma famille, ni même Fergus. Ne me dis pas que tu ne le sens pas !

Son expression contenait de la colère, de la peur, de l'espoir et de la brutalité. Toutes ces émotions faisaient rage en lui.

Kim percevait-elle leur lien ? Bien entendu. Liam l'envoûtait, la subjuguait, avec ses yeux bleus, sa voix mélodieuse, sans même mentionner son corps d'éphèbe. Mais sa sensualité et sa vigueur ne faisaient pas tout.

Dès qu'il mettait le pied dans une pièce, il dominait l'espace sans prononcer un mot. Chaque garou que Kim avait rencontré était fasciné par lui, tous l'adulaient, même s'ils refusaient de l'admettre. Au moindre problème, ils couraient chez lui. Même les enfants, comme le petit Michael dans sa piscine. Il l'avait appelé, impatient de lui raconter ses prouesses. Il cherchait son approbation.

Kim se souvint des paroles que Liam avait adressées au gamin : « Veille sur ton frère. » Elle comprenait à présent que cette remarque n'avait rien de spontané. Liam, qui avait perdu le sien, connaissait l'importance de prendre soin des êtres chers.

Le fils de Dylan s'occupait de tout le monde dans le quartier garou, bien plus que son père. Kim l'avait senti dès le premier jour. Elle savait que Dylan aussi. Il l'avait toujours laissé faire. Non par crainte d'être vaincu par lui, mais par amour.

— Si seulement je n'avais jamais mis les pieds ici, souffla-t-elle.

Il caressa sa jambe nue et laissa remonter ses doigts sous l'ourlet de sa jupe.

— Pourquoi donc, mon amour ? Pour ma part, je suis ravi que tu sois entrée dans mon bar.

— Parce que tu m'as retourné le cerveau. J'étais indépendante, je ne me préoccupais que de ma petite personne. Quand je rentrais à la maison à la fin de la journée, je pouvais faire ce que je voulais. Traîner avec des amis, regarder la télé, rester seule, peu importe. Et à présent, je me tracasse pour toi, pour Sean, pour Connor et pour ton père. Et Sandra, et Brian, et tous les garous de cette satanée communauté. Même Glory ! (Elle le fusilla du regard.) Cesse de me pousser à m'inquiéter. C'est très désagréable.

Liam laissa ses doigts s'aventurer un peu plus haut.

— Tu t'en soucies, alors ? (Il la couva d'un regard ardent.) Je ne rêve pas ?

— Bien sûr ! Comment pourrait-il en être autrement ? N'empêche que nous ne sommes pas mariés.

— Non, lui concéda-t-il avec douceur. Pas s'il faut un certificat pour le prouver. Tu es ma compagne, Kim. Toi, et personne d'autre.

Il lui effleura le bas du dos. Il avait le corps plus chaud que les rayons du soleil texan.

— Acceptes-tu de me prendre, moi, et personne d'autre ? ajouta-t-il.

Le cœur de la jeune femme battait la chamade.

Et renoncer à tout autre jusqu'à ce que la mort vous sépare ?

— Il n'y a personne d'autre pour moi.

— Pour l'instant, peut-être. Mais si jamais un homme, un avocat haut placé dans ton cabinet, décidait de t'épouser ? De t'afficher comme un trophée ? Afin que tu puisses exposer tes jambes sublimes lors de réceptions et attirer la foule à ses pieds ?

Kim fut secouée par un rire nerveux.

— Un trophée ? Merci beaucoup. En plus, je n'aime pas les puissants avocats. Ils tirent profit des affaires que je gagne.

— Bien.

— Je t'ai apprécié dès que je t'ai vu, Liam, mais ce que je ressens à présent dépasse la simple affection.

Elle se laissa aller contre son torse tandis qu'il posait le doigt sur l'élastique de sa culotte.

— Mais tu me demandes de m'engager, poursuivit-elle.

— Je n'ai pas à le faire. Nous sommes déjà unis.

— Aux yeux des garous, mais pas des humains.

— Ce ne serait pas la première fois qu'un garou s'accouplerait avec une humaine. Nous n'aurions jamais survécu pendant des siècles sans brassage génétique. La consanguinité est source de faiblesses alors que les bâtards subsistent.

— Quel beau parleur !

— Je trouve qu'on parle trop.

Il écarta sa culotte et frôla la moiteur entre ses cuisses.

Elle examina les alentours.

— On est dehors.

— Ah oui ? fit-il, l'air étonné.

Kim n'avait rien contre le sexe. À l'université elle l'avait même fait dans une voiture, mais cela avait eu lieu la nuit dans un parking désert. À présent, il faisait jour et ils ne se trouvaient pas exactement à l'abri des regards.

Liam se pencha en avant et imprima un baiser brûlant sur sa gorge, l'électrisant sur-le-champ. Elle était déjà mouillée, mais braver les interdits décuplait son excitation.

Il fit remonter sa langue le long de son cou avant de l'embrasser à pleine bouche. Il se débrouillait beaucoup mieux. Il savait comment lui écarter les lèvres, lui caresser la langue, lui provoquer de petits picotements.

— C'est mal, murmura-t-elle.

— Bien au contraire.

— J'ai envie de t'arracher ton pantalon là, tout de suite, en pleine rue. Pour moi, c'est mal.

— Eh bien, notre conception du bien et du mal diverge.

Kim céda et lui déboutonna son jean. Il était dur sous son caleçon, et la pointe de son membre dressé dépassait. Elle glissa les doigts sous l'élastique et l'empoigna avec fermeté.

Il grogna.

— Tu sais y faire, trésor.

Kim lui effleura le bout du gland tandis qu'il faisait aller et venir les doigts entre ses cuisses. Elle n'aurait jamais cru pouvoir être aussi excitée dans une telle situation, mais Liam savait s'y prendre, lui aussi. Et c'était peu dire. Elle se cambra en arrière et ferma les paupières.

— Liam.

— Je suis là, bébé.

Oh, ça, oui ! Elle sentait les trente centimètres de chair pressés contre elle. Non pas qu'elle ait mesuré, mais à vue d'œil… Elle l'agrippa avec fermeté et fit courir sa main de bas en haut. Il remua les hanches et son visage s'adoucit sous l'effet du plaisir.

— Mon amour, tu ne sais pas ce que tu me fais.

— J'ai ma petite idée. Je te fais grossir et durcir et, dès que je te touche, tu as envie de moi.

Les yeux de Liam étaient réduits à deux fentes.

— Tu chauffes.

— Seulement ? Tu n'as pas envie de moi ?

— Si, tout le temps, que tu me touches ou non. Je veux retrousser ta jupe et te prendre sur-le-champ.

Un pic d'excitation l'assaillit.

— Là tout de suite, sur le mur ? demanda-t-elle d'une voix innocente.

— Là, sur le mur.

Liam se redressa à moitié, s'arrachant à sa prise. L'instant d'après, son jean était descendu sur ses cuisses, les sous-vêtements de Kim avaient disparu, et il était à nouveau assis. Il l'attira contre lui de sorte qu'elle le chevauche. Sa jupe ne dissimulait que très partiellement leur nudité respective.

Elle ouvrit la bouche pour le réprimander, mais il la fit taire d'un baiser. Le regard mauvais dans ses yeux l'embrasa et lui donna envie de rire.

Elle n'avait jamais fréquenté quelqu'un d'aussi direct que Liam. C'était un garou, entravé et brimé, mais aussi l'individu le plus libre qu'elle avait jamais rencontré. Peu importent les circonstances, il n'en faisait qu'à sa tête.

Pour l'heure, il la prenait sur un mur au beau milieu d'un parc. En plein jour. Tandis qu'il s'abîmait en elle, il la plaqua contre lui pour l'embrasser.

Des mots flottèrent dans l'esprit de Kim avant de s'évaporer. Ils ne suffisaient pas à décrire les émotions, pures, animales, brutes, qui la submergeaient.

Elle s'épanouissait sous ses coups de reins comme jamais. Le soleil qui lui caressait la peau l'excitait autant que Liam plongé en elle, son membre rigide qui l'étirait, l'élargissait. Un sentiment de liberté l'envahit, sauvage et étrange. Une perle de sueur roula entre ses seins, et son amant se pencha vers elle pour l'essuyer du bout de la langue.

Tous deux étaient hors d'haleine. Liam enfonça les doigts dans ses cuisses, son dos, ses fesses... Il allait et venait en elle de plus en plus vite, de plus en plus fort, le visage déformé par le plaisir.

Kim renversa la tête en arrière. Elle réprima un cri afin d'éviter que les curieux n'affluent pour voir ce qui se passe. Son partenaire lécha à nouveau le creux de son décolleté, et elle sentit son souffle brûlant.

— Je viens, haleta-t-il contre sa peau.

Elle aussi. Des vagues torrides d'excitation déferlèrent en elle, occultant tout si ce n'est la sensation de Liam uni à elle.

Il plaqua les mains sur ses joues. Il avait ses yeux de garou, le prédateur en lui la désirait. Puis, il laissa échapper un grognement étouffé et se déversa en elle.

Tremblante et en sueur, Kim le pressa contre son cœur et imprima un baiser sur ses cheveux. *Je t'aime, Liam*, voulut-elle susurrer, mais elle embrassa de nouveau sa chevelure, et se reposa contre sa tête.

Liam insista pour l'accompagner au bureau et, cette fois, elle accepta avec plaisir. Cela dit, l'avoir à côté de lui dans la voiture, ses lunettes noires rivées sur le paysage qui défilait, la déconcentra.

Elle se sentait fiévreuse et détendue, le corps un peu meurtri de demeurer si loin de Liam. Ce dernier la surprit à l'observer et posa la main sur sa cuisse. Il n'avait pas besoin de dire quoi que ce soit. Kim percevait la connexion entre eux, la chaleur omniprésente.

Elle récolta quelques regards lorsqu'ils entrèrent dans les locaux. Elle était en retard, ne portait pas de tailleur et se faisait escorter par son garou herculéen à l'air farouche.

Elle commençait à s'habiller comme leurs femelles, se rendit-elle compte en s'installant pour parcourir ses messages. Elle avait toujours enfilé un uniforme bien précis pour venir travailler : jupe et veste strictes, bas et escarpins noirs à talons hauts. Après sa petite incartade dans le parc avec Liam, elle s'était changée en vitesse, mais avait de nouveau opté pour une jupe ample, une blouse et des sandales compensées. Des vêtements faciles à ôter, en somme.

Bien que Liam n'eût aucune envie de quitter le quartier garou, il s'était montré inflexible : il ne la laisserait pas partir toute seule. La nuit précédente, son père et lui avaient troqué leurs places dans la hiérarchie, ce qui signifiait que, dorénavant, le fils était en mesure d'affronter directement Fergus. Un combat qui pouvait lui coûter la vie.

L'équilibre des pouvoirs dans tout le sud du Texas était en jeu. Liam prouva à quel point cela le perturbait en s'étendant sur le canapé pour s'emparer du dernier numéro de *Pêche et Pisciculture*.

— Tu veux bien arrêter ça ? s'écria-t-elle avec irritation.

— Quoi donc ? J'aime lire. On apprend plein de trucs.

— Rester assis là comme si de rien n'était. Il se peut que j'aie fait une découverte capitale pour l'affaire. Si ça se trouve, Dylan devra quitter le quartier. Fergus pourrait essayer de te chasser dans le comté voisin. Et toi, tu feuillettes un magazine sur les poissons ! Est-ce que les garous pêchent, au moins ?

— Kim, chérie, si je ne me changeais pas les idées avec des histoires de poiscaille, je saccagerais l'immeuble ou je te prendrais sur ton bureau. Sans doute les deux. C'est ce que tu souhaites ? Il suffit de demander.

Elle se passa la main dans les cheveux.

— Oublie ça. Je suis sur les nerfs. Il faut croire que l'effet des phéromones est réel.

Liam bondit sur ses pieds, faisant tomber la revue par terre.

— Et les tiens me recouvrent tout entier, me dictant de venir glisser mes doigts sous ta jupe.

— Tu l'as déjà fait.

— C'était il y a deux heures. Je veux recommencer. Encore. Et encore. Toute la journée et toute la nuit. J'en brûle.

Kim sentit son sang bouillonner.

— J'avoue que c'est assez tentant.

— Tu as de la chance d'être humaine. La frénésie de l'union ne t'affecte pas comme moi. Si tu étais une garou, on aurait passé notre temps à faire l'amour depuis San Antonio. Au diable travail, famille, repas ou sommeil !

La tension émanait de son corps immense.

— C'est ce que tu ressens depuis San Antonio ?

— Oh oui ! Je désire être en toi chaque seconde. Fergus et ses ordres, ton affaire et même mon père peuvent aller se faire voir.

— Oh.

Elle s'avança vers lui. Elle était sur son lieu de travail, dans son solennel cabinet d'avocats, installé dans un bel immeuble en plein centre d'Austin, et n'avait qu'une envie : que Liam balaie la surface de son bureau d'un coup de bras et l'y renverse. Ou qu'il l'assoie sur le rebord. Ou qu'il la prenne contre le mur. Elle n'avait pas de préférence.

Il lui décocha un sourire carnassier.

— Ne joue pas avec le feu, Kim.

— Je crois que cette frénésie m'affecte aussi.

Elle plaqua les mains sur le torse de Liam pour sentir son cœur battre sous ses doigts.

— J'ai tout le temps envie de te toucher, de t'embrasser, d'être avec toi. Je ne l'ai pas dit parce que je craignais que tu ne me trouves collante.

— Mon amour, quel imbécile s'en plaindrait ?

— Tous les hommes, plus ou moins.

Il l'attira à lui.

— Ces crétins ne voient pas le trésor qu'ils ont sous les yeux. Tant mieux, du coup tu es toute à moi.

Elle se dressa sur la pointe des pieds pour recevoir son baiser, sans se soucier que sa secrétaire puisse débarquer à tout moment, sans même parler des autres avocats. Oh, et puis après tout, elle l'avait déjà fait dehors sur un mur, et ses collègues pensaient sans doute qu'elle s'envoyait le garou, alors...

Ils s'embrassèrent avec volupté. Kim goûta le désir de son compagnon, la fureur et les émotions contradictoires qui l'habitaient. La peine semblait attiser ses besoins sexuels, et elle était destinée à les assouvir. Voilà qui n'était pas pour lui déplaire.

Le portable de Liam vibra. Il continua de l'embrasser pendant quelques secondes, puis s'empara de son téléphone à contrecœur.

— Merde. (Il décrocha.) Quoi ?

Son expression changea, et il fit volte-face, tournant le dos à Kim. Elle crut distinguer la voix à peine audible de Sean et, à voir le corps de Liam se raidir, il venait de se produire quelque chose.

Son cœur se figea. Dylan ? Ou Connor ?

Liam referma le clapet avec brutalité et se tourna vers elle, l'air sinistre.

— La mère de Michael dit qu'il a disparu. Il est introuvable.

Elle cligna les yeux.

— Michael ? Le petit avec la piscine ?

— Oui. Père et Sean organisent une battue.

Le sang de Kim se glaça.

— Fergus ?

— Je ne pense pas, et père non plus. Fergus perdrait sa tête s'il essayait de s'en prendre à un petit, ou même s'il l'utilisait pour faire diversion. Il est puissant, mais nos petits sont sacrés.

Malgré l'assurance de Liam, la jeune femme n'avait pas l'esprit tranquille.

— Préviens la police, s'empressa-t-elle de répliquer. Ils lanceront une alerte…

Il secoua la tête.

— Les garous le retrouveront bien plus vite. On connaît son odeur. (Il passa son téléphone à sa ceinture.) Je dois y aller. Son père et sa mère…

— Auront besoin de toi.

Kim songea à la façon dont Sean et Liam avaient calmé Sandra. Elle se rappela comment cette dernière s'était détendue à leur contact. Les parents de Michael devaient être terrifiés, ils avaient besoin d'être rassurés.

— Vas-y. Tout ira bien pour moi.

Elle perçut son conflit intérieur. Liam paraissait incertain, et Kim ne l'avait jamais vu douter.

— Je suis sérieuse, poursuivit-elle. J'ai un travail monstre ici. Sauver les miches de Brian, tout ça… Ne t'en fais pas pour moi.

Il s'avança vers elle, et elle savoura la sensation de ce corps ferme contre le sien. Il n'y avait rien de meilleur au monde.

— Tu ne quittes pas le bureau, d'accord ? Demande à quelqu'un de t'apporter à déjeuner, ne sors pas. Et à la fin de la journée, grimpe dans ta voiture et fonce jusqu'à chez moi. Ne fais pas de détours. Ne traîne pas. Entendu ?

Un malaise l'envahit soudain.

— OK. C'est dans mes cordes.

Liam l'attira contre lui et la serra dans une étreinte longue et chaleureuse, apaisante et rassurante à la fois, comme les garous savaient le faire.

— Je déteste devoir te laisser.

Kim ne voulait pas qu'il s'en aille. Était-elle devenue une dépendante affective ?

— Ne t'en fais pas. Cours !

Il l'embrassa à nouveau, s'attardant un moment sur ses lèvres.

— Appelle-moi. Toutes les heures s'il le faut.

— Tout ira bien, Liam.

Il lui décocha un pâle sourire.

— J'aimerais pouvoir te croire, mon amour.

Et il disparut.

Kim essaya de se concentrer sur le travail, mais remarqua que son attention dérivait vers le quartier garou. Elle avait beaucoup de retard à rattraper. Elle devait passer des coups de fil, étudier les rapports du détective privé qui avait enquêté sur l'ex de Michelle, rédiger des courriers... Mais elle s'inquiétait pour Michael. S'était-il simplement égaré ou lui était-il arrivé quelque chose de plus grave ? Était-il parti à l'aventure afin d'explorer des endroits excitants pour un garçonnet ? Y avait-il un autre indompté en liberté ?

Liam ne l'avait pas quittée depuis une heure lorsqu'elle lui téléphona. Il lui dit, d'une voix aussi douce que d'habitude, qu'il n'avait rien appris de plus. Apparemment, la mère de Michael s'était éclipsée depuis moins d'une minute lorsque son petit frère avait couru jusqu'au perron pour la prévenir que Michael avait disparu. Les premières recherches n'avaient rien donné. Tout le quartier se tenait prêt à se lancer dans une battue plus approfondie.

Kim perçut l'inquiétude de Liam dans son intonation. Cette disparition, en plus de l'altercation avec son père et des menaces de Fergus, ne devait pas être facile à vivre pour lui.

Depuis quand ce genre de choses la touchait-il autant ? Sa fascination pour les garous, son attirance envers Liam, le besoin qu'il avait éveillé en elle et qui n'avait cessé de croître s'étaient mués en un sentiment bien plus profond. Plus fort que la frénésie de l'union dont Liam parlait sans arrêt. Quelque chose en lui lui donnait envie de rester à ses côtés, de le bercer quand il souffrait, de rire avec lui quand il était heureux.

Elle ferma les paupières.

Bon sang, je suis tombée amoureuse de lui ! Quelle idiote !

Elle s'efforça de retourner à ses dossiers. Elle ne pouvait pas accaparer Liam, il avait des choses à faire. Pour autant, elle ne put s'empêcher de le rappeler pendant son déjeuner. Rien, lui apprit-il.

Il paraissait encore plus accablé. Kim lui assura qu'elle allait bien, qu'il n'avait pas à s'inquiéter pour elle. Il la supplia de faire attention, sans se départir de son ton chaleureux. Même quand il disait des banalités, Liam le pensait de tout son cœur.

Elle lui téléphona à quatorze heures, mais il ne répondit pas.

Fiche-lui la paix, s'admonesta-t-elle. *Il est occupé à faire son travail.*

Et dire qu'elle avait supposé au début que son emploi consistait à gérer un bar.

Vers quinze heures, Kim n'y tint plus. Elle referma sa mallette et prévint Jane, sa secrétaire, qu'elle travaillerait à domicile le reste de l'après-midi.

Elle se précipita dans le parking et faillit foncer dans Abel qui revenait du tribunal.

— Kim !

— Salut, Abel ! Je dois filer. On se voit demain.

Ce dernier se dressa devant elle. Il transpirait, son visage rougeaud luisant au-dessus de sa veste trop serrée. Il avait l'air furieux, signe qu'il avait dû perdre son procès.

— Il paraît que tu m'as largué pour un garou.

Ça avait enfin fait *tilt* dans son cerveau de génie.

— Ce ne sont pas tes affaires. Je suis pressée.

Il lui bloqua la route de nouveau.

— Ah bon ? Pressée de retrouver ton garou ? Cette bête puante que tu as traînée ici ? Tu te le tapes, hein ? Tu baises un animal.

Kim leva les yeux au ciel.

— Tu es d'une ignorance crasse.

— Je te ferai renvoyer. Je te ferai rayer du barreau.

— Ce n'est pas illégal de fréquenter un garou. Ni même de coucher avec lui. Grandis un peu, Abel !

Elle essaya de le contourner encore à deux reprises, mais il l'empêcha de passer. Après sa rencontre avec Fergus, Abel l'effrayait presque autant qu'un moucheron, mais elle se demandait ce qu'il comptait faire. La frapper en plein milieu du parking ? Super publicité pour le cabinet.

— Pourrais-tu te pousser ?

— Il te culbutait aussi quand tu sortais avec moi ? Dis-moi la vérité. Tu te l'envoyais déjà, hein ? Tu bouffais à deux râteliers !

— De toute évidence, tu veux que je te réponde « oui ».

— Pute à garous ! grogna-t-il. Je le dirai à tout le monde que tu n'es rien qu'une pute à garous !

— Abel, pauvre abruti…

Elle s'interrompit lorsque deux hommes apparurent de part et d'autre de l'avocat. Les sbires de Fergus, le chauve tatoué et le militaire. Leurs Colliers étincelèrent sous le soleil de plomb. Le militaire portait des lunettes noires et ressemblait à Terminator.

— Tout va bien, mademoiselle Fraser ? s'enquit le tatoué.

— Oui, tout va bien. Je me dirige vers ma voiture.

— On vous accompagne.

Le cœur de Kim se mit à cogner contre ses côtes.

— Inutile, je maîtrise la situation.

Terminator se campa devant Abel pour le bloquer tandis que le tatoué faisait signe à la jeune femme d'avancer. Il lui demanda :

— Vous voulez qu'on lui enseigne les bonnes manières ?

— Non, laissez-le, répondit Kim. Ce crétin n'en vaut pas la peine.

La brute haussa les épaules avec nonchalance. Abel battit en retraite dans l'immeuble, la queue entre les jambes, et Kim marcha vers sa voiture, qui n'était plus qu'à quelques mètres. Les deux garous la rejoignirent aussitôt.

— Quand on ne portera plus le Collier, reprit le tatoué, les connards comme lui ne moufteront plus en notre présence.

Bien sûr. Kim accéléra le pas, mais elle arriva à sa voiture sans heurts. Les deux hommes de main ne cherchèrent pas à l'agripper ou à l'entraîner au loin, en fait ils se comportèrent comme s'ils la protégeaient.

De quel côté étaient-ils ? Le militaire lui ouvrit la portière et la referma lorsqu'elle fut installée.

— Roulez prudemment.

— Ouais, répondit-elle tandis qu'elle démarrait.

— Hé ! Personne n'embête nos femelles, s'exclama le militaire. Vous êtes à Liam maintenant.

Elle ne savait pas si elle devait être rassurée ou agacée.

— Merci, messieurs. J'apprécie votre aide.

Elle s'empressa de remonter les vitres et sortit en marche arrière de son emplacement. Les deux autres l'escortèrent jusqu'au quartier garou en moto, roulant à son rythme, toujours comme deux gardes du corps.

Kim se trouvait à mi-chemin lorsque les paroles du tatoué la frappèrent de plein fouet. « Quand on ne portera plus le Collier ». Qu'entendait-il par là ? On aurait juré qu'il parlait d'un futur proche, et non qu'il formulait un souhait.

Elle serra le volant et continua de rouler. Elle devait demander à Liam si l'énergumène n'avait fait qu'exprimer sa rage. À condition qu'il daigne décrocher son satané téléphone.

20

Liam contourna les lotissements délabrés et désaffectés. Les murs de brique étaient décrépits, et des planches moisies recouvraient les fenêtres cassées.

Un tel endroit pouvait attirer un gamin curieux en mal d'aventure. Liam se rappela qu'enfants, Sean, Kenny et lui adoraient explorer les châteaux en ruine, dont l'Irlande regorgeait, et escalader les vestiges de forteresses antiques oubliées depuis longtemps. Se souciaient-ils alors de la dangerosité de leurs jeux ? Craignaient-ils de se retrouver piégés, ensevelis, écrasés par un soudain éboulement ?

Pas vraiment. C'étaient des garous. Robustes, féroces, courageux.

— D'une stupidité sans nom, marmonna-t-il dans sa barbe.

Pas étonnant qu'ils aient fait tourner leur pauvre mère en bourrique !

Il bifurqua à un angle entre deux blocs et entendit les cris de Michael.

Le bruit provenait de l'entrepôt voisin dont la porte, usée, était barricadée. Liam donna un coup de pied dans les vieux panneaux de bois pourrissants et les fracassa sans peine.

Le bâtiment était plongé dans l'obscurité, le sol en béton criblé de trous et couvert de poussière. Sur le mur à sa droite, une porte métallique en acier trempé flambant neuf rutilait. La poignée était entourée de chaînes et munie d'un cadenas. On tambourinait derrière, et Liam distingua les gémissements plaintifs de Michael et la voix rauque d'un homme, qu'il ne reconnut pas.

Il gonfla les narines pour humer l'air. Seule la terreur du petit et celle de son compagnon d'infortune, camouflées par des relents de décomposition, émanaient des lieux. Même s'il s'agissait d'une ruse pour le piéger, les prisonniers n'avaient pas pu s'enfermer de l'extérieur tous seuls.

Liam enveloppa le cadenas avec son tee-shirt, laissa sa main se transformer en puissante patte griffue et brisa la serrure. Il ouvrit le battant d'un coup et eut un mouvement de recul lorsqu'un air fétide s'échappa de la minuscule cellule.

Un type sortit en courant et s'effondra quelques mètres plus loin, à bout de souffle. Ses cheveux étaient emmêlés et ses vêtements empestaient. Un lycan à en juger par ses yeux et son odeur, mais Liam ne le connaissait pas. Michael s'élança à sa suite, les mains menottées, et Liam le souleva dans ses bras. Avide de réconfort, le gamin s'accrocha à lui de toutes ses forces.

— Comment t'es-tu retrouvé là-dedans ? lui demanda Liam.

— Le méchant monsieur m'a amené.

— Quel méchant monsieur, mon grand ?

L'individu à terre foudroya Liam du regard.

— Un félin m'a capturé. L'un des tiens.

— Quel félin ? Fergus ?

— Non. Il ne s'appelait pas comme ça. (L'inconnu se força à se relever, plissant les yeux malgré la pénombre.) Ah, si ! Brian. C'est ça.

Le sang de Liam se glaça.

— Brian ?

— C'est ce qu'il a dit. Puis, ce matin, un autre a ouvert la porte pour enfermer ce gamin avec moi. Tu as débarqué au bon moment. Je commençais à avoir faim, et le félin a dit que je n'avais pas le droit de manger.

Liam reporta son attention sur Michael. Le garçon n'était pas timide mais, lorsque le lycan braqua ses yeux injectés de sang sur lui, il recula aussi vite que possible et s'accroupit dans un coin poussiéreux.

— Quelque chose cloche chez lui, Liam, gémit Michael.

Le lycan s'avança dans la lumière et Liam remarqua la bande de peau nue maculée de sang séché à la place de son Collier. Il lui avait été retiré.

— Michael, souffla-t-il, cours !

Les yeux écarquillés de terreur, l'enfant prit ses jambes à son cou. Liam empoigna le lycan par l'épaule et le fit tournoyer sur lui-même. Le loup grogna et se jeta sur lui, mais Liam contra son attaque.

Ils tombèrent tous deux au sol. Liam laissa ses griffes s'allonger et s'engagea dans le combat, s'efforçant de briser la colonne vertébrale de l'indompté. Ce dernier se dressa de toute sa hauteur et brandit une arme des plus inhabituelles : une seringue hypodermique. Avant que Liam ait pu rouler de côté, son assaillant lui planta l'aiguille dans le bras.

Liam se débattit encore un peu, puis ses muscles se ramollirent et il fut incapable de bouger. Il ne s'évanouit pas, mais passa les heures suivantes à prier tous les saints pour perdre connaissance.

Au premier abord, le quartier garou semblait avoir sombré dans le chaos. Les habitants ratissaient les rues par deux ou trois, criant le nom de Michael. D'autres, à moto ou à bord de voitures miteuses, quadrillaient le quartier et sa périphérie, se déplaçant lentement et sondant les moindres immeubles.

Lorsque Kim entra chez les Morrissey, elle constata que la battue avait été organisée de façon quasi militaire. Dylan était seul dans la cuisine, une carte du quartier et ses environs dépliée sur la table. Une grille avait été dessinée dessus avec soin. Le portable vissé à l'oreille, il cochait des cases tout en discutant avec son interlocuteur.

Il aperçut l'avocate.

— Kim est ici, dit-il dans le combiné. Ainsi que Nate et Spike. Reviens la chercher. Nate et Spike feront équipe.

Nate et Spike ? Sur le trottoir, le tatoué et le militaire descendaient de leurs motos. Kim se demanda un instant qui était qui.

Dylan raccrocha, s'approcha de la jeune femme et l'enlaça. *Le salut des garous. Ils sont tendus, je parie qu'ils ont besoin d'une sacrée dose de réconfort.*

Elle lui rendit son étreinte, le serrant avec fermeté avant de le relâcher.

— Vous parliez à Liam ? Où est-il ?

Dylan secoua la tête.

— À Sean. Liam ne s'est pas encore manifesté.

— Il ne répond pas non plus au téléphone.

— Le réseau n'est pas très fiable par ici. Il trouvera le moyen de nous joindre quand il aura quelque chose à nous rapporter. Sean est en route.

— Je veux vous aider.

— Vous le ferez. (Il retourna à sa carte.) Sean ne devrait plus tarder. Vous travaillerez ensemble. C'est le plus fort après Liam, et je ne veux pas avoir à me soucier de vous en plus de tout le reste.

— Liam m'a raconté ce qui s'était passé, dit-elle tout bas. Entre vous, lors du combat.

Dylan pivota à nouveau. Il n'avait pas l'air abattu. Il était aussi imposant et impressionnant que d'habitude. Seules ses tempes grisonnantes trahissaient son âge. Force, compétence et détermination émanaient de lui, toutes les qualités requises chez un général, en somme.

— Cela n'a pas d'importance pour l'instant, répliqua-t-il.

Ils en reparleraient une fois que Michael aurait été retrouvé.

— Je me demandais ce qui allait se passer.

— C'est à Liam d'en décider.

Il regarda derrière elle, et elle devina que Nate et Spike avançaient vers l'entrée.

Kim se tut, et Dylan invita les deux garous à l'intérieur. L'hostilité qu'ils avaient manifestée à l'encontre de Dylan à San Antonio ne transparut guère lorsque tous trois se penchèrent sur la carte. Il s'avéra que Nate était le militaire, et Spike, le crâne rasé tatoué.

Ces derniers partirent avec leurs ordres et Dylan passa un autre coup de téléphone. Kim vint à la rencontre de Sean qui traversait le jardin.

— Où est Connor ? s'enquit-elle.

— Avec Glory et Ellison. Père veut qu'on fasse équipe toi et moi.

Il arborait une mine sinistre. Des lunettes noires cachaient ses yeux, et la garde de son épée saillait par-dessus son épaule. Kim le savait d'instinct, Sean craignait plus que tout de devoir utiliser son arme sur Michael quand ils l'auraient retrouvé. Si tant est qu'ils y arrivent.

— Des nouvelles de Liam ? lui demanda-t-elle.

— Non.

— Ça ne t'inquiète pas ?

— Si. Mais Liam est l'un des plus forts du clan, et s'il n'est pas en mesure de communiquer, c'est pour une bonne raison.

Ses paroles étaient sensées, comme celles de Dylan, mais Kim ne put réprimer un frisson. Un étrange pressentiment la troublait.

— Il faut le retrouver.

— Il faut retrouver Michael.

Elle acquiesça. La mère du garçon devait vivre un enfer. Kim se souvint des gémissements interminables de la sienne quand on lui avait appris la mort de son fils. Mark avait passé la nuit à l'hôpital, et la famille avait espéré qu'il survive, mais il avait fini par succomber à ses blessures. La mère de Michael devait s'accrocher au même espoir.

La jeune femme hocha la tête. Trouver Michael. C'était la priorité.

— C'est facile, dit l'indompté. Laisse-toi aller.

Liam serra les dents, en proie à une violente douleur.

— Facile pour qui ? Et qui es-tu d'abord ?

— On m'appelait Justin.

— Ah ouais ? Et on t'appelle comment maintenant ?

— Les noms humains ne nous importent plus désormais.

— Oh, pour l'amour des Dieux !

Liam était allongé sur le dos à même le sol en ciment, les membres en feu. Il sentit la bête féroce en lui prête à se déchaîner, mais son corps l'élançait trop pour qu'il s'en soucie. Rester couché sans bouger était la meilleure solution.

La chaleur écrasait l'entrepôt et un frisson le parcourut, signe qu'un orage approchait. Les nuages étaient en train de se former, l'électricité saturait l'air à des kilomètres.

— Où est le gamin ? demanda-t-il.

— Ici. (Le lycan sourit.) Je le réserve pour toi, comme on me l'a ordonné.

Alors, Liam flaira la présence de Michael. Le lycan avait dû le pourchasser avant de l'attacher dans l'allée. Liam huma la peur de l'enfant, ce qui attisa à la fois son tempérament protecteur et son instinct inné, qui lui dictait d'éliminer le rejeton d'un autre mâle. Ces deux émotions bataillaient en lui et augmentaient sa confusion.

— Pourquoi ne pas profiter de ma vulnérabilité pour te débarrasser de moi ? s'enquit Liam.

— Je connais ma place dans la hiérarchie. Tu nous mèneras vers la gloire.

— Tu délires, vieux.

— Tu es le chef. Ça émane de toi. Tu as vaincu le seul alpha plus fort que toi et, dorénavant, nul ne peut te battre. Je suis faible, mais tu me rendras puissant.

— Merde.

Le cou de Liam le brûlait mais, bizarrement, il ne le sentait presque plus. Lorsque Justin lui avait enlevé son Collier, il lui avait infligé une torture pire que tout ce qu'il avait pu endurer jusqu'à présent. Il avait hurlé quand le métal s'était décollé de sa peau, la douleur avait enveloppé son esprit, n'y laissant rien d'autre qu'une pure agonie. Une fois la brume dissipée, il s'était retrouvé par terre, incapable de bouger.

— La douleur disparaîtra, dit Justin. Et alors, tu seras libre.

— Génial.

— Les garous sont forts, maître. Bien plus que les humains ne le seront jamais. Pourquoi devrions-nous être leurs esclaves ? Ils croyaient nous entraver, mais ils nous ont rendus plus puissants.

Liam se sentait aussi faible qu'un moucheron.

— D'où te vient cette idée ?

— Tu ne le sens pas ? Ces instincts refoulés pendant si longtemps, la vigueur que tu as perdue quand tu as dû enfiler le Collier. Je parie qu'au début tu ne passais pas une journée sans vomir. Nous avons appris à vivre sous ce joug. Lorsqu'on l'enlève, nos pulsions refrénées, notre énergie reviennent au galop. Vingt années de répression libérées d'un coup !

— Bordel de merde !

Liam savait que Justin avait raison malgré les insanités qu'il débitait. Il recouvrait peu à peu ses forces, l'effet de la substance qu'on lui avait injectée commençait à se dissiper. Son odorat et son ouïe semblaient plus aiguisés que jamais, et l'orage qui grossissait tambourinait dans sa tête.

Il se serait bien passé d'un flair surdéveloppé en présence d'un énergumène qui ne s'était pas lavé depuis des lustres. Ce dernier n'avait pas l'air de s'en soucier mais, après tout, les indomptés avaient une notion de l'hygiène particulière. Au diable tout ça ! Même si Liam en était devenu un aussi, il continuerait à se doucher.

Il s'employa à dissimuler sa peur atroce. Elle couvrait les pulsions meurtrières s'éveillant en lui. Son instinct protecteur déclinait à toute vitesse. Michael n'était pas son fils. Il ferait mieux de le supprimer tant qu'il le pouvait. Liam s'efforça de contenir ce besoin, non sans difficulté.

Je suis foutu.

Il pensa à Kim, imagina sa terreur si elle pouvait deviner les réflexions qui occupaient son esprit.

Compagne. Mienne !

Il la désirait, sur le dos ou à quatre pattes, peu importe. Il voulait la prendre ici même et s'enfouir en elle. Sans interruption, jusqu'à ce qu'elle comprenne, la petite effrontée, qu'il était son maître.

Non, je ne lui ferai jamais de mal.

Kim lui donnerait des enfants, tempêtait-il tout bas, incapable de se retenir. Autant qu'il en voudrait. Au diable la contraception ! Il trouverait un moyen de l'en priver et ne l'autoriserait plus jamais à se protéger. Il l'enfermerait au grenier jusqu'à ce qu'elle obéisse. La pièce était grande. Connor pourrait emménager dans sa chambre. Et lui-même s'installerait dans celle de Dylan après l'avoir tué.

Oh, Dieux tout-puissants, aidez-moi !

Dylan devait mourir. Il avait été vaincu. Liam dirigeait désormais la troupe. Justin l'avait su au premier coup d'œil. Son père devrait être banni et affronter la mort seul, à moins qu'il ne lui laisse sa dignité et préfère lui briser la nuque.

Glory le pleurerait. Peu importe, qu'elle hurle à la mort, cette saleté de lycane ! Si elle aimait tant Dylan, elle n'aurait qu'à le rejoindre.

Liam roula sur lui-même et plaqua le visage contre le sol.

— *Ce n'est pas moi. Ce ne sont pas mes pensées.*

— *C'est en toi. C'est juste, naturel. Lâche prise.*

— Non ! tonna-t-il.

Justin ricana.

— Je suis passé par là. C'est plus drôle de succomber à la tentation.

Liam abhorrait le rire de Justin. Il haïssait le mâle qui lui infligeait cette torture. Son Collier gisait par terre à trois mètres de lui. Une simple chaîne noir et argent, ornée d'un nœud celtique. Un bout de métal inoffensif. Sans lui, il était libre.

Il se redressa. La douleur refusait de le lâcher, mais elle commençait à s'estomper. Il braqua le regard sur Justin.

Ce dernier arbora un sourire carnassier.

— Tu vois ? Tes forces décuplent. Je te montrerai comment les Colliers fonctionnent, et on pourra retourner dans le quartier garou pour affranchir les autres. Tu es plus puissant que ce Fergus désormais. Je le sens. Tu le vaincras en moins de deux.

Liam rugit. Justin recula encore un peu et grogna à son tour.

Quel bâtard faible et pleurnichard ! À cause de lui j'ai souhaité tuer mon propre père et soumettre ma compagne comme une esclave.

Justin poussa à nouveau un grognement, cette fois défensif. Apeuré.

D'où qu'il vienne, il devait occuper un rang très inférieur dans sa hiérarchie. Il exhalait le mal, l'infamie, la couardise.

Liam suivit son conseil et autorisa la bête féroce en lui à surgir. Toutes les pensées qui tourbillonnaient dans sa tête se réunirent et prirent le lycan pour cible.

Liam bondit, et Justin hurla à la mort.

21

Sean mena Kim à l'est du quartier garou. Ils parlèrent peu, extrêmement tendus tous les deux. Dylan resta en arrière, déclarant que c'était son boulot d'assurer la coordination des recherches.

— Ces rues sont un véritable labyrinthe, marmonna la jeune femme avec anxiété tandis qu'ils bifurquaient au coin d'un immeuble.

— On est plus efficaces à pied.

— Sans déconner !

Les routes étaient étroites et criblées de nids-de-poule, et des impasses longeaient l'arrière des bâtiments, tel un dédale interminable. Cette partie d'Austin avait été plus ou moins désertée quand les garous s'étaient installés à proximité. Kim n'était qu'une enfant à l'époque, mais elle se rappelait son père affirmant que les entreprises florissantes avaient fui le quartier, l'abandonnant aux nouveaux venus et aux sans-abri.

Il n'y avait pas beaucoup de vagabonds dans les parages, ce qui était bizarre. Certes, en été, ils quittaient les villes du Sud, semblables à des oiseaux migrateurs, pour les latitudes plus fraîches du Nord. Néanmoins, beaucoup restaient mendier dans le centre d'Austin, sollicitant l'aide d'entrepreneurs aisés ou d'hommes politiques, mais plus aucun ne traînait par ici. Était-ce par crainte de ne pas ramasser assez d'argent, ou par peur des garous ?

Kim aussi percevait la menace, quelle qu'elle soit. L'air humide était chargé d'électricité, signe avant-coureur d'orage. Elle scruta le ciel et vit les nuages noirs qui se formaient à l'horizon. Les tornades frappaient rarement la ville, mais cela arrivait à l'occasion et ces masses basses et sombres n'auguraient rien de bon. Raison de plus pour mettre la main sur Liam et l'enfant au plus vite.

— J'espère qu'on trouvera Michael avant Nate et Spike. Je sais qu'ils nous aident, mais je ne leur fais pas confiance. Et je ne peux pas croire qu'il se prénomme Spike !

— Il était fan de *Buffy contre les vampires*.

Une vision surréaliste de M. Tatouage mangeant du pop-corn et s'en donnant à cœur joie devant la chasseuse de vampires et ses potes traversa l'esprit de Kim, qui réprima un fou rire hystérique.

Sean, en bon garou qui se respecte, refusa qu'elle marche devant lui. Il tourna à l'angle d'une ruelle voilée par les ombres de l'orage imminent et de la nuit tombante, et s'arrêta si brusquement que Kim faillit lui rentrer dedans.

— Qu'est-ce qu'il y a ?

— Appelle notre père.

— Tu veux bien me dire pourquoi ?

Elle sortit son téléphone tout en scrutant les alentours.

— On a trouvé Michael.

Sean s'avança dans l'allée à pas de loup.

L'écran du portable affichait « réseau indisponible ». Satanés fournisseurs de services sans fil ! Parfaits quand on se promène dans le cœur d'une ville grouillante, offrant une pléthore de moyens de communication, sans intérêt quand on en a le plus besoin.

Elle pouvait revenir sur ses pas et longer les boulevards derrière les immeubles vétustes jusqu'à ce qu'elle capte un signal. Seule. Sans Sean et sa redoutable épée pour la protéger.

Elle préféra le suivre. S'ils avaient localisé l'enfant, il leur suffirait de le récupérer et de ficher le camp.

Le garou dégaina son arme sans ralentir.

Oh non ! Par pitié !

Kim courut derrière lui, faisant claquer ses sandales sur l'asphalte craquelé. Elle atteignit le petit corps étendu sur le sol au même moment que Sean, et s'agenouilla à son côté.

— Michael !

Elle le souleva et poussa un soupir de soulagement, car il était chaud et son cœur battait.

— Merci, Seigneur !

Michael gémit et elle le maintint contre elle. Le garçon serrait les paupières de toutes ses forces, comme s'il voulait se cloîtrer dans son monde. Kim le berça, pressa la joue contre ses cheveux. L'une de ses mains était menottée, et la chaîne reliée à un anneau accroché à un mur de brique.

— Tout va bien, mon cœur, le cajola-t-elle. Je suis là. Sean, tu peux le libérer ?

Celui-ci ne rangea pas son arme.

— Quelque chose est mort.

— Quoi ?

Sean gonfla les narines et ses iris devinrent blancs. Il empoigna son épée défonça d'un coup de pied les restes de planches pourries qui barraient la porte la plus proche et s'enfonça dans l'obscurité du bâtiment.

Une seconde plus tard, Kim l'entendit jurer comme un charretier.

Elle se leva. Le gosse s'agrippa à elle et lui souffla à l'oreille :

— Le méchant monsieur ! Le méchant monsieur !

— Quel méchant monsieur, Michael ?

Il ne répondit pas. La chaîne s'avéra assez longue pour le porter jusqu'à l'entrée plongée dans la pénombre. Un vaste entrepôt s'étendait devant elle, une salle vide de la hauteur de deux étages. La poussière texane recouvrait le sol et l'odeur persistait dans l'air.

Sean se tenait au-dessus d'un corps inerte au milieu de la pièce. L'homme était grand, nu, et entouré de vêtements en lambeaux. Kim ne vit pas son visage et la peur l'envahit.

— Liam ? demanda-t-elle, une boule dans la gorge.

Non, je vous en supplie ! Par pitié !

— Non, dit Sean. C'est la première fois que je le vois. Mais c'est bien un garou, et il est mort.

Il brandit son épée d'un geste solennel, pointe vers le bas, tenant la garde à deux mains, et murmura des paroles que Kim n'entendit pas, tandis qu'il baissait la lame vers le torse du défunt. L'air sembla scintiller autour de celui-ci. Puis, comme la bête qui avait attaqué la jeune femme dans sa chambre, son corps se désagrégea en un tas de poussière.

— C'était un indompté.

La voix puissante de Liam s'éleva dans l'ombre. Sean se raidit et fit volte-face ; son frère s'avança vers eux depuis l'autre bout de la pièce. Kim se détendit aussitôt.

— Il m'a dit que Fergus et Brian faisaient des expériences sur lui. Ils ont trouvé le moyen de lui enlever son Collier. C'est ce que faisait Brian la nuit où sa copine a été assassinée. Voilà pourquoi il ne pouvait en parler à personne.

L'avocate reposa Michael sur le sol froid. Elle lui caressa les cheveux et lui promit de revenir aussitôt. Il se roula en boule, et elle se précipita à l'intérieur.

— Liam !

Sean l'attrapa par l'épaule et la tira vers l'arrière d'un coup sec. Elle se retrouva tout contre son buste et il l'y maintint avec fermeté.

— Qu'est-ce que tu fabriques ? Lâche-moi !

Sean n'en fit rien. Liam se dirigeait toujours vers eux. Il ne portait pas de tee-shirt et de vilaines griffures lui zébraient le torse. Or il ne bougeait pas comme s'il était blessé, mais se déplaçait lentement, tel un lion s'approchant de sa proie, à pas mesurés, réfléchis.

— Ne la touche pas, ordonna-t-il à son cadet.

Kim fit une nouvelle tentative pour le rejoindre, mais Sean la retenait d'une main de fer.

— Non, lui murmura-t-il à l'oreille.

Liam s'arrêta.

— Ôte tes sales pattes !

La jeune femme se figea. Sean la relâcha sans pour autant reculer.

— Laisse-la ramener Michael à la maison.

— J'ai une meilleure idée. Tu te tailles vite fait, et moi je me charge de Kim et du gamin.

Le cœur de l'intéressée battait à se rompre.

— Liam, qu'est-ce qui t'arrive ?

Ce dernier s'avança dans la lumière, le regard fixe, étincelant, vil. À la place de son Collier, une ligne écarlate cernait son cou.

— Il est devenu indompté, déclara Sean sur un ton sinistre.

— Oh, Seigneur !

La panique envahit Kim. Pas étonnant que Fergus veuille la mort de Brian, ni qu'il lui ait demandé de plaider coupable et d'en assumer les conséquences ! Le chef de clan ne pouvait courir le risque que son complice avoue à la cour les expériences qu'ils menaient.

Merde.

Le garou qui se tenait devant eux n'avait rien à voir avec le Liam qu'elle connaissait. Son sourire chaleureux, ses yeux amoureux, la compassion qui émanait d'ordinaire de lui, tout cela avait disparu. Son expression reflétait la haine, la rage brute, le besoin de tuer. Il avait assassiné l'autre indompté et n'avait pas détaché Michael.

— Liam, chuchota-t-elle.

Le lycan qui s'était introduit chez elle l'avait pétrifiée, mais affronter le regard bleu pâle de son amant fixé sur elle la terrifiait dix fois plus. Personne n'était assez puissant pour l'arrêter, et Liam le savait.

— Fiche le camp, Sean Morrissey, dit-il, ou je te tuerai aussi.

— Je ne peux pas. Je suis le Gardien, répondit Sean à voix basse. J'ai déjà envoyé l'âme d'un de mes frères vers l'éternité, Liam. Je t'en prie, ne me force pas à en faire de même avec toi.

— Tu es resté les bras croisés. Tu l'as laissé mourir.

Kim hoqueta.

— Liam !

Sean s'empourpra.

— Qu'est-ce que tu en sais ? Tu n'étais même pas là !

— Je te connais, Sean.

Le sang de celui-ci ne fit qu'un tour. Dehors, le tonnerre gronda, faisant écho à sa rage.

— Va te faire foutre ! Kenny est mort pendant que tu jouais les larbins dévoués pour un type que tu hais.

— Et Fergus me le paiera.

— Arrête ! (Kim s'interposa entre les deux garous, une position peu rassurante.) Je sais que tu as l'esprit embrumé pour l'instant, mais combattre Sean ne t'aidera pas. Kenny n'est plus, et j'en suis désolée, mais vous entretuer ne le ramènera pas. Tu crois qu'il aurait voulu ça ? Que vous honoriez sa mémoire en vous accusant l'un l'autre ?

Liam reporta son attention sur elle, la clouant sur place. Elle ne se rappelait pas avoir eu autant peur de toute sa vie.

Elle avait fait l'amour avec lui. Elle l'avait observé dormir et l'avait cajolé quand il souffrait. Enfoui dans les tréfonds de cette bête redoutable, se cachait le Liam qui pleurait son frère décédé, qui la taquinait, qui s'inquiétait de la disparition de Michael et se reprochait d'avoir froissé Dylan.

Je vous en prie, faites que tout cela ne soit pas une imposture. Faites qu'il soit toujours là. Laissez-moi l'atteindre, je vous en conjure !

— Ne m'abandonne pas, l'implora-t-elle. Je t'aime.

Il ne bougea pas d'un pouce, n'afficha aucune émotion.

— Ce n'est pas de l'amour. Tu es ma compagne. Nous possédons le lien.

Elle planta les poings sur ses hanches.

— Je ne suis pas une garou et j'en suis ravie ! J'ai des émotions, pas des instincts ! Je me fiche de ton lien. Si je dis que je t'aime, c'est que je le pense. Du moins, j'aime Liam.

— Les émotions sont des instincts. On peut les enrober et écrire des chansons à leur sujet, ça n'y change rien.

— Oh, super façon de séduire une fille. Je te préférais avec ton Collier.

— Sans blague ? Parce que tu pouvais me dominer.

— Comme si quelqu'un pouvait te dominer, Liam Morrissey. L'homme qui n'en fait qu'à sa tête, Collier ou pas !

Sean se pencha vers elle.

— Rends-moi service et cours au lieu de le provoquer.

Liam rugit.

— Ne la touche pas, j'ai dit !

Michael se mit à pleurnicher. Sean recula. Kim voulut rejoindre l'enfant, mais Liam lui barra le passage. Avant même qu'elle l'ait vu se mettre en mouvement, il se dressa devant elle de toute sa hauteur.

— Michael est blessé et il a peur, reprit-elle. *J'arrive petit, tiens bon !* Laisse-moi le ramener chez lui. Sa mère est inquiète.

— Sean, sors le gamin d'ici avant que je ne cède à mes pulsions et vous tue tous les deux.

La jeune femme croisa les bras et essaya de le fusiller du regard.

— Parce que tu n'y as pas encore cédé ?

— Non. Sean, obéis !

Kim se tourna vers celui-ci avec nervosité.

— Je suis d'accord avec lui. Emmène Michael loin d'ici, s'il te plaît.

— Et te laisser ici avec lui ? Tu es folle ?

— Liam a raison au sujet du lien, répondit Kim. Je doute qu'il me fasse du mal.

— Tu doutes ? répéta Sean. Ce n'est pas très convaincant.

— Arrête de me contredire. La mère de Michael se fait un sang d'encre pour son fils, il doit rentrer chez lui. Ne te soucie pas de moi. (Elle jeta un coup d'œil à Liam.) Ça devrait bien se passer.

— Kim, je ne l'ai jamais vu comme ça. Il n'était pas comme ça quand on vivait à l'état sauvage. Là, il est... différent.

— Ses instincts sont aiguisés, déclara une voix étrangère.

Fergus sortit de l'encadrement de la porte contre laquelle il s'était adossé et s'avança vers le centre de la pièce. Son Collier était encore intact – Dieu merci – mais il marchait d'un pas assuré comme s'il se félicitait de ses actions.

— Et voilà ! s'exclama Kim. À trop discuter, tu rates l'occasion de fuir.

— *Dixit* la femme qui ne la ferme jamais, rétorqua Fergus.

Elle braqua sur lui un regard qu'elle espérait dénué de peur.

— Pile ce qu'il me fallait ! Un connard de plus pour illuminer ma journée !

— Ta femelle a la langue bien pendue, répliqua l'autre à l'intention de Liam. Tu dois lui apprendre les bonnes manières, ou je m'en chargerai.

Liam pivota face à Fergus, les talons de ses bottes grinçant sur le ciment graveleux. Le chef de clan s'arrêta, le corps en état d'alerte.

— D'un autre côté, reprit Kim, je pourrais bien apprécier ce qui va suivre.

L'enfer semblait régner sur Terre. L'odeur de la mort imprégnait les narines de Liam, même si Sean avait déjà pulvérisé le cadavre de l'indompté. Il flairait la peur. L'effroi de Michael. L'angoisse de son propre frère. La panique de Kim, son amour, sa compagne.

Fergus était le plus effrayé de tous.

L'entrepôt entier empestait la terreur, assez pour le suffoquer. S'il les tuait tous, sauf Kim, il se débarrasserait de cette puanteur.

Une petite voix dans un coin de son cerveau lui souffla : *C'est quoi ton problème ?* Sean avait raison, ils n'étaient pas comme ça avant le Collier. Ils vivaient libres, chassaient à leur guise et, s'il le fallait, se passaient de nourriture. Ils se blottissaient les uns contre les autres – lui, ses frères, leur père et leur mère – pour se réchauffer, ils jouaient ensemble dans les bons jours et se soutenaient dans les mauvais. Ils s'aimaient.

À présent, Liam haïssait chacun des garous devant lui, à commencer par Fergus. Il ne détestait pas Kim, mais elle le rendait encore plus dingue que les autres. Il voulait l'éloigner, la protéger. Ils comptaient la lui voler. Les siens avaient besoin de compagnes, et Sean n'en avait pas encore. Il représentait un danger.

Le petit était trop jeune, il n'était pas une menace, mais c'était le rejeton d'un étranger. *Tue-le !* lui souffla son instinct.

Fergus voulait qu'il élimine Michael, puis Sean. Liam le savait, même s'il ignorait comment.

Fergus convoitait le pouvoir et Kim mais, par-dessus tout, il redoutait Liam.

Par conséquent, il devait mourir le premier.

— Les Colliers ont été programmés pour supprimer toutes nos caractéristiques innées, disait Fergus. Les faes qui les ont fabriqués nous exécraient. Et ils connaissaient notre fonctionnement. Les ôter lèvera cette répression et nous rendra puissants. Plus rien ne pourra nous arrêter.

— Et vous péterez tous les plombs, ajouta Kim. Regardez-le !

Fergus en était incapable. Il tourna la tête de côté, et reporta son attention sur l'avocate.

— Il flaire sa compagne. Il veut baiser.

— Cessez de me reluquer comme ça, espèce de pervers ! Je refuse que vous nous imaginiez en pleine action !

— Ta gueule, l'humaine ! Tu seras son esclave, point barre. Il te prendra jusqu'à ce que tu meures en enfantant ses petits, et alors il trouvera une autre femelle pour lui en donner davantage. C'est la coutume !

— Je suis sûre que vos compagnes seront ravies de l'apprendre.

— Mes compagnes savent rester à leur place.

— Je vois, répondit Kim. C'est comme ça que vous comptez dominer le monde ? À l'aide d'images répugnantes et d'insultes ?

— Nous sommes bien plus forts que les humains. Sans les Colliers, nous aurons vite fait d'oppresser nos anciens oppresseurs.

— Si votre plan est tellement génial, pourquoi gardez-vous le vôtre ?

Fergus la toisa avec désapprobation.

— Le chef de clan ne doit pas courir de risques. Nous devions d'abord nous assurer que les enlever ne nous tuerait pas purement et simplement.

— Et combien en sont morts ? s'enquit Sean.

Dehors, l'orage se préparait. Une brise glaciale rafraîchit l'atmosphère moite et chargée.

— Un ou deux.

— L'un d'eux aurait-il pété les plombs au point de massacrer une femelle et ses petits ?

Fergus détourna le regard.

— Il y a eu des complications. Tu t'en es occupé.

— Bien sûr, ajouta Kim. Sauf que j'ai failli y rester !

— Cela ne se serait pas produit si tu n'avais pas étalé ton odeur partout sur Liam, riposta Fergus avec dégoût. Il a flairé la compagne d'un rival.

Ce qui explique la vélocité de cette créature et son talent pour le pistage, songea Liam. C'était un garou comme les autres, devenu fou après qu'on lui avait arraché son Collier.

— Je n'avais jamais vu cet indompté. Ni celui-ci, d'ailleurs. D'où venaient-ils ? fit Sean.

— De La Nouvelle-Orléans. Je leur ai offert une existence où ils n'auraient plus à se tapir dans le bayou.

— Super offre ! ironisa Kim. Venez à Austin ! D'abord, on vous rendra cinglés, et après on vous tuera.

— Non, dit Sean, la voix empreinte de rage. Il a dû leur promettre des femelles qu'ils choisiraient. Peut-être l'occasion de grimper dans la hiérarchie. D'après moi, ils devaient occuper un rang très inférieur au sein de leur meute. Et puis, c'étaient des lycans. Si quelque chose devait mal tourner, s'ils devaient mourir ou perdre la raison, ça ne restait que des foutus lycans !

— Je leur ai offert la liberté, tempêta Fergus.

— La liberté d'être pourchassés comme par le passé ? répartit Kim.

Le visage de Fergus s'assombrit.

— Celle dont nous jouissions avant que les humains nous parquent comme des animaux. La Terre nous appartenait. Nous ne craignions personne. Vous nous avez volé ça. Je ne fais que reprendre mon dû !

— Nous avions faim, objecta Sean d'un ton posé. Tu te souviens ? Les hivers sans manger, l'impuissance devant la mort des nôtres, les petits qui ne dépassaient pas leur premier printemps ?

— Et si les humains nous nourrissaient ? S'ils nous servaient d'esclaves pour changer ? Tout serait différent.

— Dans vos rêves, l'interrompit Kim. Les garous sont puissants et coriaces, mais pas immortels. Je suis sûre que des mitrailleuses feraient l'affaire. C'est ça que vous voulez ? Que des groupes d'intervention spécialisés massacrent vos compagnes ?

— Cela ne se produira pas si vous êtes nos larbins, pauvre demeurée ! Liam, tu devrais choisir une nouvelle compagne. Ou au moins, utilise-la et débarrasse-t'en au plus vite. J'ai su qu'elle nous en ferait baver dès la seconde où j'ai posé les yeux sur elle.

— Si tu la touches, je te descends, répondit Liam du tac au tac.

Tout le monde se tut. Liam, martelant le dallage de ses lourdes bottes, s'avança vers Fergus. Ce dernier s'apprêtait à courir, il le lut dans son regard, sa posture, son langage corporel.

Il l'en empêcherait. Fergus lui était inférieur, il devait lui obéir et le savait, en dépit de ses fanfaronnades. Les instincts qu'il vantait avec tant d'ardeur le forceraient à reconnaître sa faiblesse.

Kim possédait un pouvoir qui faisait défaut aux garous, celui de discerner avec perspicacité les multiples facettes d'une situation, même si elle était terrifiée ou furieuse. Elle pouvait polémiquer avec conviction, trouver la faille dans la logique obsessionnelle de son interlocuteur et l'exploiter jusqu'à ouvrir son esprit et lui faire partager sa vision.

Fergus ne verrait jamais rien clairement, contrairement à Liam. Du moins, ça avait été le cas jusqu'à ce que Justin lui arrache son Collier et lui embrouille le cerveau.

Ses émotions et ses pulsions combattaient sa raison sans pour autant remporter la bataille. Dehors, le vent se fit plus froid : l'orage promettait d'être terrible.

Liam flaira la grêle glacée dans les nuages, la foudre qui s'abattrait sur la ville d'un moment à l'autre.

Une pensée se détachait des autres : Fergus devait être arrêté. Si Liam le laissait partir aujourd'hui, il continuerait à faire pression pour « libérer » les garous. Il poursuivrait ses expériences terrifiantes, semant folie et violence chez ses victimes jusqu'à ce qu'il perfectionne le procédé. Il ne maîtrisait pas encore ses indomptés et, comme à son habitude, il ordonnait à d'autres de nettoyer derrière lui. Pour lui, la fin justifiait toujours les moyens.

— Kim a raison, déclara Liam, surpris par le calme de sa propre voix. Tu n'es qu'un connard. Tu monteras les garous les uns contre les autres. Nous nous entretuerons bien avant que les humains aient vent du problème. Chacun se battra pour la survie de sa famille, de ses gênes, de son groupe au détriment des autres. Les quartiers garous, la cohabitation avec les autres espèces, c'est artificiel.

— Exactement mon opinion, concéda Fergus. On enlève le Collier de Sean, on a le Gardien avec nous. Qui pourra nous arrêter ?

— Moi.

Liam se campa devant lui.

Il vit les pupilles de son adversaire se rétrécir, ses narines enfler, son corps exhaler la peur. Il n'était pas loin de mouiller son pantalon. Il tenta de le masquer en bombant le torse, feignant la bravoure.

— Tu ne peux pas me toucher. Je suis ton chef de clan.

— Tu es faible, rétorqua Liam d'une voix monocorde.

— Je suis au-dessus de toi, gronda aussitôt Fergus. Je viens en premier, avant Dylan et toi. Tu ne peux pas me vaincre.

— Liam a combattu Dylan et il a gagné, lança Kim. La nuit dernière.

— Quoi ? s'écria Sean.

Fergus blêmit jusqu'à devenir vert.

— Tu racontes n'importe quoi, fillette. Personne ne peut battre Dylan à part moi.

— Vous avez raté un épisode. Liam a défait son père. Ça le désole, mais c'est comme ça.

— Merde ! marmonna Sean.

— Ça ne change rien, répliqua Fergus. Je suis toujours le chef.

— Tu n'es rien, contre-attaqua Liam, qui se sentait étranger à lui-même. Je ne suis lié à personne mis à part ma famille. Michael serait le plus facile à tuer, mais je pense qu'il est plus important de t'éliminer, toi.

— Bordel !

Sean brava la colère de Liam et agrippa Kim pour l'éloigner des deux alphas.

Liam lutta pour ne pas arracher la jeune femme à son frère et planter les griffes sur le visage de ce dernier. Il se força à le laisser partir. Sean protégeait sa compagne de l'ennemi. Fergus se servirait d'elle pour le déconcentrer. Sean avait raison de l'emmener loin d'eux, mais la soif de sang qui le gouvernait lui dictait de le rosser pour l'avoir touchée. Ce besoin le consumait.

En son for intérieur, son amour pour son frère bouillonnait, requérant son attention. Il se revit en compagnie de Sean et de Kenny, jouant ensemble quand ils étaient enfants, se bagarrant jusqu'à ce que la fatigue l'emporte et qu'ils s'endorment les uns sur les autres. Il se souvint de leurs discussions sur le monde, de leurs interrogations au sujet des femelles et de la vie de couple. Il se remémora les célébrations qui avaient suivi l'union de Kenny, et celles qu'avait suscitées la grossesse de Sinead. Il se rappela le jour où Kenny était mort et leur émotion lorsqu'ils l'avaient pleuré, blottis l'un contre l'autre.

Des souvenirs d'amour, de frustration, de joie et de famille effacés par l'adrénaline, la rage de combattre. Fergus projetait d'infliger ça à tous les garous de la planète. Il voulait les détruire.

Liam reporta toute son attention sur son rival. Il ôta ses chaussures et son tee-shirt. Fergus l'observa avec mépris, puis ricana, avant de l'imiter.

Il attaqua Liam avant que celui-ci ait pu se transformer entièrement. Liam roula sur lui-même, ses membres craquèrent et s'allongèrent, ses muscles s'étirèrent en de nouvelles positions. Fergus bondit de nouveau, et cette fois, Liam l'esquiva et retomba à quatre pattes, sous sa forme féroce de chat-fae.

Il poussa un rugissement interminable qui provenait du fin fond de ses entrailles, libérant enfin la bête. Il clamait que le territoire environnant était le sien, non seulement l'entrepôt ou le quartier garou, mais tout ce qui se trouvait à des kilomètres à la ronde : la ville, Hill Country, aussi loin qu'il pouvait aller. Il était le chef de clan, et Fergus n'était rien. C'était l'ordre naturel des choses.

Son grondement secoua le bâtiment. Les poutres tremblèrent, une pluie de briques et de plâtre s'abattit sur le sol. Michael se mit à hurler, ses cris se transformèrent en miaulement lorsqu'il se changea en chat sauvage. Sean entraîna Kim dehors, sous l'averse.

Liam ferma la bouche, s'ébroua et se jeta sur un Fergus terrifié.

22

— Tu peux le libérer ? hurla Kim dans le fracas assourdissant de l'entrepôt.

— S'il se tient tranquille, répondit Sean en attrapant la chaîne attachée au mur.

L'enfant continua de grogner et de se débattre, car la menotte lui sciait le poignet.

— Michael !

La jeune femme s'agenouilla à côté de lui et lui tendit le bras, mais il la griffa.

— Michael, poussin, tout va bien.

Le petit savait pertinemment que c'était faux. Au centre de la pièce, deux fauves énormes se battaient pour la domination, et ce jusqu'à la mort. Leurs rugissements couvraient le grondement du tonnerre qui retentissait dans la rue. Une secousse ébranla le bâtiment lorsque les deux félins s'écrasèrent contre un mur.

Si Fergus gagne, il nous tuera. À moins qu'il n'épargne Kim pour en faire son esclave sexuelle. Elle ne voulait pas imaginer cette éventualité. Tout comme elle refusait d'envisager que Liam puisse perdre, mourir, et que son frère soit obligé de le réduire en poussière.

Ce dernier tira sur la chaîne d'un coup sec, arrachant le crochet dans son élan. Michael miaula, puis dévala la ruelle, traînant la laisse en métal derrière lui.

— Il courra jusque chez lui, déclara Sean. Tu devrais le suivre, Kim.

— Je n'irai nulle part sans Liam.

— Kim, bon sang, j'ignore comment les choses vont tourner.

— Pourquoi tu n'y vas pas, toi ? Rassemble Dylan et les autres pour qu'ils viennent arrêter Fergus.

— Avec Liam dans cet état ? C'est trop dangereux.

— Au moins, tu seras en sécurité. Fergus ne t'épargnera pas et Liam continue de croire que tu veux me garder pour toi. Il pourrait te tuer dans sa fureur.

— Oh, et toi tu ne risques rien, c'est ça ? Je ne partirai pas, Kim. Je suis le Gardien.

Chargé d'occire le perdant avec son épée magique, expédiant son âme dans l'au-delà. À en juger par la mine abattue de Sean, il pensait que ce serait Liam.

— Eh bien, je reste aussi. (À l'intérieur, les deux garous se battaient comme des forcenés, dans des éclaboussures de sang et d'écume.) Je l'aime.

— Parfait. Nous mourrons tous les deux.

Sean retourna dans l'entrepôt. Les gouttes de pluie firent place à des grêlons gros comme des pois, ricochant sur le bitume.

— Génial, maugréa Kim.

La grêle tombait si fort qu'elle formait des tas avant de fondre sur le sol. Kim se réfugia dans l'immeuble, terrifiée et furieuse.

Les deux ennemis se livraient un corps-à-corps acharné. Sean les observait, en retrait, tel un arbitre, prêt à sévir. Quelques semaines auparavant, Kim n'aurait su différencier les deux félins, mais elle connaissait Liam, à présent. Fergus et lui avaient la même taille, mais le second était plus musclé, son pelage plus foncé, ses yeux d'un or plus riche. À cet instant, ceux-ci brillaient de haine, et ses dents étaient complètement sorties lorsqu'il les planta dans la nuque de son assaillant.

Fergus se replia avec difficulté, se retransformant à moitié. Liam le suivit et l'immobilisa de nouveau au sol. Ils se griffèrent et se mordirent. C'était pire que le combat avec Dylan, car il n'y avait jamais eu d'amour entre Liam et Fergus. La rage et l'hostilité saturaient l'atmosphère déjà étouffante.

Le tonnerre gronda dehors, puis la foudre s'abattit sur le toit. Kim hurla quand des briques tombèrent tout autour d'elle.

Elle vit Liam se retourner vers elle, attiré par son cri. À ce moment, Fergus, la peau à vif et maculée de sang, lui bondit sur le dos. Il avait la gueule grande ouverte, les mâchoires prêtes à lui briser la colonne vertébrale.

Sean cria de toutes ses forces. Kim ne l'entendit pas à cause de l'orage, elle ne vit que sa bouche s'ouvrir. Liam tournoya sur lui-même à temps et planta les crocs dans la gorge de Fergus, qu'il déchiqueta. Le sang gicla par terre.

Le chef de clan s'effondra. La fourrure rouge du sang de son rival, Liam recula et poussa un rugissement de victoire. Ses yeux étincelaient de passion, de joie et de triomphe.

Sean s'avança avec l'épée. Liam l'arrêta et reprit sa forme humaine, le corps couvert de griffures et de contusions. Il se dirigea vers Fergus et le poussa du bout du pied. Le cadavre s'affala contre le sol et du sang s'écoula de la flaque formée en dessous.

Liam pivota sur ses talons ; ses moindres mouvements reflétaient le mépris que lui inspirait son ennemi déchu. Dès qu'il eut le dos tourné, Fergus bondit sur ses pieds et lança un grognement de rage désespérée tout en se jetant sur lui. Kim hurla.

Mais Sean était là. Il s'avança entre les combattants, et l'épée du Gardien empala Fergus en plein élan.

Ce dernier écarquilla ses yeux de chat lorsque l'arme s'enfonça dans son torse. Il était mourant, et l'épée finit de l'achever. Il s'écroula, immobile et silencieux. Psalmodiant dans une langue que Kim ne connaissait pas, Sean retira lentement la lame. Le fauve scintilla avant de former un tas de poussière sur le sol.

— Tu n'étais pas censé faire ça, gronda Liam. Son dernier souffle m'appartenait.

— Oui, eh bien c'est trop tard.

Il avait adopté une posture de défiance. Liam, qui s'efforçait d'en référer à sa raison, comprit que Sean aurait fait n'importe quoi pour éviter d'expédier un second frère dans le Pays de l'été.

De nouveau, son amour pour Sean et la jalousie du chat-fae s'affrontaient en lui.

— Pars, ordonna Liam. Sinon, je risque de te tuer, et je ne veux pas te perdre toi aussi.

— Kim ? appela Sean.

Une rage noire s'empara de Liam.

— Kim reste avec moi.

Sean se dirigea vers la porte à grands pas.

— Kim ? répéta-t-il.

— C'est bon, Sean.

La voix de la jeune femme était calme, une note de fraîcheur en pleine canicule. Le Gardien lui jeta un dernier regard, puis se força à rengainer son épée et fonça sous le déluge.

Liam franchit la distance qui le séparait de Kim, et la serra dans ses bras avant que les bruits de pas de Sean ne s'estompent.

— Kim !

Il adorait prononcer son nom.

— Tu es blessé ?

— Je ne sais pas, et je m'en fiche.

Il la plaqua contre le mur en brique.

Il la désirait avec une intensité qu'il n'avait jamais éprouvée. Elle était sa compagne, sienne pour toujours. Une petite voix dans les tréfonds de son esprit lui souffla : *Tu l'aimes. Ne lui fais pas de mal.*

— Tu devrais t'éloigner, dit-il.

— Pardon ?

Il se plongea dans ses yeux. Ils étaient magnifiques. Grands et bleus, comme un lac irlandais, avait-il pensé naguère. Il n'avait pas changé d'avis.

— J'ai peur de te faire mal.

Elle lui effleura le visage. Il tressaillit avant de se laisser faire.

— Je veux rester avec toi, protesta-t-elle. Et puis, il grêle comme tout dehors !

— Je ne pourrai pas y aller doucement. Je ne pourrai pas être gentil.

Elle sourit et l'enlaça. Elle tremblait, mais son expression reflétait la tendresse.

— Ça promet d'être marrant.

— Kim.

— Liam. (Elle lui baisa le bout du nez.) Je n'ai pas envie de partir. J'ai besoin de toi.

Il l'embrassa. Les briques lui éraflèrent les bras lorsqu'il les cala derrière sa partenaire, qui enroula immédiatement les jambes autour de lui, faisant remonter sa jupe. Liam n'eut aucun mal à tirer la ficelle de son string de côté pour se frotter contre son sexe brûlant. Elle hoqueta de surprise et écarquilla les yeux quand il s'enfonça en elle.

Comment avait-il pu penser que le sexe entre humains était ennuyeux ? Il était heureux de ne plus jamais avoir de rapports sous sa forme féline. Kim était mouillée, si facile à pénétrer. Elle se cambra, pressant contre lui ses tétons dissimulés par sa fine blouse. Il l'étreignit avec ardeur pour la protéger du mur, et sentit le contact rugueux des briques contre sa peau ensanglantée.

Il carburait à l'adrénaline suscitée par le combat. Le besoin de s'accoupler le ravageait. Son cœur se mit à battre à toute allure, son sang à bouillonner.

Kim l'enserrait avec fermeté, leurs corps s'emboîtaient à la perfection. Toute pensée déserta Liam. Il ne ressentait plus rien si ce n'est son amante, il ne flairait que son odeur, son sexe, son souffle, ses cheveux. Il lui lécha le visage. Il goûta sa nuque. Il continua son va-et-vient torride, son sang pulsant dans ses tempes. Dehors, les étincelles crépitaient, des éclairs aveuglants jaillissaient suivis du grondement du tonnerre. La grêle martelait le toit, et des boules de glace tombaient à l'intérieur à travers la porte ouverte.

— Liam ! Oui !

Liam serra les paupières et appuya le front contre le mur. Il la pénétra comme pour ne faire qu'un avec elle à tout jamais. Ses épaules se tendirent. Son souffle lui brûlait les poumons.

Kim frissonna d'ivresse, les pieds contre les fesses de Liam. Les talons de ses sandales l'égratignaient, mais il s'en fichait.

Sans rien changer à sa position, il donna un coup de poing sur les briques. La foudre s'abattit à nouveau, éclairant la rue, et il jouit.

Il ruisselait de sueur, ses membres en feu. Kim hurla de plaisir, et Liam entendit sa propre voix résonner dans l'entrepôt. Il tombait. Kim ! Il devait la rattraper.

Il atterrit sur le dos, le corps moelleux de Kim sur le sien. Le mouvement l'arracha à son fourreau douillet, et il grogna de frustration.

Elle lui sourit.

— Bon sang, c'était… bien.

Liam voulait lui répondre, lui dire qu'elle était la meilleure et qu'il l'aimait, mais il avait du mal à retrouver son souffle. Meurtri par le combat, stupéfait par ses instincts qui le submergeaient, il était incapable de parler.

Kim referma la main sur sa verge et il poussa un grognement.

— Tu es encore dur. Je croyais que tu étais venu.

Il acquiesça.

— C'est le cas.

Il crispa les mâchoires et grimpa sur elle pour la prendre à nouveau.

Le sexe n'avait jamais ressemblé à ça. Débridé, sans retenue, impudique et irrévérencieux. Kim en rit.

Sans compter qu'elle l'avait fait à même le sol avec un garou bien charpenté et dans un état second, tandis qu'une tempête de grêle se déchaînait dehors. À tout moment, la foudre pouvait frapper l'entrepôt, qui risquait de s'écrouler sur eux, mais elle n'en avait cure.

— Je t'aime, Liam ! Il rouvrit les yeux. D'ordinaire bleu azur, ils étaient à présent d'une teinte gris-blanc.

Kim aurait tout le loisir d'avoir peur. Plus tard. Pour l'instant, elle était aussi démente que son amant. Était-ce ça la frénésie de l'accouplement dont il lui avait parlé ?

Liam poursuivit son va-et-vient pendant quelques minutes encore, puis il prit une profonde inspiration et déversa sa semence brûlante avant de s'effondrer sur elle, hors d'haleine, le corps en feu. Il s'y attarda, lui embrassa le visage et les cheveux, puis roula sur le dos, respirant toujours avec difficulté, comme s'il venait de courir un marathon.

Ils restèrent dans cette position pendant un long moment, lui essoufflé, elle trop épuisée pour remuer le petit orteil. L'averse avait faibli, les éclairs s'espaçaient. Le tonnerre gronda dans le lointain, l'orage s'éloignait, longeant le fleuve.

Liam ne bougea pas, et Kim se demanda s'il s'était assoupi. Elle se redressa sur un coude, malgré ses membres douloureux.

— Tu vas bien ? s'enquit-elle.

Il était étendu sur le dos, pantelant, les yeux grands ouverts.

— Aucune idée.

— La tempête se calme. Ce fut bref, mais intense, comme aurait dit ma mère.

Liam demeura de marbre.

— Tu sais ce que ça signifie, n'est-ce pas ? poursuivit-elle. Ton père et Sean vont venir nous chercher. Je parie que Connor et Glory seront de la partie. Et Ellison. Il se faisait un sang d'encre pour toi. En fait, tous les garous curieux de savoir ce qu'il t'est arrivé vont se pointer.

Il recoiffa ses cheveux trempés de sueur.

— Ils ne devraient pas.

— Comme si ça allait les arrêter.

— Kim. (Il grimaça et serra ses bras autour de son torse.) Je dois retrouver mon Collier avant leur arrivée.

— C'est vraiment ce que tu veux ? fit-elle tout bas.

— Fergus était cinglé. Il nous aurait menés à notre perte.

Elle remarqua qu'il ne lui avait pas répondu.

— Tu ne crois pas que les garous peuvent s'adapter de nouveau à la vie sans Collier ?

— Pas de cette façon. (La cage thoracique de Liam se gonfla comme la souffrance lui arrachait un soupir.) On s'entretuerait. Dieux, Kim, je voulais tuer Michael ! Il le fallait. Même Sean. Mon propre frère ! Et ces sentiments n'ont pas disparu. S'ils viennent ici, je me battrai. Je tuerai tout le monde jusqu'à ce qu'on m'arrête.

— Et moi ?

Il lui tendit les bras.

— Non, toi, j'ai juste envie de te baiser.

— Je devrais être flattée, mais je crains de ne pas tenir très longtemps. Tu as de l'endurance !

— Je te blesserais. Je l'ai déjà fait.

Il effleura sa bouche meurtrie.

— C'est faux. Tu ne comprends donc pas, Liam ? Tu aurais pu me faire du mal, mais tu as su résister.

— Ce n'est pas une garantie, trésor. J'ai tellement envie de toi !

Il embrassa à nouveau ses lèvres enflées et s'écarta, ses iris passant au bleu avant de redevenir blancs.

Kim caressa la ligne rouge autour de son cou. Il tressaillit, mais la laissa faire.

— Tu pourrais partir, murmura-t-elle. T'enfuir, retourner en Irlande, par exemple. Vivre libre.

Il ferma les yeux, dissimulant l'effroyable regard qu'ils contenaient.

— Non. Pas sans toi. Je refuse de vivre sans toi. (Il laissa son front reposer contre l'épaule de la jeune femme.) Fergus avait raison. Je me servirais de toi jusqu'à ce que tu succombes. Je ne serais pas capable de me maîtriser. (Il releva la tête, le visage empreint de détresse.) Tu ne comprends pas ? Si je suis comme ça, je ne peux pas t'avoir.

Elle lui frotta les bras. Elle aurait voulu lui promettre que tout irait bien. *Tu t'y habitueras, ça ira, tu apprendras à dominer tes instincts.* Cependant, elle n'en avait aucune idée. Le lycan qui l'avait attaquée avait été victime des expériences de Fergus. Il avait été prêt à tuer Kim dans le seul but de torturer Liam. Elle avait vu son amant fusiller du regard l'innocent Michael et son propre frère comme s'ils étaient des ennemis à abattre. Elle ignorait quelle créature démente il risquait de devenir.

— Je ne peux pas te demander de supporter la captivité pour moi, déclara-t-elle. C'est hors de question.

— Je hais le Collier, Kim, de toute mon âme. C'est un calvaire perpétuel. Il nous suffit de penser à la vie que nous menions avant pour recevoir une décharge. Un sursaut d'adrénaline et il s'active. Vivre constamment dans la peur d'avoir mal, tu ignores ce que c'est.

— Tu as raison. Je n'en sais rien.

— En être libéré...

Liam passa les doigts sur la trace laissée par le Collier, et un grand sourire se dessina sur son visage.

— Ça me réjouit, trésor. Je peux faire ce qui me plaît et personne ne peut m'en empêcher.

— Pas même moi ?

— Non. C'est bien le problème.

— Sean a dit que tu n'étais pas comme ça avant… qu'on vous impose le Collier.

— Je n'ai jamais été aussi incontrôlable. Imagine vingt années de répression qui reviennent au galop ! Cela dit, ce n'était pas si différent. Nous étions forts et libres. Ceux qui connaissaient notre existence nous redoutaient. Même les faes avaient reconnu notre puissance. Nous n'étions plus soumis à leurs caprices. C'est ça le plus frustrant. Les faes ont contribué à nous enchaîner. C'est ce qu'ils avaient toujours voulu. (La colère illumina ses pupilles, des rides se formèrent de part et d'autre de sa bouche.) Voilà pourquoi nous les haïssons.

— Et les humains ? se força à demander Kim.

— Ils sont faibles. Leur espérance de vie est limitée. Ils ne représentent pas une menace. (Les iris de Liam recouvrèrent la teinte bleue dont elle était tombée amoureuse.) Celle sur qui je suis couché à l'instant est sublime. Et je l'aime.

— Je t'aiderai à fuir, Liam. Je veux que tu sois libre. Oublie le Collier, je t'en prie !

Il referma les yeux et serra fort les paupières. Il frissonna et ses lèvres tremblèrent, comme si des vagues de panique ne cessaient de déferler en lui.

Au bout d'un moment, il les rouvrit et Kim perçut le défaitisme dans son regard.

— Non, trésor. On a besoin de moi ici. Et plus jamais je ne veux me réveiller le matin en sachant que je t'ai blessée.

Elle lui caressa le visage. L'angoisse dans sa voix quelques minutes plus tôt, quand il avait affirmé détester le Collier, avait été réelle. Il n'avait encore jamais mentionné cette haine, mais les garous étaient robustes et endurants, et Liam n'avait sans doute pas jugé utile de partager sa rage avec Kim. Être débarrassé du Collier, sentir la douleur s'évaporer pour la première fois en vingt ans, devait lui procurer une sensation incroyable. Qu'il puisse envisager de le remettre la dépassait.

— Personne ne te reprocherait de partir, répliqua Kim. Dylan reprendrait les choses là où il les a laissées, comme avant, et Sean serait toujours le Gardien. Ils veilleraient sur Connor et tous les autres. Tu le sais.

— Moi, je me le reprocherais.

— Mais une fois libre, tu pourrais œuvrer pour émanciper le reste de ton espèce.

Liam lui embrassa le front.

— Non, trésor. Libre, je ne me soucierais que de ma pomme et me réjouirais d'être loin de tout ça. Je commencerais à mépriser mes congénères, à condamner leur faiblesse. Je me dégotterais un groupe d'indomptés et tenterais de dominer le monde. Ah, quel merveilleux garou je ferais !

— Tu l'ignores ! Comme tu l'as dit, toutes ces envies se sont accumulées. Avec le temps, peut-être…

— Ou pas, la coupa-t-il sans ménagement, avant de la faire rouler sur le côté pour se lever. Aide-moi à chercher mon Collier.

Allongée par terre, Kim contempla son corps d'athlète. Il était magnifique, des muscles fermes, des épaules larges, un buste vigoureux et couvert de sueur. Sa peau était marbrée de griffures récoltées pendant le combat, mais elles cicatrisaient déjà, y compris les plus sérieuses. Sa blessure la plus grave se situait autour du cou, à l'emplacement du Collier.

Tandis qu'il se forçait à lui tourner le dos pour se lancer à la recherche de l'objet, Kim songea que Fergus n'avait jamais compris la force qui caractérisait Liam. Il avait renoncé à sa liberté par choix, pour rester avec sa famille et les aider dans leur captivité. Fergus avait sacrifié les autres à sa cause. Liam se sacrifiait pour les autres, comme lorsqu'il s'était interposé entre son chef et Connor pour se faire fouetter à la place de ce dernier et lui épargner cette souffrance.

Kim se releva à contrecœur et essaya d'épousseter le plus gros de la saleté dans laquelle elle s'était vautrée. Liam fouillait déjà la pièce, scrutant le moindre recoin avec attention, tout en contournant la poussière à l'endroit où s'était trouvé Fergus. Le remords ne semblait pas le ronger mais, après tout, l'autre avait été fou à lier. Et puis, il ne serait sans doute pas rentré chez lui tout penaud, promettant d'arrêter ses expériences. *Je suis navré, Liam. Tu as raison. J'ai été un vilain garou.*

Elle pensa à ses compagnes et à la progéniture qu'il avait mentionnée. Le pleureraient-elles ? Tenteraient-elles d'assouvir leur vengeance ou poursuivraient-elles le cours de leur existence ? Que leur infligerait Liam en tant que chef de clan ? Tous les garous de San Antonio l'accepteraient-ils sans rancœur ? Ce serait intéressant à observer. Ou plutôt, terrifiant.

— Trouvé !

Elle fit volte-face et vit Liam, derrière elle, la fine chaîne noir et argent à la main. Il la tenait comme un serpent venimeux. Kim se mordilla la lèvre tandis qu'il serrait les extrémités du Collier, l'une simple, l'autre ornée d'un nœud celtique, dans ses poings aux jointures blanchies.

— Est-ce qu'il va fonctionner ? s'inquiéta-t-elle. Il n'est pas cassé ?

— Quand je l'aurai de nouveau autour du cou, ça devrait marcher. D'après Justin, les expériences de

Brian lui ont permis de défusionner la chaîne de notre peau, mais pas de désactiver la puce. Il n'a pas réussi à percer ce secret, pour l'instant. (Il prit une profonde inspiration.) Ça va me faire mal, Kim. Tu ferais mieux de partir.

— Hors de question.

— Je ne tiens pas forcément à ce que tu me voies ainsi, trésor, faible et pathétique. Un garou a sa fierté.

— Liam, je t'ai vu fort, fou, violent, furieux, heureux, triste et dévoré par la passion. Je t'aime, peu importent tes états d'âme, et surtout quand tu brûles de désir. Sais-tu que tes pupilles s'élargissent lorsque tu jouis ? Comme si tu voulais m'absorber tout entière, pour toujours. C'est super sexy.

— Ah oui ? Eh bien, là, ce ne sera pas le cas. Ce n'était pas beau à voir la première fois, et ça m'étonnerait que cela se passe mieux ce coup-ci.

Kim croisa les bras.

— Je ne partirai pas. Nous sommes liés, tu as oublié ? Lors d'une cérémonie de mariage traditionnelle, les époux s'unissent pour le meilleur et pour le pire. Ils se promettent fidélité quoi qu'il advienne, même quand tout va mal, voire très mal.

— Pour autant que je sache, aucun alinéa ne mentionne le fait de regarder son compagnon garou enfiler son Collier.

— Pas à ma connaissance non plus, mais ça ne change rien.

Liam baissa les yeux sur l'objet, et sa poitrine se souleva soudain.

— Je ne te mentirai pas, Kim, c'est un peu plus facile si je te sais près de moi.

Il redressa la tête, ses prunelles lumineuses, bleu foncé, remplies de peur et d'amour.

— Souhaite-moi bonne chance.

— Je t'aime, dit Kim.

Il ébaucha un sourire chaleureux et taquin.

— Je t'aime aussi, ma puce.

Il examina le Collier un long moment, puis prit de nouveau une profonde inspiration et porta la chaîne à son cou.

Ses muscles se raidirent dès que l'objet se nicha contre sa gorge. Kim ignorait comment il s'attachait mais, lorsque Liam toucha l'extrémité lisse du nœud celtique, elle entendit un *clic* sonore suivi d'un cri déchirant.

Les veines saillirent sur sa peau, et il s'arqua vers l'arrière, poings et dents serrés, luttant contre une douleur atroce.

Kim se précipita à son côté. Le contact procurait réconfort et soulagement aux garous. Peut-être parviendrait-elle à l'apaiser un peu si elle l'enveloppait dans ses bras. Il se débattit, parcouru par de violents spasmes, et ses hurlements se transformèrent en rugissements rauques.

Elle lui tendit les mains.

— Liam.

Il leva sur elle ses yeux blanc-bleu.

— Non, Kim. N'avance pas !

— Tu as besoin de moi.

Elle l'attrapa par le poignet, mais il s'arracha à sa prise.

— Je t'ai demandé de ne pas t'approcher.

— Je sais, mais tu as besoin de moi.

Elle fonça vers lui et enlaça sa taille en sueur. Sa peau était glacée. Elle lui frotta le dos pour essayer de le réchauffer.

— Kim… non.

— Tu as besoin de moi, répéta-t-elle avec fermeté.

Il inspira, le souffle haletant et saccadé. Il resta debout, le corps rigide et tremblant à la fois. Puis, dans un cri d'agonie, il enroula les bras autour de la jeune femme et enfouit le visage dans son cou.

23

Combien de temps étaient-ils restés dans cette position, les bras emmêlés, Liam au supplice se balançant d'avant en arrière ? Kim l'ignorait. Elle le pressa contre son cœur tandis qu'il pleurait à chaudes larmes sur son épaule, lui embrassant le cou et la serrant comme s'il ne la laisserait plus jamais partir.

Elle entendit des cris dehors. Elle leva la tête et constata que l'entrepôt était plongé dans le noir total. L'orage était passé. La pluie tombait un peu moins fort. Soudain, des lampes torches percèrent l'obscurité, et les silhouettes élancées de Sean et Dylan se profilèrent dans la pénombre, suivies de Glory, Ellison, Nate et Spike.

Dylan braqua sa lampe sur le couple au centre de la pièce. Liam, sale et nu, et Kim, vêtue d'habits froissés et sans doute tout aussi crasseuse.

— Il a remis le Collier et a atrocement mal, leur cria-t-elle.

Le vieux garou s'avança, mais les autres restèrent en retrait. Liam parvint à soulever la tête, les yeux emplis d'une souffrance sans nom.

Dylan s'arrêta à quelques centimètres de lui, le regard troublé.

— Tu veux que je m'approche, fils ?

— Bien sûr, quelle question ! répondit Kim. Vous êtes son père.

— Il est le chef de clan désormais, répliqua Dylan. Et celui du groupe. Il peut me rejeter s'il le souhaite.

— Cela n'arrivera pas. Il m'a avoué un jour qu'il refusait de vous affronter par amour.

— C'était avant.

— Peu importe. Les positions peuvent changer, mais les sentiments demeurent.

Dylan ouvrit la bouche pour protester, mais Connor s'arracha à la prise d'Ellison qui essayait de le retenir. Le garçon dégingandé se jeta au cou de Liam et Kim.

— Bon sang, on pensait que Fergus allait vous tuer, pleurnicha-t-il.

L'assemblée se crispa, Dylan recula d'un pas.

Liam regarda son neveu, les yeux embués. Connor le serra plus fort, les iris de Liam passèrent du blanc sauvage à un bleu magnifique. Il enroula un bras autour de Connor et l'attira contre lui.

Les autres affluèrent aussitôt, tel un torrent libéré d'un barrage. Dylan étreignit avec ardeur son fils et son petit-fils. Sean reposa son épée et rejoignit la mêlée, suivi de Glory, d'Ellison et, au grand étonnement de Kim, des deux laquais de Fergus.

Les yeux de la jeune femme s'emplirent de larmes lorsque Sean se pencha vers la nuque de son frère. Elle pouvait sentir la chaleur, la tendresse dans leur étreinte, entendre les paroles de réconfort qu'ils se murmuraient. Coincée entre Dylan, Liam, Ellison et Connor, elle se mit à glousser.

— Un Kim-sandwich.

Ellison partit d'un rire franc et tonitruant, à la texane.

— Savoureux. Qu'est-ce qu'on attend pour croquer dedans ?

— Tu es dégoûtant, le réprimanda Glory qui enlaçait Dylan avec fermeté.

Le colosse lui colla un gros baiser sur la joue.

— Tu adores ça, chérie. On devrait ficher le camp d'ici et aller se bourrer la gueule.

— Je vote pour ! s'écria Spike.

La famille de Liam resta muette. Kim perçut l'énergie qui circulait entre eux, l'amour qui avait assuré leur survie et leur unité pendant toutes ces années. Et à présent, ils voulaient qu'elle fasse partie du clan.

— Se bourrer la gueule, répéta Liam d'une voix rauque. Super idée !

Ils se mirent en route, lentement, avec sur le visage le sourire effronté de gens qui venaient de partager une expérience heureuse. Sean frotta le dos de Liam avec douceur avant de ramasser son épée, puis les affaires de son frère.

Connor serra Liam une dernière fois, puis s'éloigna en essuyant ses larmes. Quand ce fut au tour de Dylan de partir, il attrapa son fils par le bras et le fixa droit dans les yeux.

— Tu vas bien, Liam ?

— Ça ira.

— Je sais. Toute ta vie, tu t'es préparé pour cet instant. Il t'appartient désormais.

Liam posa les mains sur les épaules de son père.

— Avec ton soutien, père, rien n'est impossible.

Dylan se détendit, comme s'il attendait toujours son approbation.

— Je serai là.

Il l'attira contre lui et imprima un baiser sur son front avant de lui tourner le dos, les cils baignés de larmes.

Liam tendit la main à Kim.

— Tu vas bien ? Je t'ai fait mal, trésor ?

— Je suis résistante.

Elle lui embrassa les lèvres et il la pressa contre son cœur en une interminable étreinte.

— Rentrons, murmura-t-elle.

— Vous êtes prêts à marcher ? leur demanda Sean en rendant ses vêtements à Liam.

Ce dernier serra son tee-shirt et son jean contre lui et observa l'assemblée, une lueur rougeoyante dans les yeux.

— Ne me dites pas que vous êtes tous venus à pied !

— Si, avoua Connor. Dès que l'orage s'est calmé, on a foncé sans réfléchir.

— Je suis blessé, en sang, et vous pensiez me traîner jusqu'à la maison dans une brouette ? Eh ben ! Question logistique, on peut compter sur les talents de mes proches !

— Je peux aller chercher ma voiture, proposa Kim. Il n'y a pas de place pour tout le monde, mais au moins je pourrai ramener Liam.

Il lui agrippa le poignet.

— Non ! Ne pars pas encore, supplia-t-il avec un regard désespéré.

Elle le câlina et le rassura par un sourire.

— Je ne t'abandonne pas.

Glory entra en scène. Elle portait des grosses bottes, pour changer, munies toutefois de talons de sept centimètres.

— Je m'en charge !

Elle lui arracha les clés des mains, et lui décocha un sourire carnassier.

— J'en prendrai grand soin. Promis.

Après leur retour à la maison, Liam resta plongé dans un sommeil de plomb, lové contre Kim, pendant près de quatre heures. À son réveil, il repoussa les couvertures et déclara qu'il devait se rendre au bar.

— Pour quoi faire ? s'étonna la jeune femme qui se languissait déjà de sa chaleur corporelle.

— J'ai abusé sur les congés. Une paperasserie monstre doit m'attendre.

— Liam.

Occupé à ramasser son pantalon, il s'arrêta et elle se délecta de la vision qu'offrait son joli postérieur.

— Je vais bien, trésor. Les garous guérissent vite.

Leurs corps, peut-être.

— Pourquoi travailles-tu là-bas, d'ailleurs ? Tu n'as pas de mal à joindre les deux bouts, il me semble. Et comment Fergus pouvait-il se payer tous ces tableaux ? Ainsi que cet immense sous-sol ?

Liam se rassit, l'air impénétrable.

— Les garous vivent longtemps. On accumule des choses.

— Comme de l'argent et des toiles de grands maîtres ?

— Exactement. Père pense qu'on devrait les vendre à un musée.

— Comment expliquerez-vous qu'elles se trouvaient en votre possession ?

— Nous n'aurons pas à le faire. (Il attrapa à nouveau son jean et l'enfila.) On fera appel à des marchands d'art capables de se montrer discrets.

Elle s'adossa contre la tête de lit, jambes croisées.

— Avant mon arrivée ici, j'étais persuadée de tout connaître sur les garous. J'étais loin du compte, n'est-ce pas ?

— Oui. (Le sourire de Liam étincela à la lumière aveuglante de la lampe.) Je pensais tout savoir des humains. Tu m'as beaucoup appris. (Il s'arrêta.) Tu vas me manquer, trésor.

Le cœur de Kim cessa de battre avant de s'emballer.

— Comment ça ? Qu'est-ce que tu racontes ?

Il se laissa tomber sur le matelas et replia une jambe sous les fesses. Les entailles écarlates sur son buste avaient cicatrisé, ses bleus impressionnants avaient commencé à s'estomper. Des boucles noires lui parsemaient le torse, descendant jusqu'à son nombril, dans lequel elle avait glissé le doigt la première nuit qu'il l'avait conduite dans cette chambre.

— Je veux que tu rentres chez toi, déclara-t-il. Que tu reprennes le cours de ta vie.

Elle le dévisagea, interdite.

— Une minute. Pendant des jours, tu as insisté pour que je séjourne ici, contre mon gré. Maintenant, après tout ce qu'on a traversé, sans même parler de nos prouesses sexuelles, tu me demandes de partir ?

— Fergus est mort. Ses partisans sont retournés chez eux. Ils ne représentent plus une menace. Plus personne ne nous enlèvera nos Colliers.

— Tu sembles bien sûr de toi.

— Je le suis. Je dirige le clan désormais, par conséquent notre groupe prime sur le reste. Aucun garou n'osera s'attaquer à toi, qu'il t'apprécie ou non. Tu es sous ma protection, et personne ne peut y passer outre.

Kim se glissa hors du lit. Elle était nue mais, à cet instant, elle s'en fichait royalement.

— Et pour ce qui est de notre union ? Tu tires un trait dessus aussi ?

Liam sourit.

— Jamais. Nous avons été unis sous le soleil et la lune, le clan l'a reconnu. Nous sommes liés pour l'éternité.

— J'ai du mal à te suivre.

— Pour les garous, ce lien est irrévocable. Je ne prendrai jamais d'autre compagne. Pour les humains, ceci est dénué de sens. Le rituel que nous pratiquons n'a aucune valeur dans votre société. Ce n'est pas un mariage. Je cite tes mots.

— D'accord, mais qu'est-ce que ça signifie pour toi ?

Il regarda au loin.

— Il n'existe rien de plus sacré à mes yeux.

— Dans ce cas, pourquoi me demandes-tu de partir ?

Il se leva et l'observa depuis l'autre bout de la chambre.

— Parce que tu ne peux pas rester. Tu n'as pas cessé de me marteler le cerveau avec tes raisons. Je suis un garou. J'ai beau te chérir de tout mon cœur et de toute mon âme, je causerai ta ruine, et tu le sais. Tu perdras ton travail, tes amis, ta respectabilité. Je suis du mauvais côté de la barrière, trésor. Je n'appartiens pas à ton monde.

— Ce n'est pas si simple. Les garous méchants, les humains gentils.

— C'est une évidence pour toi, mais pas pour tes congénères. Pour l'instant. D'ici une vingtaine d'années, peut-être, quand les gens se seront habitués à nous... Mais pour l'heure, je t'aime assez pour te rendre ta liberté.

Soudain frigorifiée, Kim s'empara d'un tee-shirt long et le passa par-dessus sa tête. C'était celui de Liam, trop grand pour elle et imprégné de son odeur.

— Ne joue pas les altruistes avec moi, Liam Morrissey ! Comme si tu ne m'avais pas déjà fait traverser l'enfer ! Tu m'as fait tomber amoureuse de toi, bon sang ! Je t'aime ! Tu comprends ? Et maintenant tu m'assènes : « Merci, Kim, tu peux disposer » ?

— Tu crois que c'est facile pour moi ? Quand je ne portais plus mon Collier, je n'avais qu'une envie : te séquestrer dans les combles pour que tu ne m'échappes jamais. Peu auraient importé tes cris, tes supplications ou tes critiques, et tu n'aurais pas manqué d'en avoir. Et on sait tous les deux que c'est ce que tu aurais fait. Je voulais te cloîtrer ici avec moi. Pour que tu m'appartiennes. À jamais.

— Mais tu l'as enfilé de nouveau.

— Et cela suffit à tout effacer ? Non. Je suis un indompté. Je l'ai toujours été et je le serai toujours. (Il tapota la chaîne autour de son cou meurtri.) Cet objet refrène ma bestialité pour que je ne me détruise pas, ainsi que ma famille et tous les êtres qui me sont chers. Nous sommes tous les mêmes. Des bêtes sauvages en captivité. Pas domestiquées. Il y a une différence.

Kim croisa les bras.

— Je n'ai pas peur de toi.

— Dans ce cas, tu es stupide. Tu m'as vu à l'œuvre. J'étais prêt à tuer un enfant, mon propre frère, mon père.

— Mais tu ne l'as pas fait.

— Seulement parce que Fergus m'a distrait, ma douce. Louée soit la Déesse ! Il a attiré sur lui ma fureur. S'il n'avait pas été là, si je n'avais pas pu le combattre, j'aurais attaqué les gens que j'aime le plus au monde.

— Eh bien, tu n'enlèveras plus jamais ton Collier. Fin du problème.

— Fergus avait raison. Nous devrons nous en libérer un jour ou l'autre. Il était beaucoup trop pressé, mais il n'avait pas tort.

Kim serra les poings.

— Décide-toi. Tu veux garder le Collier ou pas ?

— Les garous deviennent de plus en plus forts, trésor. Avant, nous frôlions l'extinction. C'est pourquoi nous avons dû nous soumettre aux humains et accepter ce joug. Pour survivre, nous repeupler, retrouver notre vigueur. Dès que nous serons assez puissants, nous arracherons nos chaînes et occuperons la place qui nous est destinée.

— Et tu penses que je n'appartiens pas à ce monde ?

— Oui.

Liam resta debout, immobile, les mains sur les hanches, les yeux sombres.

— Tu mens.

— Non.

— Je suis moins douée que toi pour décrypter le langage corporel, mais je devine sans peine que tu inventes des excuses pour me repousser. Tu es persuadé que c'est pour mon bien.

Il tournoya sur lui-même et frappa la tête de lit, fissurant le bois.

— Tu es agaçante, Kim, tu le sais ? Bien sûr que c'est pour ton bien ! Tu as ta carrière, ta vie, ta jolie maison, tes amis. Je veux que tu conserves toutes ces choses. Trouve-toi un homme normal, pas un mec qui risque de péter les plombs à tout moment et qui doit faire semblant de gérer un bar alors qu'il dirige le quartier garou. Rentre chez toi, et sois humaine.

— Et c'est tout ?

— Oui. Pars, Kim. Je t'en prie.

— Je t'aime, ça ne compte pas ? protesta-t-elle, une boule dans la gorge.

— Bien sûr que si. Plus que tout. (Il se pencha au-dessus du lit et effleura le bleu sur sa lèvre.) Et c'est justement pour ça que tu dois t'en aller. Je dois m'assurer de ne plus jamais te blesser.

La jeune femme demeura immobile sous ses doigts, le cœur serré. Elle n'en était pas à sa première rupture, il lui était même arrivé de quitter des hommes. Elle reconnut le regard de Liam, l'expression implacable d'une personne résolue à fuir et qui ne reviendrait pas sur sa décision.

— Je ne veux pas partir.

Elle se trouvait pathétique, mais c'était plus fort qu'elle.

— J'en suis heureux. (Il lui toucha de nouveau la bouche, puis ramassa son tee-shirt et ses bottes.) Mais c'est précisément pour ça que tu dois t'en aller.

Il la contempla pendant de longues minutes, comme s'il la photographiait mentalement, après quoi il se retourna et sortit. Il ferma la porte derrière lui et, quelques minutes plus tard, celle de l'entrée claqua avec fracas, secouant la maison sur ses fondations. Elle l'entendit démarrer sa moto. Il fit vrombir le moteur tandis qu'il descendait la rue, puis le bruit s'estompa à mesure qu'il s'éloignait.

Kim resta devant le lit pendant un moment, le regard rivé sur la porte. Les sanglots l'étouffaient, ses yeux brûlaient mais refusaient de verser des larmes.

Les voix des autres lui parvinrent du rez-de-chaussée. Ils discutaient, s'interrogeaient, s'inquiétaient. Ils se demandaient où Liam était parti. Les avait-il avertis de sa décision ?

Soudain, elle n'eut plus qu'une envie, fuir cet endroit. Elle se rhabilla, les doigts gourds, remballa les affaires qu'elle avait apportées et les porta jusqu'à sa voiture.

La dernière chose qu'elle aperçut, comme elle quittait l'allée des Morrisey en marche arrière, fut Connor, debout sous la lumière du perron, les bras croisés, les traits empreints d'une immense tristesse.

Elle arriva au bureau très tôt le lendemain matin, vêtue d'un tailleur gris strict.

— Pas de garous, aujourd'hui ? s'enquit sa secrétaire avec innocence.

— Non, Jeanne, répondit-elle d'une voix dure et glaciale.

L'avocate à qui on ne la faisait pas était de retour.

— On n'en verra plus dans ce cabinet. Désolée.

Jeanne, habituée aux sautes d'humeur de Kim depuis toutes ces années, sourit.

— Dommage. Il était canon.

Ah, ça, oui ! Elle devait bien le reconnaître. Son estomac était tellement noué qu'elle ignorait ce qu'elle ressentait. La perte, la souffrance, la peine, la colère. Liam l'avait mise à la porte. C'était douloureux. Mais ne lui avait-elle pas répété à maintes reprises qu'elle ne pouvait rester ? Elle se demandait qui, de lui ou d'elle, la fichait le plus en rogne.

À peine installée dans son fauteuil, elle se plongea dans le dossier de Brian. Débattre avec le bureau du procureur l'aida à ne pas penser à Liam, au combat traumatisant qui avait eu lieu dans l'entrepôt et aux ébats sexuels renversants qui avaient suivi.

Elle travailla sans interruption. Son tailleur étroit et ses collants l'oppressaient un peu plus chaque heure. Elle s'était habituée un peu trop vite aux jupes amples et aux sandales.

Le lendemain ne se passa guère mieux, même si la monotonie quotidienne fut rompue par un appel de Silas.

— J'ai parlé à Liam, lui apprit-il. Il a accepté de me laisser l'interviewer pour le documentaire, et pour les reportages du journal. Il va me faire visiter le quartier garou.

— C'est super.

Elle était sincère. On pouvait compter sur Liam pour commencer son règne en faisant tout ce que Fergus aurait abhorré. Le nouveau chef de clan voulait que les humains cessent de craindre les garous afin que ceux-ci puissent marcher vers la liberté. Montrer au monde ce qu'ils étaient vraiment constituait la première étape.

Quelques semaines plus tard, le travail et l'opiniâtreté de Kim finirent par payer. Grâce à l'indice qu'elle lui avait fourni, le détective privé avait découvert que l'ancien petit ami de Michelle s'était vanté à plusieurs reprises d'avoir mis les garous à genoux et qu'il s'était comporté de manière obsessionnelle envers la jeune femme avant sa mort. Il l'avait appelée la « sale pute à garous qui a eu ce qu'elle méritait ». Il n'en avait pas fallu plus à la police pour rouvrir l'enquête et placer l'individu en garde à vue afin de le cuisiner davantage. Il avait renâclé à parler de Michelle jusqu'à ce que l'inspecteur produise les preuves amassées, à savoir l'appareil numérique du suspect contenant les clichés de la victime, gisant à terre après avoir été étranglée. S'ensuivirent des aveux pleins de haine et de mépris. Michelle l'avait trahi pour un garou. Elle devait mourir et la bête devait être anéantie. Et s'il existait une justice dans ce bas monde, on devrait lui décerner une médaille pour avoir supprimé ces déchets.

Après quoi, Kim n'eut aucune difficulté à demander au procureur un non-lieu et Brian fut relaxé dans un incroyable tapage médiatique. Le jour de sa libération, la jeune femme l'escorta, sous les flashs des journalistes, jusqu'à Sandra qui l'attendait dans sa vieille voiture. Mère et fils vécurent d'émouvantes retrouvailles. Cependant, Kim décela la peine de Brian qui pleurait encore la perte de Michelle. Sandra avait confirmé qu'il s'était préparé à la prendre pour compagne et son décès lui était insupportable. Il l'aimait sincèrement.

Après avoir raccompagné son client, Kim regagna le cabinet et alla s'entretenir avec son patron, un homme corpulent aux cheveux grisonnants. En bon père de famille, il possédait des photos de son épouse et de leurs quatre enfants sur son bureau.

— Beau travail, Kim ! la félicita le directeur d'ordinaire avare en louanges. Mais je doute que nous ayons d'autres affaires de ce genre. La foule réclamait le sang du garou et nous venons de faire passer le bureau du procureur pour des incompétents.

Kim haussa les épaules, peu soucieuse de ce satané bureau du procureur pour l'instant.

— Cela n'a plus d'importance. Je suis venue vous remettre ma démission.

— Pardon ? s'écria-t-il en arquant ses épais sourcils. Pourquoi ? Vous venez de gagner le procès de l'année !

— J'envisage de m'installer à mon compte. Je me lance dans le conseil et la liaison juridiques entre humains et garous dans la zone d'Austin-San Antonio. Vous voulez vous joindre à moi ?

Son patron se rassit, bouche bée, et fit glisser sa plaque nominative d'un bout à l'autre de la table, ce qu'il faisait quand il était nerveux.

— Kim, vous êtes devenue folle ? Vous êtes une bonne avocate. L'une des meilleures du cabinet. Une carrière prometteuse vous attend. Acoquinez-vous avec des garous et vous êtes fichue.

— Les lois qui régissent ces deux espèces doivent être réévaluées et modifiées. C'est un défi à relever, l'œuvre d'une vie. Vous pourriez laisser votre empreinte comme champion des garous. Vous adorez défendre les droits civiques.

Il jeta un coup d'œil aux cadres sur son bureau.

— Ceux qui haïssent les garous peuvent être dangereux, et je mettrais d'autres vies que la mienne en jeu.

Kim hocha la tête avec compréhension.

— Ce qui n'est pas mon cas. Je suis la seule à courir un risque. Je suis fatiguée de mener une existence dénuée de sens, alors je vais me lancer dans une entreprise dingue comme aider les garous à s'y retrouver dans ce bourbier juridique. J'ai réussi à débaucher Jeanne. Elle suit une formation d'assistante juridique et meurt d'impatience à l'idée de parfaire son expérience.

— Elle est aussi cinglée que vous.

— Peut-être, lui concéda Kim, mais notre décision est prise. Je vous remercie encore de m'avoir embauchée à peine sortie de la fac de droit.

— Pas de problème, répondit-il d'un air absent. Bonne chance.

Elle prit une profonde inspiration lorsqu'elle quitta son patron, dont les dernières paroles résonnaient dans sa tête. De la chance, elle allait en avoir besoin.

Kim passa les semaines suivantes à ranger son ancien bureau et à chercher un local à louer, un petit espace où Jeanne et elle pourraient s'installer sans se marcher dessus. Ses collègues donnèrent raison au directeur, la jeune femme était folle. Certains l'admirèrent, mais d'autres, à commencer par Abel, la critiquèrent ouvertement.

Elle ne leur prêta pas attention et acheta le matériel et les fournitures nécessaires. Jeanne s'avérait une partenaire enthousiaste, aidant même Kim à oublier son chagrin pendant cinq minutes de temps à autre.

Le premier jour de son installation dans son nouveau cabinet, Silas lui envoya par e-mail les rushs du documentaire sur lequel il travaillait pour lui demander son avis.

Kim les visionna le cœur serré. Liam figurait sur beaucoup d'entre eux. Avec son sourire charmeur et son accent irlandais, il expliquait à Silas ce que le monde devait savoir sur les garous. Dylan s'exprimait aussi, fournissant les mêmes informations, mais avec quelques variantes afin de donner une impression de spontanéité. Pour autant, Kim n'ignorait pas qu'ils avaient tout préparé en amont. Elle savait aussi très bien quels détails ils avaient décidé de taire.

Silas les avait filmés au jour le jour. Il y avait des séquences de Michael – si photogénique avec son visage d'ange qui crevait l'écran – s'amusant dans le jardin, de Connor jouant au football avec ses amis ou parlant de son amour pour ce sport et pour l'équipe nationale irlandaise.

Cependant, Silas avait veillé à présenter le quartier garou sans parti pris. Il s'était entretenu avec ses habitants sur les aspects plus négatifs de leur vie, comme la mortalité infantile élevée, en baisse depuis une petite décennie seulement, et la faible fécondité des femelles. Il s'était attardé sur les diverses espèces de métamorphes qui ne s'entendaient pas à l'état sauvage, mais avaient fait des concessions pour vivre ensemble en harmonie. Ellison se montrait particulièrement éloquent dans ces séquences, séduisant avec son grand chapeau de cow-boy et son sourire enjôleur.

Un groupe de garous avait fait une démonstration pour prouver le bon fonctionnement de leur Collier, et Silas avait filmé des parents se livrant à une méditation pour les enfants qu'ils avaient perdus.

Kim regarda les vidéos à plusieurs reprises, s'arrêtant sur la bouche de Liam, sur ses yeux bleus qui assuraient aux spectateurs que les siens n'étaient pas si différents des humains.

Elle se repassa un peu trop ces enregistrements. Et à plusieurs reprises, elle saisit son portable et scruta le numéro de Liam, se demandant si elle devait lui faire part de sa décision.

« Appelle-moi quand tu veux, trésor », lui avait-il dit lorsqu'il avait enregistré ses coordonnées dans son téléphone quelques semaines plus tôt.

Satanés garous !

Dans la fraîcheur du mois de septembre qui touchait à sa fin, elle rentra du bureau un vendredi soir, et passa tout le week-end à emballer ses affaires.

Le dimanche après-midi, elle rangea tout ce qu'elle parvint à caser dans sa voiture. Elle se ferait aider pour le reste. Elle ferma le coffre, démarra le moteur et fila vers le quartier garou.

24

Liam sut que la voiture appartenait à Kim sans même lever les yeux. Il s'accroupit dans l'allée, à côté de sa Harley, une clef à molette à la main, pour terminer ses ajustements.

Chaque soir depuis deux mois, il l'enfourchait pour se rendre dans le quartier huppé au nord du fleuve, coupant le moteur avant de gravir la colline derrière laquelle se trouvait la maison de l'avocate. Il passait des heures, assis sur sa moto silencieuse, à observer sa chambre à coucher. Puis, les lumières éteintes, il envoyait un baiser vers la fenêtre avant de rentrer chez lui.

Lorsqu'elle gara sa Mustang et en descendit, il voulut y voir une raison d'espérer. Elle portait les sandales à talons qu'il aimait tant, celles qui lui faisaient des jambes de rêve.

Il les reluqua du coin de l'œil alors qu'elle remontait l'allée à grands pas, laissant son odeur l'envelopper comme elle le dépassait.

Elle… l'avait dépassé ?

Il regarda autour de lui et vit la jeune femme confier une boîte en carton à Connor qui s'était précipité au-dehors.

— Tu veux bien porter ça pour moi ? lui demanda-t-elle avec douceur. Pose-le où ça t'arrange. Il m'en reste encore quelques-uns dans le coffre.

Elle retourna à sa voiture et passa devant Liam sans lui parler. À travers la vitre baissée, elle attrapa un sac de voyage, lui offrant une vue imprenable sur son joli postérieur.

— Salut, Sean. (Elle sourit lorsque celui-ci sortit de la maison, derrière Connor.) Tu peux t'occuper des valises sur la banquette arrière ? Elles sont lourdes.

Elle s'avança avec impudence, un sourire déterminé sur le visage, son sac jeté sur l'épaule.

Liam s'essuya les mains, se redressa et se planta devant elle.

— On peut savoir ce que tu fais ?

— J'emménage. T'inquiète, je participerai aux frais.

Elle s'apprêtait à le contourner, mais il lui barra à nouveau la route.

— Pourquoi ?

— Ne la contredis pas, Liam, dit Connor, chargé avec le deuxième carton. (Il se frotta à l'épaule de Kim au passage, tel un chat avec un membre de sa fratrie.) Elle est de retour pour de bon, là où est sa place.

— Sa place est parmi les siens, rétorqua Liam avec sévérité.

— Plus maintenant, répliqua Connor. On a besoin d'elle, Liam. Surtout toi. Tu es sur les nerfs depuis des semaines. Ne fous pas tout en l'air.

Sean, toujours prêt à soutenir son frère, n'ajouta aucun commentaire. Il se contenta de débarrasser la banquette de Kim et transporta ses valises à l'intérieur.

Liam respirait avec difficulté. Dieux, qu'elle était belle ! Ses cheveux noirs semblaient plus brillants que d'habitude, ses yeux d'un bleu encore plus profond, ses seins généreux lui donnaient envie de les toucher, à tel point que ses mains le démangeaient. S'il s'y autorisait, il laisserait des traces de cambouis sur sa jolie blouse blanche, et tout le monde rigolerait. Non ?

— Pourquoi, trésor ? Pourquoi reviens-tu me fendre le cœur ?

Elle sourit.

— Cela n'a rien à voir avec toi. Je veux que notre enfant connaisse son père et, la première fois qu'il se changera en fauve, il aura besoin que quelqu'un lui explique ce qui lui arrive.

Liam se figea.

— Un enfant ?

— Un petit ou une petite hybride. J'ignore le sexe, je n'ai pas fait d'échographie.

— Une échographie ?

Elle explosa d'un rire franc.

— Tu m'as mise en cloque, Liam Morrissey. Maintenant, tu dois en assumer les conséquences !

Regagnant le jardin en courant, Connor glapit de joie et donna des coups de poing dans l'air.

— Kim est enceinte ! Wouhou ! (Il fonça vers elle et la prit dans ses bras pour la faire tournoyer.) Je vais avoir un cousin !

Ses cris ameutèrent le voisinage. Glory sortit la première de chez elle. Elle descendit le perron, saisissante dans son pantalon moulant imprimé léopard. Dylan la suivit sans se presser. Il avait emménagé avec elle le lendemain du départ de Kim, laissant un plus grand vide dans la maison.

— J'ai bien entendu ? demanda Glory. Tu as un polichinelle dans le tiroir ?

Kim inspira lorsque Connor la reposa enfin.

— Mon gynécologue me l'a confirmé la semaine dernière.

Liam continuait de s'essuyer avec son chiffon.

— Je croyais que tu utilisais un moyen de contraception.

— Je n'ai pas renouvelé l'injection et on n'a pas arrêté de copuler, Liam, si tu t'en souviens. Et si ça se trouve, les spermatozoïdes des garous sont plus coriaces que ceux des humains.

— Merde, lâcha-t-il, une boule dans la gorge.

D'autres voisins apparurent sur leur perron. Ellison sortit de son jardin, torse nu, le jean maculé de terre et de traces d'herbe. Quand il comprit ce qui se passait, il planta les poings sur les hanches et rejeta la tête en arrière pour hurler comme un loup. D'autres hurlements lui firent écho à travers toute la rue.

Génial. Combien de temps avant que la nouvelle ne fasse le tour du quartier garou ? Cinq minutes ? Deux ?

— Je reste, Liam, déclara Kim. Que ça te plaise ou non.

— Par les Dieux !

Il jeta le chiffon graisseux par terre et la prit dans ses bras. Tant pis pour les taches. Il la pressa fort contre son cœur, lui embrassant les cheveux, le visage, les lèvres.

— Je t'aime, Kim. Ne me quitte plus jamais.

— C'est l'idée.

— J'ai besoin de toi.

Elle lui frotta la joue.

— Je sais.

Il l'avait repoussée pour la protéger, avant tout de lui-même. Mais la serrer à nouveau, la sentir, la goûter, entendre sa voix… Cela le brisa et vainquit la bête. L'indompté en lui se ratatina, comme Fergus sous la lame du Gardien.

Il l'étreignit encore plus fort.

— Tu es à moi.

— Rien qu'à toi.

Il appuya le front contre le sien.

— Je t'aime tellement.

Elle lui décocha un sourire radieux.

— Et moi, je t'adore.

Il l'embrassa avec ardeur et sincérité. Elle s'abîma dans ce baiser, enroulant les bras autour de sa taille et lui agrippant les fesses avant de glisser les doigts dans les poches de son jean. C'était une femme aimante, chaleureuse et sexy. Qu'avait-il fait pour avoir une chance pareille ?

Liam rompit leur étreinte et lécha les lèvres de Kim, qu'il avait déjà meurtries. Il apprendrait à se montrer plus tendre avec elle, plus doux. Et sauvage aussi. L'étincelle dans ses pupilles indiquait qu'elle voulait les deux.

À peine redressa-t-il la tête que la famille les assaillit. D'abord Connor, qui criait toujours et les enlaçait à tour de rôle. Puis Sean, riant aux éclats, qui serra son frère dans ses bras et frotta les épaules de Kim en lui embrassant la joue.

Dylan, les yeux embués, étreignit son fils, puis Kim avec fermeté. Cette dernière hoqueta lorsque Glory fonça sur elle pour l'enlacer avec affection.

— Bien joué, ma grande !

En bon lycan qui se respecte, Ellison glapissait et hurlait de joie. Il souleva Liam de terre et lui donna une franche accolade.

— Enfoiré d'alpha, va ! Tu t'es réservé la meilleure.

— Fais gaffe ! le taquina Glory.

Ellison passa le bras autour de Sean et de Connor.

— Fêtons ça avec une bière !

Ils se dirigèrent vers la maison pour accorder au couple un peu d'intimité. Glory leur emboîta le pas après avoir jeté un coup d'œil à son amant.

— Seamus, disait Connor. Ou Patrick, peut-être ?

— De quoi parlez-vous ? s'enquit Ellison.

— De prénoms pour le petit. Ou Eoghan ?

— Arrête un peu avec tes noms imprononçables ! Il faut laisser une chance à ce gamin !

Ils s'engouffrèrent à l'intérieur. Dylan posa les mains sur les épaules des deux tourtereaux.

— Que la Déesse vous bénisse. (Il déposa un baiser sur le front de la jeune femme.) Merci, Kim.

Il sourit et s'éloigna à son tour. Liam le regarda partir, le cœur gros.

— Il me remercie d'être enceinte ? s'exclama Kim. Ce n'était pas difficile, on n'a pas arrêté de s'envoyer en l'air. Tu en as fait autant que moi.

Liam l'attira à nouveau contre lui. Voilà où était sa place. Elle le complétait à la perfection.

— Il voulait dire pour être revenue. Pour avoir préservé la famille.

— Ce n'était pas difficile non plus, répondit-elle tout sourires. Tu as tort quand tu affirmes que ma place est ailleurs, Liam. Avant la mort de mon frère, j'avais une famille chaleureuse et joyeuse comme celle-ci, une maison remplie chaque nuit. C'est ce que je cherchais depuis une dizaine d'années, même si je l'ignorais. (Elle leva vers lui ses yeux pleins d'amour.) Ma place est ici. Avec toi.

Certes, elle lui avait brisé le cœur. Ou peut-être l'avait-elle enfin guéri. Il l'enlaça et pressa la bouche contre la sienne.

Bon sang, les baisers à la mode humaine étaient vraiment plaisants ! Pourquoi avait-il toujours trouvé cela désagréable ?

Parce qu'il ne les avait jamais pratiqués avec Kim.

Elle lui pinça la lèvre inférieure avec les dents, et il se sentit soudain très à l'étroit dans son jean. Il lui susurra à l'oreille :

— Tu crois qu'on réussira à se faufiler jusqu'à l'étage ?

— Ça ne coûte rien d'essayer. (Elle lui décocha une œillade coquine.) En plus, ils font un tel boucan qu'ils couvriront mes cris. Je te préviens, je ne compte absolument pas me retenir.

Il la serra fort et poussa un grognement.

— Je t'aime, bon sang.

— Tant mieux.

Ils parvinrent à esquiver la foule pour atteindre la chambre à coucher. Dylan les aperçut, mais il se contenta de sourire, leur tournant le dos.

La porte fermée à clé, les vêtements volèrent dans la pièce et Liam plaqua Kim contre lui. Son cœur avait cessé d'être partagé, son esprit était clair et son corps fondait de désir. Le sourire qu'elle lui adressa finit de l'achever.

— Je t'aime, Liam, murmura-t-elle.

— Toujours, répondit-il d'une voix entrecoupée. Je t'aime pour toujours.

Leurs ébats furent torrides, puissants, athlétiques et passionnés. Les murs tremblèrent, le lit grinça et le bruit couvrit même celui des réjouissances au rez-de-chaussée.

L'histoire resta dans les annales ; le frère, le neveu, les amis de Liam et tous les membres de son clan ne manquèrent pas de leur en rebattre les oreilles.

Découvrez les prochaines nouveautés
des différentes collections J'ai lu pour elle

Le 6 novembre

Inédit ***Il était une fois - 4 - Une si vilaine duchesse***

Eloisa James

Theodora Saxby n'est pas belle et personne ne veut l'épouser excepté peut-être James Ryburn, son ami d'enfance et héritier du duché d'Ashbrook. Après une demande très romantique, Theodora se laisse convaincre. Mais leur mariage vole rapidement en éclats lorsqu'elle découvre que James ne désire ni son cœur ni sa beauté, mais sa dot !

Inédit ***La sage des Bedwyn - 2 - Rêve éveillé***

Mary Balogh

Judith Law est sans fortune et se rend chez sa tante pour y devenir domestique. En chemin, sa diligence se renverse. Elle est alors secourue par Rannulf Bedwyn. Judith dissimule sa véritable identité et s'abandonne, l'espace d'une nuit, dans ses bras. Puis, elle disparaît sans un mot. Cette passion n'était qu'un rêve. Jusqu'au jour où Rannulf se présente chez sa tante…

Quand l'ouragan s'apaise **Kathleen E. Woodiwiss**

1799. Heather Simmons, jeune orpheline, part pour Londres. Elle était loin de prévoir qu'elle se retrouverait bientôt, errant dans le port, avec un meurtre sur la conscience. C'est alors qu'elle est entraînée sur le navire du capitaine Brandon Birmingham, un riche Américain, qui fait d'elle sa maîtresse. Entre eux, commence un long duel qui se poursuivra tout au long de la traversée de l'Atlantique, puis en Caroline du Sud. Là-bas, Heather n'a plus qu'une idée en tête : transformer le désir sauvage et cruel de Brandon en amour.

Le 20 novembre

Inédit ***La trilogie Fitzhugh - 3 - Par orgueil***

Sherry Thomas

1896. Helena Fitzhugh, brillante éditrice, est une femme de caractère. Elle sait parfaitement qu'elle court à sa perte si sa liaison avec un homme marié venait à être découverte. Alors, lorsque David, vicomte de Hastings, lui propose de s'enfuir avec lui, pour sauver sa réputation, elle finit par accepter bien qu'elle le déteste depuis l'adolescence. Mais un accident de calèche va bouleverser ses sentiments…

Inédit ***Maîtres et seigneurs - 3-***
Le maître de mes désirs **Karin Tabke**

1067, Écosse. Alors qu'il se bat au nom du roi Guillaume le Conquérant, Stephan de Valrey est blessé sur le champs de bataille. À son réveil, il n'a plus qu'une idée en tête : trouver un moyen de libérer ses compagnons. C'est alors qu'il croise le chemin d'Arian, belle et fière princesse galloise, en route pour son mariage. Stephen décide de la capturer et de s'en servir comme monnaie d'échange…

La fraternité royale - 3 - Une nuit avec un prince

Sabrina Jeffries

Quand Cristabel de Haversham vient lui demander son aide pour récupérer un objet qui lui appartient, Gavin Byrne, propriétaire d'un club de jeu réputé, accepte. Il est séduit par cette diablesse qui n'a peur de rien et qui manie avec brio le pistolet. Mais il n'accepte qu'à une condition : qu'elle devienne sa maîtresse !

Tendre abandon **Brenda Joyce**

Anne est dévastée. Son mari Dominick Saint-Georges, vicomte Lyons, vient de l'abandonner juste après leur mariage. Elle le déteste et n'est pas prête de lui pardonner cette humiliation. Lorsque, quatre ans plus tard, ce dernier réapparaît, elle n'en revient pas. Quel culot ! Elle refuse de le laisser entrer. Mais Dominick ne semble pas prêt à renoncer aussi facilement…

Romantic
Suspense

Le 6 novembre

Inédit **_Terreur mortelle_** ⁂ **Allison Brennan**

Lucy Kincaid, dix-huit ans, disparaît mystérieusement le jour de sa remise de diplôme. Nul besoin de chercher bien loin : elle avait rendez-vous le matin même avec un certain Trevor Conrad, rencontré sur un site de rencontres. Psychiatre judiciaire, Dillon Kincaid va tout mettre en œuvre pour tirer sa petite sœur des griffes de ce qu'il devine être un psychopathe pédophile. Et pour l'aider, Dillon requiert les compétences de Kate Donovan, un agent du FBI expert en informatique...

Le 20 novembre

Inédit **_L'emprise des flammes_** ⁂ **Sandra Brown**

L'officier de police Jay Burgess est retrouvé inerte au lit… aux côtés de la journaliste Britt Shelley, qui jure avoir été droguée et victime d'une machination ! Raley Gannon la croit, lui. Car cinq ans plus tôt, tandis qu'il tentait d'élucider les origines d'un étrange incendie dans lequel son ami Jay Burgess avait mis sa vie en péril, un scandale avait ruiné sa carrière. Et pour cause, Raley s'était réveillé lui aussi dans un lit aux côtés d'une femme assassinée...

PROMESSES

Le 6 novembre

Inédit ***Nuit de Noël à Friday Harbor*** ☙ **Lisa Kleypas**

Holly, 6 ans, a perdu sa maman et depuis ne dit plus un mot. Mark Nolan, son oncle célibataire, a la garde de l'enfant. Il n'a qu'un but : qu'elle retrouve la parole. Maggie, elle, reprend goût à la vie après avoir perdu son mari, en ouvrant une boutique de jouets, à Friday Harbor. Un jour, Mark Nolan emmène la petite fille dans la boutique. Cet endroit est un enchantement et Maggie… une magicienne.

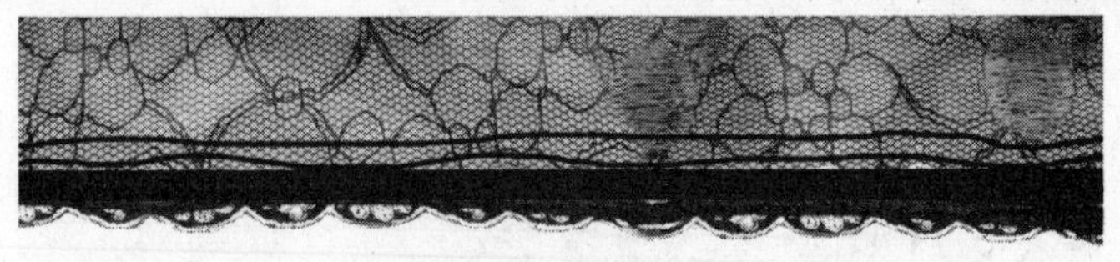

Passion intense

Des romans légers et coquins

Le 20 novembre

Inédit ***Houston, forces spéciales - 3 - Douce séduction***

Maya Banks

Les massages, voilà la grande spécialité de Julie Stanford, propriétaire de son propre salon de beauté à Houston. Et s'il y a un homme à qui elle rêve d'en faire, c'est Nathan Tucker. Sexy en diable, il incarne tous les fantasmes de la jeune femme. Mais elle a beau lui envoyer tous les signaux possibles, Nathan reste de marbre. Et pourtant, s'il savait tous les dons que possède Julie…

CRÉPUSCULE

Le 20 novembre

Inédit ***Chasseuses d'aliens - 5 - Sanglante extase***

Gena Showalter

Pour survivre dans les rues dangereuses de New Chicago, Ava Sans a compris dès son plus jeune âge que la seule solution qui s'offrait à elle était de devenir une chasseuse, à défaut d'une proie. Aujourd'hui agent de l'A.I.R., elle a pour mission de capturer un redoutable vampire afin de lui soutirer des informations capitales. Or, rien ne la préparait à trouver Victor McKell si séduisant…

Et toujours la reine du roman sentimental :

Barbara Cartland

« Les romans de Barbara Cartland nous transportent dans un monde passé, mais si proche de nous en ce qui concerne les sentiments. L'amour y est un protagoniste à part entière : un amour parfois contrarié, qui souvent arrive de façon imprévue.
Grâce à son style, Barbara Cartland nous apprend que les rêves peuvent toujours se réaliser et qu'il ne faut jamais désespérer. »

Angela Fracchiolla, lectrice, Italie

Le 6 novembre
L'intrigante des Highlands

10526

Composition
FACOMPO

Achevé d'imprimer en Italie
par Grafica Veneta
le 16 septembre 2013.

Dépôt légal : septembre 2013.
EAN 9782290068557
L21EPSN001051N001

ÉDITIONS J'AI LU
87, quai Panhard-et-Levassor, 75013 Paris

Diffusion France et étranger : Flammarion